GAIA NOVA

Band 1

Flucht in die Nacht

Aina Koregard ist geboren und aufgewachsen an der dänischen Grenze im Norden Deutschlands. In Hessen arbeitet sie als Lehrerin für Geschichte, Kunst und Philosophie. Alte Mythen, philosophisches Gedankengut, sowie technische, bio-technische und digitale Ausblicke in die Zukunft faszinieren sie. Über allem steht das Staunen über die Vielfalt und Schönheit, die das einzigartige Kunstwerk des Organismus Erde uns jeden Tag aufs Neue zeigt. Ein Geschenk. Das vermittelt sie uns mit ihren Werken.

www.ainakoregard.de

Ich danke der Förderung durch die Beauftragten der Bundesregierung für Kultur und Medien (BKM),
von NEUSTART KULTUR und die VG WORT.
Die Veröffentlichung des gesamten dreibändigen Werks
GAIA NOVA konnte mithilfe des Stipendiums der VG WORT
im Rahmen von NEUSTART KULTUR gelingen.

NEU START KULTUR VG WORT Die Beauftragte der Bundesregierung für Kultur und Medien

GAIA NOVA

Band 1

Flucht in die Nacht

1. – 3. Stunde

Aina Koregard

FSC
www.fsc.org
MIX
Papier aus verantwortungsvollen Quellen
Paper from responsible sources
FSC® C105338

1. Auflage PB 2023, Neuauflage PB 2025, HC 2025

Verlag: BoD · Books on Demand GmbH,
Überseering 33, 22297 Hamburg, bod@bod.de
Druck: Libri Plureos GmbH, Friedensallee 273, 22763 Hamburg

ISBN Hardcover: 978-3-6951-1876-2
ISBN Paperback: 978-3-7568-1215-8

Bibliografische Information der Deutschen Nationalbibliothek: Die Deutsche Nationalbibliothek verzeichnet diese Publikation in der Deutschen Nationalbibliografie; detaillierte bibliografische Daten sind im Internet über dnb.dnb.de abrufbar.

Aufgrund der umfangreichen Recherchearbeiten für das komplette Werk GAIA NOVA kann es sein, dass unbeabsichtigt Rechte für Textpassagen übersehen wurden. Wenden Sie sich bitte mit berechtigten Ansprüchen an:
aina.koregard@gmail.com.

Aus Gründen der besseren Lesbarkeit wird zumeist auf die gleichzeitige Verwendung der Sprachformen männlich, weiblich und divers verzichtet. Sämtliche Personenbezeichnungen gelten gleichermaßen für alle Geschlechter.

Für unsere Kinder und die nächsten sieben Generationen.

GAIA NOVA
WESTMEER
NORDGEBIRG
Waldvolk
Meeresvolk
CALDERA
GRÜNE HÜGEL
Hirtenvolk
Weinvolk
LAND DER OLIVEN
INSEL DER SCHÖNHEIT
STEPPE
Steppenvolk
DER HÖCHSTE
Volk der Nagila
FALTENGEBIRGE
NAGILA
TROCKEN-SAVANNE
Volk der Sonne
WÜSTE
Wüstenvolk
Grasvolk
Volk des Roten Berges
FEUCHT-SAVANNE
ROTER BERG
CANYON
WÄCHTER DES SÜDENS
REGENWALD
Baumvolk
SÜDMEE

WÄCHTER DES NORDENS
GEBIRGE
Waldvolk
OSTMEER
Meeresvolk
MOOR
Feuerclan der großen Mutter
FEUERRIESE
GRÜNES TAL
FEUERGEBIRGE
Feuerclan | Eisernes Volk
SCHNEEFELDER
HAND-FJORDE
SEL DER
HÖNHEIT
MOND SEE
EISRIESE
LA
EISGEBIRGE
Eisvolk
SUMPF
SALZSEE
STEINRIESEN
EWIGE GEFRORNIS
Rentiervolk
TURMWALD-LABYRINTH
Volk des Turmwald-Labyrinths
R
NS
SEE MIT 37 INSELN
Inselvolk
REGENWALD
Baumvolk
MEER
FLUCHT IN DIE NACHT

Prolog

Das Amduat ist das älteste der Jenseitsbücher des Alten Ägyptens, belegt seit der 18. Dynastie ca. 1500 v. Chr., und baut vermutlich auf älteren Vorlagen des Sonnenkultes des Alten Reiches auf. Es ist das „Buch von dem, was im Jenseits (Duat) ist". Den verstorbenen Pharaonen sollten die Zeichnungen und Texte auf den Wänden der Gräber und Sarkophage als Orientierungshilfe im Jenseits dienen. Das Amduat hütet eine tiefgründige Weisheit und eine große Kraft der Wandlung. Dort steht geschrieben, wie der Sonnengott sich jeden Abend gealtert auf die zwölfstündige Reise durch die Nacht begibt. Er fährt in einer Barke, begleitet und geleitet durch starke Gottheiten, denn in der Dunkelheit lauern viele Gefahren und Widersacher. Durch sein tiefes Vertrauen zu seinen Begleitern, deren Wissen und deren Schutz, kann er in der tiefsten Stunde seine Erneuerung vollziehen. Doch auch in den nächsten sechs Stunden heißt es achtsam sein. Gerade in dieser Zeit sind noch viele Prüfungen zu bestehen, viele Schattenseiten und Gefahren zu meistern bis der Sonnengott am frühen Morgen als junge Sonne wiedergeboren werden kann. Nur durch die Hilfe dieser 908 göttlichen Wesen kann er jede Nacht alle Hindernisse der dunklen Gefilde überwinden, millionenfach erprobt, und ein neuer Tag kann erwachen.

Diese tiefe Mystik, in der Jetztzeit angewandt, ist der Faden, entlang dessen die Gedanken meines Protagonisten ER, Emil Richter, unbewusst geleitet werden, Stunde für Stunde, wobei eine Stunde eine unbestimmte Zeit dauern kann. In diesen ‚Stunden' erfährt nicht nur er selbst, sondern auch sein Kontinent GAIA NOVA einen immensen Wandlungsprozess. So heißt es in einer Beischrift im Grab des Thutmosis III.: „Das Buch ist im Himmel und auf der Erde nützlich für einen, der es schon auf Erden kennt…"

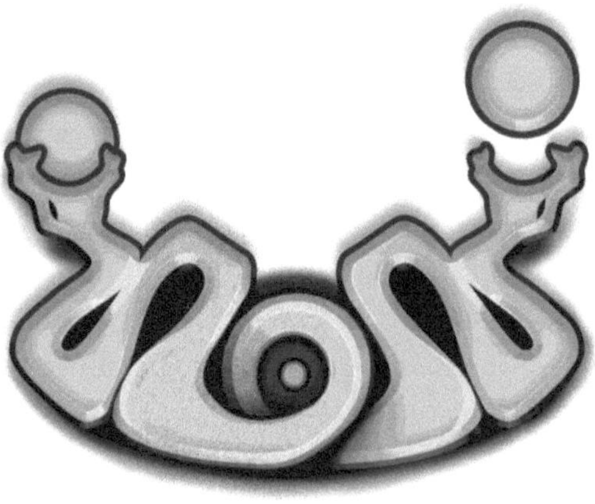

Zwei Minuten bevor sein Wecker klingelte

ER wachte auf. So wie immer.

Und stellte die Uhr ab. So wie immer.

Er stand auf. So wie immer.

Im Dunkeln schlurfte er zum Bad. Er kannte blind jeden Schritt und jeden Griff. Licht an. Augen zugekniffen.

Blick in den diffusen Spiegel.

Blöder Traum. Was sollte das nur immer? Die Kluft. Warum war er nicht gesprungen? Naja, wenn er ehrlich zu sich war, auch in wachem Zustand wäre er nicht gesprungen. ER war immer noch wie gelähmt und ärgerte sich darüber. Über sich selbst. So fing jeder Tag an.

„Tollen Morgen, Sweetie!", trillerte seine bezaubernde Freundin, Lebensgefährtin. Natürlich, wie immer, schon pikobello herausgeputzt nach Werbebranchen-Art. Haare streng zurück, knalliger Lippenstift, dunkelblauer Anzug und Sportschuhe, der ach so freche antimodische Akzent, über den sich dann alle Werbestuten in der Agentur das Maul zerrissen. Frech sein war In!

„Das kommt vom langen Schreiben, dann arbeitet man auch im Schlaf weiter. Kennen unsere Texter auch", schnurrte sie spitz.

„Völliger Quatsch! Du bist noch später ins Bett und früher aufgestanden als ich. An Schlafmangel kann es ja wohl nicht liegen", antwortete er schlecht gelaunt. Er hasste es, wenn sie morgens fröhlich war. Vor allem dieses Daherreden.

„Sweetie… Du weißt doch, dass die Kickoffs immer bis weit nach Mitternacht gehen. Es war ein überaus erfolgreiches Event. Wichtige Kontakte. Gleich heute Früh geht es weiter mit der Präsentation für eine neue Beauty-Serie. Ich hoffe, unsere beiden Volontäre haben die 30 PowerPoint-Seiten ansprechend vorbereitet, wie ich es ihnen vorgescribbelt habe", flötete sie weiter und drängelte ihn vom Spiegel weg, um eine zu freche Haarsträhne in die Haarspange zu verbannen.

Er wusste gar nicht, worauf er zuerst reagieren sollte. Zu mindestens fünf Punkten hätte er etwas entgegenzusteuern, aber morgens war nicht seine Zeit. Überhaupt gab es momentan keine Zeit, die wirklich seine Zeit war. Schon gar nicht mit einer vor Selbstbewusstsein und Übermotiviertheit strotzenden Partnerin.

Ihr Anblick lähmte ihn wie die Kluft in seinem Traum. Die ganze Welt, ja, das ganze Leben schien ihm wie diese Kluft, wie ihr Anblick.

Frustriert setzte er sich aufs Klo und erhielt prompt einen Schmatz von seinem Schatz auf die Wange gedrückt. Dann zog sie auch noch ab, während er drauf saß und verschwand rasch mit einem „Frech sein ist IN, Sweetie!“ aus der Haustür.

Im Hintergrund dudelte Bob Dylans „Times they are a changing“…

Er seufzte.

Der Morgenspuk war zu Ende. Aber der Tag leider noch lange nicht.

Bäcker. Stau zur Agentur. Zu spät im Büro. Endloser Flur, in dem sonst nie jemand erschien, außer man kam zu spät.

„Auch eine Leitung hat eine Kernarbeitszeit, ER“, lautete die Begrüßung des selbsternannten Chiefs, alias Chief Creative Officer. Media and Innovation Services in Milon, kurz: MAIS Milon, hatte zwei Kreation-Abteilungen, Kreation Young und Matura. Willi Schnurz war der Creative Director von Kreation Young, welche die Interessen der jüngeren Bevölkerung der Stadt einfing und kreativ gebündelt über die Szene.Card an sie zurückgab. Er betitelte sich immer abwechselnd Chief oder CCO, weil es hipper war, meinte er, und weil er sich von ER abheben wollte. Natürlich lächerlich, merkte er aber nicht. Sie waren absolut gleichrangig. ER war ebenfalls Creative Director, nur von Kreation Matura, der Kreativ-Abteilung, deren Zielgruppe die aktiven Silberhaare der Stadt waren. Ein absoluter Schnösel, dieser Willi Schnurz. ER nannte ihn nie Chief oder CCO, war klar. Dieser Möchtegern hatte heute mal wieder auf ihn gelauert und feixte sich jetzt einen.

Endlich, sein Büro, das vorletzte im endlosen Gang. *Transparenz* hieß das neue Schlagwort. Von MAIS Gujaland aus der Hauptstadt Fachim angeordnet. Neuester CD/CI-Tick. Die Kosten mussten natürlich die Agenturen selbst tragen. Kein Wirtschaftsplan vertrug das. Transparenz konsequent, gläserne Wände, gläserner Mensch. Nun gut, also überall transparente Baustellen. Mauern weg – Glas hin. ERs Büro war noch das alte. Es roch auch so. Jahrzehnte alter Agenturenmief. Er hasste es, wollte es aber auch nicht anders und ärgerte sich wieder über sich selbst.

„Moin ER! Du gockst aber wieder beömmelt ausser Wäsche!“ Wieder so ein Gutgelaunter. Als wären die alle morgens schon bekifft.

„Haaallo! Chöffchen, so kann das doch nicht weitergehn. Komm mal raus aus deiner Schwermut. Heute ist Präsentation des Wörtschaftsplanes fürs nächste Jahr! Da musst du strahlen vor Enthusöasmus und Öberzeugung! Noch geben wir nicht auf! Die Zahlen sprechen für uns!“, munterte Chrischi ihn auf und gab ihm einen kameradschaftlichen Klaps auf die Schulter. ER verzog sich sicherheitshalber rasch auf seinen unerreichbaren Platz hinter dem Schreib-tisch. Durchatmen. Na also: ER zog seine berühmte Augenbraue hoch und legte ein Grinsen auf.

„Na klar, alles klar! Hatte gestern Abend noch eine schöne Statistik zu den Kontaktzahlen beigefügt. Wir hatten die Follower der Influencer vergessen. Sieht wirklich gut aus für uns. Ich hole euch in einer halben Stunde ab, dann gehen wir gemeinsam in die Höhle des Löwen. Sag Alessa, wir brauchen fünf Kopien insgesamt.“ Und mit einem unzweideutigen doppelten Augenbrauen Liften beförderte ER seinen Assistenten und Grafiker nach draußen.

Funktionieren konnte er, ER, alias Emil Richter, E.R., ER. Alle nannten ihn so. Stimmte nicht, seine Freundin nannte ihn Sweetie und seine Tochter aus seiner ersten Beziehung, 26, Modedesignstudentin im Master, nannte ihn Dad, weil Papa uncool war, sie in Donlon studierte und zudem ein Auslandsjahr in Kappland verbracht hatte. Also waren es zwei.

Funktionieren, fremdbestimmt, ja, das hatte er gelernt, sein

Leben lang. Nur seit einem Jahr war ihm, als würde seine Batterie immer schwächer werden. Oft war er einfach morgens nur unter großen inneren Anstrengungen imstande, den Tagesanfang in den Griff zu kriegen. Dabei lag doch bekanntlich alles Gold in der Morgenstund. Bei ihm war es Blei. Und das war Gift für den Körper. Und die Seele. Was war er für ein Mann, wenn er nur allerhöchstens auf halber Kraft arbeiten konnte? Wenn er nach außen den Manager heraushängen ließ und nach innen einfach keinen Bock auf all das mehr hatte? Auf nichts, nicht mal aufs Schreiben.

Ausgebrannt. Ausgezehrt.

Nur wovon?

Lief doch alles.

Da war noch so viel mehr drin, aber wofür? Allein der Gedanke, irgendetwas für irgendwen tun zu müssen, schien ihm oft unerträglich und wurde immer unerträglicher. Dieses ewige Fordern, es zog und zerrte an ihm und widerte ihn an. Die innere Abwehr wurde immer schmerzlicher. Es zerriss ihn und zog ihn runter.

„Mach mal was für dich", meinte neulich seine coole Freundin. „Natürlich erst, wenn du die Wäsche aufgehängt hast. Ich schaffe es nicht mehr und muss los." Und abends dann: „Noch nicht einmal die Spülmaschine hast du ausgeräumt! Statt trübselig herumzusitzen kannst du ja mal etwas Gescheites tun. Das Brot ist auch das falsche. Du weißt doch, dass ich kein Weizenbrot esse und das hier riecht schon nach Pappe." Klatsch, hatte sie das Brot ins Fach zurückgeschmissen. Oder am Morgen davor:

„Wie siehst du eigentlich aus? So willst du euer Kultur-in-Milon Projekt vertreten? Na, wenn ich dasäße, und es käme einer mit dem allerletzten Sakko aus dem allerletzten Jahrtausend, hätte der so gar keine Chance bei mir. Komm, zieh dir das dunkelblaue Sakko über. Und die blauen Socken. Naja, das hellblaue Hemd mit den Streifen ist besser und wenn du schon dabei bist, auch die dunkelblaue Jeans, nicht diese ausgewaschene…"

„Lass mich! Kümmer dich um dich!", das sind die Kommentare, die er ihr üblicherweise als Abwehr barsch entgegenschleuderte.

In welchen beengenden Mustern hing er fest? Wie war er da nur hineingeraten? Mit einem Mal, eines Morgens, da war die Luft raus und sein Selbstbewusstsein war in der Grütze. Das überlebte er nur mit barscher Abwehr. Wer konnte ihn da schon verstehen? Er verstand sich selbst ja am allerwenigsten.

Präsentation des Wirtschaftsplanes

Kein Kontakt zu seiner Ex. Aber zu seinem Töchterchen. Aber die musste ja in Donlon studieren. Ist wohl besser so. Sie würde es mit ihm auch nicht lange ertragen. Mit ihm war nicht mehr viel los.

Er bremste sich in allem selbst aus, egal was er anfing.

„Lass dich mal untersuchen. Vielleicht hast du ja irgendwas. Vielleicht hast du ja Krebs oder so", war gestern Morgen die letzte Bemerkung seiner hippen Freundin. Heute Morgen war sie wieder zuckersüß. Ach, er wünschte, sie sollte einfach mal ihre Klappe halten. Still. Einfach mal an einem Morgen nix sagen. Ja.

Er lächelte bei dem Gedanken, sah auf die Uhr, schnappte seine Tablet-Mappe und zog los. In die Höhle des Löwen.

Gut, dass da noch Chrischi und Alessa zur Präsentation des Wirtschaftsplanes mitkamen. Sie waren schon ein tolles Team. Ein kleines Team von fünf Festangestellten, davon drei ganztags und zwei halbtags, die studentischen Hilfskräfte und die beiden Praktikanten mitgerechnet noch neun dazu, zurzeit.

Der Wasserkopf von allem war Media and Innovation Services MAIS, vertreten in weltweit 54 Ländern mit insgesamt 179 Agenturen in allen wichtigsten Städten, Tendenz steigend. MAIS Milon war eine von sieben Töchtern von Media and Innovation Services MAIS Gujaland, Zentrale des hiesigen Landes Gujaland mit Sitz in der Hauptstadt.

Alle saßen schon: Leiterin der PR MAIS Gujaland, ihr Assistent PR MAIS Gujaland, Geschäftsführer MAIS Milon, der allerdings in knapp zwei Wochen die Geschäftsführung einer anderen MAIS-Tochter übernehmen sollte, Nachfolger noch unbekannt, Assistent GF MAIS Milon, Creative Director Kreation Young MAIS Milon… Warum der in dieser Runde erschien wusste keiner, Leitung Marketing MAIS Milon, Assistentin Marketing, und… Ihm stockte kurz der Atem, denn er ahnte Schlimmes…

„Moin ER! Darf ich vorstellen, Herr Dr. Schwarzenegger, externer Berater des Vorstandes von MAIS Gujaland in unserer Hauptstadt Fachim. Er wird unser Projekt verfolgen und begutachten und uns mit seinem erfahrenen Rat zur Seite stehen. Und, Herr Dr. Schwarzenegger, darf ich Ihnen…"

Michaela Erhard, Leiterin Marketing MAIS Milon, wollte gerade das Team von Kreation Matura vorstellen, da hob er die Hand und schüttelte grinsend den Kopf.

„Nicht nötig, Michi, der Herr ist mir bekannt. Das ganze Team ist mir bekannt. Guten Morgen, Herr Richter. Kommen wir gleich zur Sache. Wie sind die brandaktuellen Ist-Zahlen?", forderte der externe Berater mit einem kalten spitzen Ton.

Noch einer, der ihn nicht mir ER anredete. ER ließ sich seine unangenehme Überraschung nicht anmerken und reagierte im Funktions-Modus spontan sachlich:

„Die durchaus aussagekräftigen Basiszahlen im Plan sind die von vor einer Woche, auf deren Grundlage wir den Wirtschaftsplan aufgestellt haben. Es gibt seither keine nennenswerten Veränderungen. Die Zahlen werden wir Ihnen in der heutigen Sitzung im Wirtschaftsplan vorstellen."

Giftige Stille.

„Ist das so?"

„Ja. Wir können Ihnen jetzt, wie verabredet, die errechneten Prognosen für das kommende…", weiter kam er nicht.

„*Herr* Richter. Die IST-Zahlen sind die Basis! IST ist heute, nicht vor einer Woche oder sonst wann. Das dürfte Ihnen doch bekannt sein. Wenn nicht Ihnen, so doch Ihrer charmanten Begleiterin Frau Schimmelreiter, die sich doch bestens in Sachen Statistiken auskennt, oder schätze ich Sie da falsch ein, Frau Schimmelreiter?"

Angriffswechsel.

„Frau Schimmelreiter…“, weiter kam ER nicht.

„*Frau Schimmelreiter*!“, unterbrach der Externe knallhart.

Alessa hatte es fast die Sprache verschlagen. Sie räusperte sich, was den Externen zu amüsieren schien. Da war es, für eine Sekunde war das der kleine Junge, der einem Mädchen eine Spinne in den Pullover gesteckt hatte. In der nächsten Sekunde wieder Eisesblick.

„Ja, also, wir haben die Ist-Zahlen, jedoch nicht hier, weil wir…“, weiter kam sie nicht.

„Tss. Sie enttäuschen mich aber, Frau Schimmelreiter. Die Zahlen sind doch *Ihr* Revier. Die müssten doch nur so aus Ihnen heraussprudeln, auch ohne Ausdrucke. Jeden Tag müssten Sie die aktuellen Zahlen kennen. Nur so kann gewirtschaftet werden. Nur so! Alles Kreativen-Geschnurre nutzt nichts ohne Zahlen! Sie brauche ich erst gar nicht zu fragen, Christian Sommerschild. Sie sind ja erst ein halbes Jahr im Unternehmen und haben als Grafiker keine Ahnung über Größe und Umfang von MAIS und noch weniger Ahnung von der Winzigkeit dieses Kultur-in-Milon Projekts für Ruheständler, das jedes Jahr aufs Neue in den Ohren von Milon hängt und um Verlängerung bettelt.“

„Herr Dr. Schwarzenegger. Meine Mitarbeiter…“, weiter kam ER nicht.

„Das ist sehr ehrenhaft, *Herr* Richter, dass Sie sich vor Ihre Mitarbeiter stellen wollen, aber ein Mitarbeiter ist erst ein starker Mitarbeiter, wenn er durch nichts und niemanden gedeckt werden muss. Nur so kommen wir voran. Nur so. Stimmts?“ Er sah frohlockend in eine betreten schweigende Runde. Alessa war den Tränen nahe.

„Stimmt“, schleimte der Assistent Leitung PR MAIS Gujaland.

„Na klar, Herr Dr. Schwarzenegger“, wollte die Leiterin der PR MAIS Gujaland um nichts nachstehen.

„Ist da nicht eine klitzekleine Zahl von heute, die Sie mir nennen können, Frau Schimmelreiter?“, dieser Externe ließ nicht locker. Er hatte sein Opfer gefunden.

„Wir sind bei 8.500 Kultur-Abos“, brachte Alessa heraus.

„8.500… Ist das nicht eine schöne Zahl? Bemerkenswert, Grund zum Feiern“, er grinste und bekam von allen anderen außer den Mitarbeitern von Kreation Matura lachenden Beifall. Er aalte sich darin, so glatt wie seine Glatze.

„Noch nicht ganz 8.500, vielleicht 8.490 oder 8.495, aber kurz davor sind wir jetzt.“ Hätte Alessa besser geschwiegen.

Eisesschweigen.

Vulkanausbruch.

Der Externe schrie laut auf und beugte sich drohend über den Tisch in ihre Richtung:

„Das kann und darf es nicht geben!“

Ein schleimiger Spucketropfen landete direkt vor Alessa.

„Diese jämmerlichen Zahlen sind keine Grundlage für irgendeine Diskussion zum Fortbestehen dieses vollkommen überflüssigen Pseudo-Abos für drei graue Panther! Was sind denn das alles für Dilettanten?

Wir vertagen diese unerträgliche Sitzung um exakt eine Woche. Dann hoffe ich, sind Sie alle professioneller vorbereitet, um Ihr mickriges Konzept zu vertreten! Und Sie kommen, auch wenn Sie Urlaub haben, Herr Richter, dass wir uns verstanden haben!“

Mit knallrotem Kopf schoss der Externe auf, dass der Stuhl laut nach hinten flog. Alle anderen erhoben sich unmittelbar und der gerade mal 1,58 Meter große Berater war nicht mehr zu sehen als er laut stapfend aus der Tür ging. Alle hinterher bis auf das Kreation Matura-Team.

„Na, Michi, lädst du mich auf einen starken Kaffee für starke Männer ein?“, hörte man von draußen.

„Klar doch, Alex. Wir haben eine neue Maschine, die macht besonders starken Espresso“, hörten sie die Leiterin der Marketingabteilung gurren und sie vernahmen so etwas wie einen Klaps. Keiner wollte genauer wissen worauf. Sie wussten auch so, wo der Hase langlief. Flurfunk.

„So, so, daher weht der Wönd ab jetzt. Das kann was werden“, bemerkte Chrischi trocken.

Sie gingen schweigend zum Aufzug, fuhren schweigend in den

fünften Stock des Jugendstil-Altbaus und gingen schweigend an den Transparenz-Baustellen vorbei zu ihren zwei Räumen. Kaum, dass die Tür zufiel, fing Alessa herzzerreißend an zu heulen und schimpfte und jammerte.

„Alessa, komm, so einen Sack darfst du dir nicht so zu Herzen nehmen! Siehst doch selbst, der kompensiert seine Größe mit Arroganz und fieser Schadenfreude. Mönderwertigkeitskomplexe sind das bei dem. Er hat nichts anderes als Vitamin B zur Vorstandsetage von MAIS Gujaland. So ein Möchtegern-Napoleon. Wir wissen nun, wie er gestrickt ist, und werden in Zukunft besser gewappnet sein“, versuchte Chrischi sie zu trösten.

ER reichte ihr Papiertaschentücher und sagte bestimmt:

„Das ist eine härtere Nuss als ich es mir vorgestellt hatte. Wir haben ja schon von anderen Agenturen im Land gehört, in die er Schneisen geschlagen hat. Ich dachte immer, die stellen sich alle bloß an. Jetzt weiß ich, dass sie nicht übertrieben haben. Jetzt sind wir dran. Es wird noch schwieriger werden, aber wir lassen uns von solch einem Menschen, der keine Manieren hat, nicht entmutigen, ganz im Gegenteil: Wir werden jetzt erst recht für unsere Ideen kämpfen und für die 8.500 Abos, für die wir dies tun. In einer halben Stunde überlegen wir uns eine Strategie.“

Sie nickten. ER ging rüber in sein Büro und schloss die Tür hinter sich.

ER sank auf seinen Stuhl und fühlte das Blei in seinen Knochen schwerer denn je.

Er nahm einen Stift und kritzelte Nullen, endlos viele Nullen. Er starrte aus dem Fenster zur Eiche und beobachtete ein Eichhörnchen, das im Vogelfutterhaus nachschaute, ob schon Winterdelikatessen zu ergattern waren. Enttäuscht guckte es aus dem Vogelhaus und starrte ihn vorwurfsvoll an. Er zuckte mit den Schultern und lächelte zuversichtlich zurück. Gelassen sprang es in einem hohen gekonnten Bogen auf einen Ast und verschwand geschwind.

Er malte weiter Kreise. Kringel. Nullen.

Die Form der Eichel ist die Null.
Sie wächst durch Eichhörnchen, das die Eichel nicht wiedergefunden hat.
So wird aus der Null ein Baum von tausend Jahren.

„ÖR, wie wollen wir vorgehen?" Erschrocken blickte ER auf. Er hatte gar nicht bemerkt, wie die beiden hereingekommen waren.

„Ah, du hast die Formel för onsere Strategie gefonden, feini!" Chrischi konnte sich das erlauben, so mit seinem Chef zu sprechen. Sie hatten keine Hierarchie in ihrem kleinen Kreis. Es gab nur ein Team und jeder hatte seine Aufgabe darin. Das machte sie stark gegenüber den großen Maschinerien und Forderungen um sie herum. MAIS Gujaland, MAIS Milon, die Stadt Milon, ihr Hauptkunde, Sponsoren, Abonnenten, Theater, Konzerthallen, Kunstausstellungen, Lesungen, Kulturreisen, Kontakte, Akquise, Akquise, Akquise.

Ihn fing es an zu zermürben. Er zuckte kurz, riss sich zusammen und los gings. Funktionieren gehörte zu seinen Qualitäten.

Bis spät saßen sie und feilten an ihrer Strategie, den Löwen und seinen neuen Dompteur in der Höhle zu bezwingen.

Als gäbe es doch eine universelle Hilfe so lag seine Freundin schon im Bett, als er nach Hause kam. Das war das allererste Mal seit sie zusammen waren, also seit fünf Jahren. Und sie war krank, auch zum allerersten Mal! Und das so grippig, dass sie kaum einen Ton sprechen konnte und wenn sie es versuchte, eine halbe Stunde übelst husten musste. Für ihn war es eine sonderbare Mischung aus Mitgefühl und Erleichterung.

Der nächste Morgen sollte noch besser werden, denn sie bekam keinen einzigen Ton mehr heraus, nicht die kleinste Silbe! Wunderbar! ER war in Party-Stimmung. Er sah sie nicht an, denn er wusste, dass ihre Augen Giftpfeile versprühten. Er kochte ihr rasch möglichst liebevoll einen Thymian-Tee mit Honig und verschwand mit dem Kommentar:

„Dringende Termine und schlaf dich gesund, Sweetie."

Eigentlich ätzend, dass ihr Leid ihm Auftrieb verschaffte. Besser allerdings als ihre Megalaune, die ihn runterzog. War das Liebe? Nein. Er konnte nicht mit, konnte aber irgendwie auch nicht ganz ohne sie. Aber das war jetzt nicht das Thema.

Die ganze Woche stand unter dem Motto: Bezwingung des Löwendompteurs. Jede erdenkliche Statistik wurde erstellt oder überarbeitet und eine perfekte Präsentation vorbereitet. Jeder kannte jede Zahl. So waren sie gewappnet.

Leider erholte sich seine Freundin schon nach zwei Tagen wieder. Ihre beiden Launen kehrtwendeten sich prompt und ebenso prompt setzte seine Nachtarbeit wieder ein.

Nacht für Nacht dieser Traum mit einer unüberwindbaren Kluft in unzähligen Varianten.

Zweite Präsentation des Wirtschaftsplanes

Die zweite Präsentation des Wirtschaftsplanes mit den hohen Herren und Damen von MAIS kam und ging.

Genau zehn Minuten waren sie drinnen. Alessa begann mit dem Vortragen der aktuellen Zahlen und Chrischi präsentierte parallel die schönsten Grafiken, da schoss dieser kleinwüchsige, glatzköpfige Dompteur aus seinem Stuhl empor und schrie sie an:

„Was ist das nur für eine erbärmliche Zirkusnummer, die Sie da allesamt abziehen? Was interessieren mich die Zahlen von heute? Sind wir hier auf dem Gemüsemarkt? Ich will wissen, *wohin* Sie Ihre erbärmlichen Kultur-Zombies treiben wollen? *Wie* Sie es schaffen wollen, diese kranke Abo-Zahl bis zum nächsten Jahr mindestens zu verdoppeln. Das schaffen die Kollegen mit ihrer Szene.Card doch auch! Aber Sie scheinen genauso verstaubt zu sein wie Ihre Abonnenten. Wenn ich hier an dieser Stelle in einer Woche nicht Zahlen sehe, die grün am Horizont leuchten und einen zusätzlichen Sponsor, mit dem sich die Stadt Milon zeigen lassen kann, dann wird diese ganze Klitsche ausgetauscht oder am besten gleich zusammen mit dem schwachsinnigen Projekt eingestampft!"

Seine Adern quollen und pochten bedrohlich, die Nasenflügel vibrierten, der Kopf war in alarmierendem Dunkelrot und schien kurz vor einer Explosion. Er schmiss die schönen Statistiken respektlos vor ihre Nasen zurück, schmiss seinen Stuhl zurück und verschwand. Mit ihm natürlich, mit leicht hängenden Schultern und eingezogenen Schwänzen, alle diversen Mannen und Frauen von MAIS.

Alessa flennte, was das Zeug hielt. Was zu viel war, war zu viel.

„Dieses A… vor dem Herrn. Er ist so ein W…", schluchzte sie.

Er nickte:

„Ja, ich wünschte, dass diesem Herrn externen Berater auch einmal die Worte im Halse stecken blieben, so, wie meiner werten Frau Freundin", meinte ER mit schwacher Stimme und flehendem Blick gen Himmel. Er kramte nach Taschentüchern, die er Unheil ahnend eingesteckt hatte. In seinen Handinnenflächen waren tiefe Rillen durch seine Fingernägel, so fest hatte er seine Fäuste geballt. Unter dem Tisch.

„Ja, dann hätte er keine Macht mehr", meinte Chrischi. Es war das erste Mal seit sie zusammen arbeiteten, dass dieser positive, immer gut gelaunte junge Mann von Mitte dreißig, vollkommen niedergeschmettert dasaß und mit den Schultern zuckte.

ER richtete sich mit einem Mal auf:

„Leute, das war so eine krasse, völlig absurde Nummer. Ich glaube, jetzt bin ich über dem Punkt. Ich setze zum Angriff. Und wenn es meinen Kopf kosten soll. Was meint ihr? Alle guten Dinge sind drei! Einmal werden wir noch alles geben und wenn diese Pappnasen, allesamt, wie sie dasaßen, meinen, ihrem Dompteur in den Arsch kriechen zu müssen, dann sollen sie. Ich will es nicht, ich will nicht nach seiner Scheiße stinken! Basta!", sagte ER in einem ganz sachlichen ruhigen Tonfall. Er erkannte sich selbst nicht mehr.

„Okay, okay! Genau! Das will ich auch nicht. Wir krögen das hin! Ich weiß zwar nicht wie, aber wir schaffen das, nicht wahr Alessa?" Chrischi sah liebevoll zu Alessa, die wie Benjamin ihre Nase putzte und dann lächelte:

„Genau, alle guten Dinge sind drei. Eine letzte Chance geben wir diesem Alien. Und ich werde keine Träne mehr für diesen W… vergießen."

„Beschlossen und verkündet!"

So watschelten die drei entschlossen zurück in die Büros. Maggi, die sich mit Hanna eine Sachbearbeitungsstelle teilte, vormittags arbeitete und sich um die Abos kümmerte, war völlig irritiert, als sie sie in dieser Aufbruchsstimmung nach so kurzer Zeit wieder hereinkommen sah und dann hörte, was sich abgespielt hatte. Larry, ein Student, rief nur:

„Einer für alle und alle für einen!" und alle kamen zusammen und überkreuzten ihre Stifte.

„So, das ist die Basis und nun zaubern wir einen Sponsor", rief Chrischi in seiner Euphorie, was ER dazu bewegte, sich in sein Zimmer zu verkriechen und Kringel zu zeichnen.

Wir schenken dieser kleinen Eiche von nunmehr einem Blatt unsere volle Aufmerksamkeit und bauen unsere Stadt drumherum.

Wieder standen seine beiden Mitarbeiter wie aus dem Nichts vor ihm.

„Ich hab tatsächlich eine Idee, ÖR, eine kleine, aber ömmerhin!", lächelte Chrischi vielsagend.

„Setzt euch. Ich habe auch was. Fang du an. Was ist das für eine Idee?" ER konnte umschalten, wenn er wollte. Wie gut, dass er solch tolle Kollegen hatte. In jeder anderen Abteilung hätte er sich schon die Kugel gegeben. Aber für diese feinen Menschen, da konnte und wollte er nicht aufgeben.

„Ich bin am Wochenende mit einem Bekannten von meinem Freund und dessen Freundin und mit meinem Freund natörlich auch… Ihr wisst ja…", Chrischi machte es spannend.

„Chrischi!", ermahnte ER ihn und brach seinen Bleistift ab. Alessa schob ihm den Anspitzer rüber.

„Okay, okay. Also wir sind alle, Mann wie Frau, in der VIP-Lounge vom Miloner SV zum Chömpions-League-Spiel am kommenden Samstag in der Hallstadt-Arena“, erzählte Chrischi gelassen.

„Und…?“ ERs Geduldsfäden waren aufs Äußerste gespannt.

„Und… Der Bekannte meines Freundes ist zufällig der Leiter von Cooperations und Övents von keinem anderen als der besten Automarke der Welt – von Wheelstars! Versteht ihr? Wheelstars!“

Kurze Denkpause.

Anerkennendes Nicken.

„Das ist gut. Das ist nicht nur gut, das ist perfekt! Das könnte passen, wenn wir ein bisschen basteln. Milon ist eine Stadt, die für Wheelstars interessant sein könnte. Unsere Klientel passen exakt in ihre zahlungskräftige Zielgruppe. Prima, Chrischi!“

Chrischi grinste zufrieden vor sich hin.

„Was ist mit deiner Idee, ER?“, hakte Alessa nach.

„Ich werde der Miloner Marzipan-Manufaktur MMM einen Besuch abstatten. Meine Freundin ist ja Kontakterin in einer Werbeagentur, die diese als Kunden haben. Sonst ist bei ihr leider nichts Brauchbares für unsere Zielgruppe dabei. Aber MMM mit seinen handgeschöpften Pralinen, das könnte passen. Wenn das klappt, dann hätte sich das Zusammensein mit ihr tatsächlich doch gelohnt...“. Er seufzte:

„Dass ich daran nicht schon früher gedacht habe“, und schüttelte den Kopf.

Alessa lächelte sie beide hoffnungsvoll an:

„Bis jetzt war es ja auch kein Thema. Milon kam schließlich vor sieben Jahren mit der Abo-Idee auf *uns* zu, nicht wir auf sie. *Sie* wollten die Kultur-in-Milon-Abo-Karte, um die Kultur-Bewohner der Stadt an sich zu binden, und für diese arbeiten wir. Wenn das allerdings so weitergeht, dann ist unser anspruchsvolles Magazin in kurzer Zeit voller Werbung und unterscheidet sich kaum mehr von einer gewöhnlichen Illustrierten. Dass dieses Magazin ein Aushängeschild der gehobenen Kulturlandschaft von Milon ist, wird bei mehreren Sponsoren völlig untergehen. Dieser Möchtegern-Dompteur scheint Kultur ganz auf die Schiene des Kommerzes hebeln zu wollen, so, wie ich es von MAIS Gujaland aus der Hauptstadt gehört habe. Der hat null Ahnung von echter Kultur. Ach, jammern nutzt nix. Wir ziehen das Ding jetzt durch. Wie gut, dass ihr zwei beiden solche guten Eingebungen habt."

„Dann will ich mal eine Runde telefonieren. Anschließend überarbeiten wir die Sponsoren-Präsentationen. Besonders die Kontaktzahlen wollen wir ein bisschen aufmöbeln."

Doppelzuckende Augenbraue und die beiden ließen ihn allein.

Kringel.

Auch beim Düngen kommt es auf die Dosis an.
Nur wenige Hunde sind auserkoren, an den Stamm der kleinen Eiche zu pinkeln.
Je größer sie wird, desto mehr Hunde dürfen pinkeln.
Generationen von Hunden, und ein und dieselbe Eiche wächst und wächst ganz selbstverständlich auch ohne uns.

Wie auch immer, aus den Gedanken um die Eiche schöpfte er Kraft. Er ergriff den Hörer auf und rief seine Freundin an:

„Honey, wir brauchen Sponsoren für unser Kultur-Abo, sonst schießen sie uns in den Wind. Hier stehen alle Alarmzeichen auf Rot. Kannst Du mir einen Kontakt zu MMM geben? Könnte gut passen. Sicher zählt unsere Zielgruppe zum Großteil auch zur Käuferschicht ihres edlen Marzipans und ihrer handgeschöpften Pralinees. Bei Außenauftritten können wir sie perfekt mit ins Boot nehmen, ich meine bei unseren Info- und Verkaufsständen bei Konzerten, Theateraufführungen, Kunstausstellungen, Lesungen, Führungen, auch in anderen Städten. Kleine Verköstigungen in den Pausen, großes Käuferpotential. Außerdem haben sie das gleiche Blau in ihrem Corporate Design wie Milon neuerdings."

ER klang bewusst locker. Es strengte ihn noch nicht einmal an. Es war ja auch plausibel, sie zu fragen, warum nicht? Sie teilten ein Bett und heute Abend seit ewigen Zeiten einmal wieder wirklich. Für kurze Zeit schwangen sie auf der gleichen Welle, denn er sprach ihre Sprache.

Am nächsten Morgen stand ER ungewöhnlich frisch auf. Er ließ sich von seiner Freundin einkleiden, was sie sichtlich genoss. Heute ließ er es zu, aber ansonsten nicht mehr, denn seine Klamotten, so schräg sie ihrer Meinung auch waren, waren das Einzige, das noch er selbst war, wenn auch ein gewisses trotziges Selbst. Ansonsten hatte sie schon alles an ihm absorbiert, inklusive seiner Seele.

Sein Traum, dieses Mal keine Kluft, dafür Tiere, die sich ständig verwandelten, jedes Mal, wenn er hinsah. Bunt waren sie bisweilen. So ward aus einer pink-blau gestreiften pickenden Stadttaube beim nächsten Hinsehen eine rosa Katze, die sich an ihn schmiegte, die dann als Ratte in grau das Zimmer verließ. Auch irritierend. Eine Maus mit weißem Fell und bunten Punkten, die an der Wand saß und zu unzähligen bunten Kellerasseln wurde, die über einen Trichter in den Kachelfugen verschwanden. Sehr merkwürdig.

MMM

Dieses merkwürdige Gefühl hielt den ganzen Tag an. Auch als er die heiligen Hallen von MMM betrat, war ihm, als wüsste er nicht so recht, ob das, was er sah, echt war oder ob es sich gleich verwandeln und verschwinden würde.

Als er aber, eingepackt in weiß mit Duschhaube, durch die Produktionshalle geführt wurde und schließlich mit den edelsten Marzipansorten verköstigt wurde, da wusste er es. Die konnten nur echt sein. Er war erleichtert und sogar fröhlich.

Genau diese Stimmung übertrug sich auf seinen recht unförmigen Ansprechpartner, den Junior von MMM, Herrn Hans Achterliek, Mitinhaber des Familienunternehmens in dritter Generation. Zunächst begrüßte dieser ER mit einer offensichtlich notgedrungenen Pflichterfüllung und schob ihn in die Produktionshalle. Kaum, dass ER sah, wie liebevoll jede einzelne Marzipanpraline in flüssige Schokolade getunkt und gewälzt wurde, stieß er Entzückensrufe aus:

„Als Kind schon träumte ich davon, einmal im Leben hier zu sein! Marzipan von MMM gab es nur zu besonderen Gelegenheiten, also eine Kostbarkeit! Das ist es nach all den Jahren immer noch, unbestritten. Jedes Stück ein Unikat und eine kleine Kostbarkeit. Wie schön und tröstend zugleich!“ ER blickte in Herrn Achterlieks runde Äugchen und stutzte:

„Oh, ich kann mir vorstellen, dass Sie das schon hunderte von Malen gehört haben. Ich kann mir das so gut vorstellen. Sie machen ja auch Führungen für die Öffentlichkeit. Wenn da diese Busse von lauten Menschen ankommen und quietschende Frauen und schwitzende Männer beim raffsüchtigen Probieren laut vor Zuckerorgasmen stöhnen, das muss mehr als anstrengend sein. Kein leichter Job, auch wenn man von außen denkt, wie toll das wohl ist… Aber das jeden Tag, das ist keine einfache Nummer… Ich verstehe das… Das… Jeden Tag… Aber man tut das, man funktioniert… Für die Sache, die an sich gut ist. Und die Leute und was auch immer…“ Er ließ die Schultern mitfühlend hängen und noch mitfühlender sah er ihn an.

Herr Achterliek nickte, hielt seinen Kopf leicht schräg und sah ER aus einem Äuglein spitzbübisch an:

„Volltreffer! So genial könnte ich es nicht in Worte packen. Haben Sie Lust auf einen Spaziergang?“ Er drehte sich spontan um und ging Richtung Ausgang. ER rasch hinter ihm her.

„Äh, ja, natürlich. Frische Luft tut immer gut. Ich war zwar schon lange nicht mehr draußen, aber es wird schon gutgehen“, grinste ER.

„Dachte ich mir. Und ich kann das Angenehme mit dem Nützlichen verbinden. Mein Hausarzt hat mir Bewegung an frischer Luft verordnet. Mindestens eine Stunde pro Tag. Der hat gut-Ratgeben. Wie soll ich das in meinem Terminkalender unterbringen, bitte schön?“

„Genau, auch das kenne ich gut. Die Arbeit saugt einen auf und im Nu hat man zig Zimperleinchen. Und abends hat man keinen Bock mehr, den inneren Schweinehund zu überlisten.“

„So ist es. Dann noch die vielen Geschäftsessen abends, das ist ein Fass ohne Boden. Sie haben sich gut gehalten.“ Die Äuglein musterten ER kurz anerkennend.

„Naja, danke, geht so. Meine Freundin sieht das anders. Und meine Tochter sowieso. Das sind beides ehrgeizige Fitness-Mäuse.“ ER merkte, wie die Schwermut ihn gerade wieder wegziehen wollte und schob das lähmende Gefühl rasch beiseite. Er wollte dieses Gespräch nicht zerstören, es ging um zu viel.

„Das ist bei mir fast das Gleiche. Unglaublich. Heute Morgen dachte ich noch, ich schmeiße den Laden hin. Soll Vater doch machen wie er meint. Meine Schwester, Fitness-Maus hoch hundert, ist unterwegs in allen Herren Ländern und knüpft neue Kontakte, um den Export anzukurbeln, was wir auch dringend nötig haben. Mein Vater ist da sehr konservativ und sperrt sich noch hartnäckig gegen Expansionen. Er will, dass es so, wie es ist, ewig weiterläuft, aber die Konkurrenz schläft nicht. Meine Schwester ist noch eine Nummer schärfer drauf als ich. Sie will sogar im Ausland produzieren lassen. Wir haben letzte Woche glücklicherweise über den Aufsichtsrat besiegelt, dass wir die Produktionsstätte hier im Land behalten wollen. Sie wurde klar überstimmt. Zähneknirschend. Das wäre selbst mir zu viel. Hat man ja gar keine Kontrolle mehr. Hier sind wir allerdings unter der Kontrolle meines Vaters… Er kann schwer loslassen, was er aufgebaut hat. Kann ich verstehen und auch wieder nicht. Er übt sicher hier und da berechtigte Kritik, dennoch…“, Herr Achterliek stutzte, wohl, weil er merkte, dass er zu sehr ins Persönliche abrutschte.

„Egal, ich erzähl es Ihnen, Sie werden mich verstehen und nicht weiterquatschen, das spüre ich. Unsere Kooperation ist besiegelt. Vater wird es gefallen mit der Stadt zusammenzuarbeiten. Dazu der Kultur-Bereich, den Sie vertreten und an traditionsbewusste Männer und Frauen bringen. Das passt zu einem Unternehmen wie wir es sind, das passt. Ich habe meine Hausaufgaben schon gemacht und kenne das Miloner Kultur-Abo mit allem Tamtam. Ich habe selbst leider viel zu wenig Zeit für Kultur. Bei uns dreht sich alles ums Essen. Wir stricken da was draus, das uns beiden gefällt.“

„Das freut mich sehr. Essen hat auch etwas mit Kultur zu tun, je nachdem“, mehr bekam der erstaunte ER nicht heraus. Sie waren mittlerweile im Park gegenüber angekommen. Er hatte etwas geschafft, was ansonsten auf dem Golfplatz oder im Spa besiegelt wird, oder in irgendeiner VIP-Lounge. Nach einer halben Stunde. Ohne Präsentationen und Lobpreisungen auf die Zukunft. Stattdessen war da ein Mann, den er das erste Mal gesehen hatte und zu dem er eine eigentümliche Verbundenheit empfand, als kannten sie sich schon seit der Sandkiste.

Herr Achterliek fuhr also wie selbstverständlich fort in seinem Redefluss:

„Seien Sie froh, dass Sie nicht im Hause Achterliek aufgewachsen sind. Mein Vater hatte nur die Firma im Kopf und dass ich sie übernehmen soll. Meine Mutter existierte seit meiner Geburt nicht mehr für ihn. Als ich meine Ausbildung in einem befreundeten Pralinenunternehmen und ein klassisches langweiliges BWL-Studium abgeschlossen hatte, starb sie. Vor zwanzig Jahren. Einfach so. Kein Wunder. Was für ein Leben. Ich war froh, dass sie tot war. Es war unerträglich, diese liebevolle Frau zu sehen, die sich jede Sekunde aufopferte…“

In dem Moment strauchelte ER und fing sich sogleich wieder. Er war über die Füße einer älteren Frau gestolpert, entschuldigte sich aufrichtig und strich gedankenverloren sein dunkelblaues Jackett glatt. Er hatte nicht gesehen, dass auf der Bank überhaupt jemand gesessen hatte. Er sammelte sich:

„Ich kenne es andersherum. Meine Mutter gab immer den Ton an und mein Vater funktionierte. Man weiß letztendlich nicht, ob man sie liebt oder hasst, liebte oder hasste. Wahrscheinlich beides.“ ER war verblüfft über sich selbst. Einem wildfremden Menschen das tiefste Innere zu offenbaren, das hatte er noch nie getan. Überhaupt. Wann hatte er schon mal über seine Eltern nachgedacht, geschweige denn gesprochen?

„So ist es. Das weiß man nicht und das ändert sich jede Sekunde. Ich liebe meinen Job, was anderes kenne ich nicht. Ich tu alles, dass der Laden läuft und am Leben erhalten wird.“ Herr Achterliek blieb unerwartet vor einer Buche stehen und sprach mehr zu ihr:

„Das Fatale ist, des Rätsels Lösung wäre, da auszubrechen und was ganz anderes zu machen. Wohl hundert Mal habe ich mir dies fest vorgenommen, aber scheiterte jedes Mal, sobald ich in die Augen meines Vaters sah. Keine Chance."

ER war weitergegangen, weil er nicht gemerkt hatte, dass Herr Achterliek mit der Buche redete, drehte sich also um, ging die paar Schritte zurück und gesellte sich zu ihm vor die Buche.

Sie sahen sich nicht an, nur die Buche. Beide mit den Händen in den Hosentaschen. Von hinten sahen sie aus, als würden sie freundschaftlich gegen den Baum pinkeln.

„Gibt es Nachfolger?", fragte ER.

„Nein. Meine Schwester ist zwei Jahre älter und hat keine Kinder. Sie ist eine Power-Business-Frau. Da hat eine Familie keinen Platz."

„Ich glaube, sie wollte nicht so werden wie ihre Mutter, und es ihrem Vater wiederum zeigen, dass sie als Erstgeborene dennoch eine Berechtigung hat, auch wenn sie kein Sohn geworden ist", überlegte ER laut.

Die Buchenblätter rauschten. Ein paar segelten um ihre Ohren.

„Ja, ersteres hat sie mir tatsächlich genauso gesagt. Das zweite erklärt, warum sie sich wie ein Mann verhält. Wenn ich so recht überlege, hatte Vater sie irgendwie auch nie als Mädchen gesehen. Sie hatte immer jungenskurze Haare, prügelte sich mit den Jungs, was mein Vater stolz überall erzählte, trieb Sport ohne Unterlass, und war unausstehlich, wenn sie mal nicht Erste oder Beste war. Mein Vater trieb sie zu den Sportwettkämpfen und schmückte sich mit ihren Medaillen und Pokalen", erzählte Herr Achterliek emotionslos weiter.

„Und ihr Vater hielt Ihnen die Pokale vor die Nase, war es so?", fragte ER einfühlsam, aber ebenso emotionslos.

„So war es. Aber ich wollte nicht. Keinen Sport. Ich war früh schon pummelig. Kein Wunder. Kaum, dass ich laufen konnte, war ich in der Firma. Zu Hause kochte meine Mutter so lecker, weil sie mich verwöhnte. Ich war ihr Prinz. Sie nahm mich so, wie ich war.

Sie stopfte mich voll mit ihrer Liebe, denn sonst hatte sie keinen."

„Das ist eine harte Kost, die zu gute Kost!"

„Wie war Ihre Mutter?"

„Ich genügte ihr keinen Moment. Immer gab es ein noch mehr, ein noch besser, noch größer. So wie der Nachbarsjunge, wie meine Klassenkollegen, so wie der Sohn ihrer Freundin, wie der Sohn der Fleischverkäuferin oder der Fischfrau, den Söhnen der Gymnastik-Tanten oder der unzähligen VHS-Kursteilnehmer. Schlimmer für mich war es, wenn sie mich vor meinen Freunden bloßstellte. Immer gab es ein *Besser*. Dann ihre ständige Angst, wenn ich mal eine Idee äußerte. Ewig dieses ‚Pass auf, was du tust, pass auf!' Überall redete sie mir rein. Machte Vorschriften in einer Tour: ‚Du musst dies tun, du musst jenes tun, muss, muss, muss.'"

„Das schreit nach Rebellion!", rief plötzlich Herr Achterliek und eine kämpferische Faust schoss gen Himmel.

„Das habe ich mich nie getraut. Ich war schüchtern, war nicht der Held, den sie haben wollte. Das hätte ich auch nie erreichen können."

„Ja, nicht schüchtern… Eingeschüchtert waren wir. So ist das mit den Eltern. Und wir, wir wissen es jetzt und können es trotzdem nicht ändern. Braucht man nur in ihre Augen zu sehen und aus die Maus. Bleibt allein die Flucht, wie es meine Schwester handhabt, oder eben hierbleiben und bestmöglich durchstehen." Herr Achterliek zuckte seine Schultern und drehte sich zu ER:

„Ich heiße übrigens Hans." Hans Achterliek streckte die Hand aus.

„ER", reichte ER ihm die seine.

„Ich weiß", grinste Hans. „Dann bis bald."

„Freut mich sehr."

„Mich auch."

Damit drehte sich Hans Achterliek um und ging. Und ließ ER an der Buche stehen. An der Bank, ohne die Frau, drehte Hans sich noch einmal um und rief:

„Ich schicke dir nachher einen Kooperationsvertrag über 200.000. Die Konditionen klären wir später. Das wird für beide passen."

„Ja, super, danke! Das wird passen, ganz bestimmt, für beide!“ ER winkte ihm zu.

„Weiß ich!“, rief Hans und drehte ab.

Was ist Illusion?

Es war wie im Traum. Er lief in Gedanken versunken über die Wiese zum Weg.

„Was ist Illusion?“, sagte jemand neben ihm.

Er schaute sich um. Niemand. Die Bank war leer.

Er ließ alles in Gedanken, wie es war. Sein Kopf war voll und leer zugleich. Wie ferngesteuert steuerte er Richtung MAIS.

Wie einen Helden empfingen sie ihn. Das alles war Illusion. Er war noch im Traum.

„Hier, der Kooperationsvertrag – Du brauchst nur noch zu unterschreiben! Unglaublich! Du bist ein Fuchs!“

„Das ist der Hammer! Gratuliere!“

„Das ist die Rettung, ER!“

„Du hast es drauf! Nach nur einer Stonde 200.000 Tacken!“

„Einer für alle und alle für einen!“, kam es von Larry, klar. Er hielt ein Lineal in die Luft, das alle mit ebensolchen Gerätschaften überkreuzten und die Siegesparole immer und immer wieder wiederholten.

Das war kein Traum. Es war wahr. Und ER war glücklich, sie alle glücklich zu sehen!

„Dann gebe ich Euch allen heute Mittag ein Essen aus. Ohne solch ein tolles Team wäre das nicht möglich gewesen“, rief er ihnen lachend zu.

„In der Kantöne?“, scherzte Chrischi.

„Nein, natürlich nicht. Wir gehen zum Italiener am Fluss. Das gönnen wir uns! Und am Montag gebe ich wieder eines aus“, sagte ER.

„Wieso am Montag? Die Henkersmahlzeit vor dem Dienstag-

Termin?", wollte Alessa wissen.

„Quatsch! Weil unser Chrischi am Montag mit dem Vertrag für die Kooperation mit Wheelstars im Rucksack ins Büro kommen wird!", erklärte ER lachend und hielt wieder seinen Kuli in die Luft.

„Einer für alle und alle für einen!"

Zwei Tage voller Euphorie. In der Firma und im Bett.

Samstag früh jedoch kam es zum Streit:

„Und wieso gehst *du* nicht in die VIP-Lounge von der Hallstadt Arena? Es geht um eine Menge. Da kannst du doch nicht Chrischi hinschicken, so, wie der immer rumläuft", fing sie an zu zetern.

„Das ist Chrischis Kontakt!", antwortete ER kurz.

„Chrischis Kontakt hin oder her. Solch ein Gespräch ist Sache der Leitung und nicht die so eines dahergelaufenen Mitarbeiters, der nicht einmal vernönftig reden kann", stichelte sie weiter.

„Chrischi ist ein feiner Kerl, der mein vollstes Vertrauen hat", verteidigte er müde.

„Vertrauen, ja, weil du selbst zu bequem bist, dir solche Kontakte aufzubauen. Brauchst mich und diesen Grafiker, um den Laden zu retten." Sie hörte nicht auf.

Er schwieg.

„Da fällt dir nichts zu ein! War doch klar. *Du* musst da heute Nachmittag hin, sonst kannst du die Connection knicken", fing sie an zu kommandieren.

„Er packt das. Es sind seine Freunde. Außerdem bin ich zu bequem. Jetzt lass mich in Ruhe, ich lese gerade die Zeitung." ER nahm die Zeitung wieder hoch.

Zack. Die Zeitung landete auf dem Boden.

„Sag mal, spinnst du?", sagte er empört und hob die Zeitung wieder auf, um sie zu glätten.

„Hier geht es um wichtige Entscheidungen und du willst Zeitung lesen? Hast du kein Rückgrat?", forderte sie ihn weiter heraus.

„Was willst du von mir? Der Termin steht, ob es dir gefällt oder nicht. Du hast keine Ahnung, wie es bei uns abläuft", konterte er sehr müde.

„Ich? Keine Ahnung? Ich bin die Chef-Kontakterin einer der größten renommierten Werbeagenturen des Landes und du sagst, ich habe keine Ahnung? Du kriegst deinen schlaffen Arsch nicht hoch und sagst mir…“ Sie kochte.

Er stand auf.

„Ich geh zum Frisör, damit ich Dienstag ordentlich aussehe“, meinte er gelassen und ließ sie in der Küche stehen. Wutentbrannt schmiss sie die Tür hinter ihm zu, mit unzähligen Beschimpfungen und Empörungen.

Er hatte es satt. Es führte zu nichts. Er fühlte wieder diese Leere.

Frau Su

Der Frisör war eine rettende Idee. Einfach nur dasitzen, nichts tun müssen, für nichts und niemanden. Jemand da, der an den Haaren herumschnibbelte und dem es auch noch Spaß machte wie Frau Su, der Frisörin.

„Ich könnte auch eine Kopfmassage gebrauchen“, bat er, als sie ihm den Umhang umlegte.

„Sehr gut, mein Herr. Ich schon gewundert, nix viel zu schneiden. Letzte Woche schon dagewesen der Herr. Entspannt sich, mein Herr. Legt Sie Kopf hier hin. Augen schließt. Locker. Alles locker. Gut so?“, meinte die Frisörin freundlich. Frau Su war immer freundlich und lächelte. Einfach immer.

„Oh ja, sehr gut. Danke.“

Er atmete tief durch. Sie begann, die Haarwurzeln zu bearbeiten.

„Das tut so gut! Ich glaube, ich komme jeden Tag zur Kopfmassage“, seufzte er.

„Mein Herr sehr angespannt. Viele Blockaden. Chi-Fluss nicht gut. Muss Übungen machen für ganzen Körper, mein Herr“, meinte sie einfühlsam.

„Ja, ich müsste so vieles“, sagte er müde.

„Oh, nix meint so das Muss. Soll Spaß machen, sonst bleiben

lassen. Mir macht viel Spaß Übungen von Taiji. Guter Fluss im ganzen Körper. So nicht schlimm Job, den ganzen Tag stehen. Macht nicht.

Kommt Sie jeden Tag. Ich Sie zeigen dann Übungen von der Chi-Gong. Kleine Übungen. Helft auch sehr gut für innere Fluss“, erklärte sie ihm weiter sehr freundlich. „Und macht Ihnen immer Kopfmassage und musst gar nichts tun außer dasitzen, mein Herr.“

Sie massierte hingebungsvoll den Kopf. ER stöhnte vor Wonne leise vor sich hin.

„Oh ja, das klingt gut. Es gibt keinen Ort auf der Welt, wo ich einfach nur dasitzen darf.“

„Sie verheiratet. Ihre Frau sicher auch gut in Massage. Versucht Sie mit Ihrer Frau. Ist gut für Ehe“, ermutigte sie ihn.

„Meine Frau. Wir sind nicht verheiratet und wenn ich ganz ehrlich bin, ich wünschte, sie würde einfach gehen, möglichst bald. Sie wäre eines Morgens einfach weg und würde mich endlich in Ruhe lassen.“ ER nickte zu sich.

„Oh, schwere Krise. Spüre ich in Fingern. Kommt vor. Manchmal kommt wieder zusammen, manchmal Trennung ist sie besser. Wenn nicht sprechen können, dann ist schlecht. Wenn Sie nicht aushalten, auch Sie können gehen. Suchen ruhigen Ort zum Energie sammeln. Ihre Energie ist sehr schwach. Besser wieder aufladen Batterie. Dann wieder besser reden möglich“, riet sie ihm fürsorglich.

„Zum Gehen fehlt mir die Kraft. Kann ich nicht“, seufzte er.

„Dann jetzt besser einfach nur sitzen, nicht reden, alles Gedanken fliegt raus wie Schmetterlinge. Einfach nur dasitzen und genießt Sie, mein Herr.“

Sie massierte weiter, ruhige, sanfte Kreise.

Er saß nur da und genoss.

Danach fuhr er zur Agentur.

Es war Samstag und freie Parkplatzwahl. Wie angenehm. Wie angenehm, den Flur entlang zu gehen und kein Mensch quatschte einen an. Keine dummen Bemerkungen. Wie angenehm hinter dem Schreibtisch zu sitzen und vollkommene Ruhe um sich zu haben.

Der angenehmste Ort der Welt.

Oh Mann, wie tief war er gesunken.

Er seufzte und dachte, dass das doch alles nicht wahr sein konnte. Er floh zur Frisörin und ins Büro. Es konnte so nicht weitergehen, aber er hatte keine Kraft, irgendetwas zu ändern. Die Mitarbeiter brauchten jetzt all seine Reserven.

Kringel.

Wir vergehen und Eiche bleibt und erzählt viele Geschichten in den Wind.
Die Vögel lauschen und Igel spitzt seine Ohren.
Die ganz Jungen recken ihre Blättchen in ihre Richtung, weil sie ihre Geschichten lieben und weil sie so werden wollen wie sie.

Handy-Klingelton: vChat. Er spähte hinein und es war seine Tochter:

„Hey, Dad! Wie gehts? Wo bist du denn? Im Büro? Weißt du, dass es Saturday ist? Habt ihr euch gestritten? Hast du dich im Gym angemeldet? Das wird sie mögen und ich auch, weil das gut für dich ist.“ Ein Wortschwall aus Donlon.

„Hey, Miri. Es geht so. Im Büro. Ja. Ja. Vielleicht. Nein. Ich weiß auch, was gut für mich ist. Deswegen bin ich hier. Was macht dein Studium?“, beantwortete er kurz alle Fragen und lenkte auf sie um.

„Nenn mich nicht immer Miri, Dad! Ich bin kein kleines Mädchen mehr. Studium ist prima. Ich habe meine zweite eigene Kollektion fertig und am nächsten Wochenende meine erste eigene Modenschau bei Lucy's in der Parcroad. Das ist *die* Straße für Mode überhaupt. Und *der* Laden sowieso. Wollt ihr beiden mich dort nicht mal besuchen, auf ein nettes Wochenende zum Versöhnen? Ich kenne eine Menge schnuckeliger In-Läden, auf einen Cocktail und Fingerfood, oder Tapas-Bars, oder Sushi, das liebt deine…“

„Ne, lass mal, das passt jetzt gerade nicht. Ich habe viel um die Ohren mit MAIS, Wirtschaftsplan…“, unterbrach er sie etwas unsanft.

„Dad, mach doch mal was anderes. Mal raus aus der Agentur. Tut dir auch gut“, versuchte sie es weiter.

„Miri, Miro, Miriam. Ich sagte eben, dass ich selbst weiß, was gut für mich ist. Passt momentan wirklich nicht. Tut mir wirklich leid. Bei der nächsten Modenschau bin ich dabei. Versprochen!“ Er versuchte etwas einzulenken.

„Das ist aber dann nicht mehr die erste… Du warst ja auch bei der Vernissage von dem Schnösel von Neffe. Sogar schon das dritte Mal und mich hast du noch kein einziges Mal hier in Donlon besucht. Hier bist du viel schneller als im Süden bei diesem Schnösel…“, versuchte sie es weiter, gekränkt.

„Das ist ja auch etwas anderes. Er wird darin ja auch ernsthaft weiterarbeiten…“

Das Fettnäpfchen vergrößerte sich deutlich.

„Wieso? Ich etwa nicht?“ Sie war schon sehr beleidigt.

„Naja, die biologische Uhr tickt. Du bist 28 und bis du fertig bist, bist du 29 und da solltest du schon mal an Kinder denken…“, überlegte er ehrlich, aber unpassend und extrem undiplomatisch.

„Dad, willst du mich an den Kochtopf abschieben wie mein Prof in Milon? Deswegen hab ich doch die Uni gewechselt, weil der uns Frauen alle so derbe behandelt hat und jetzt redest du genauso wie er… Ich habe die Chance, mit meinen Entwürfen ganz groß an den Markt zu kommen! Vertreter großer Modelabels werden unter den Zuschauern sein. Ist das nichts? Soll ich das fallen lassen, weil ich irgendwann einmal Kinder kriegen soll?“ Sie sah unglücklich aus und war den Tränen nah.

„So war das nicht gemeint. Das kannst du ja auch gut weitermachen, wenn die Kinder da sind, warum nicht? Wenn sie in die Schule kommen, hast du eh wieder den ganzen Tag Zeit, naja, wenn sie in einer Ganztagsschule sind, wie es jetzt überall wohl so üblich ist. Es ist bestimmt gut, was du entwirfst, und ich sehe es mir bestimmt einmal an, nur jetzt nicht. Das nächste Mal…“, versuchte er, das Gespräch zu glätten.

„Ph… Das nächste Mal… Ich weiß gar nicht, ob ich Kinder haben will. Ich liebe meinen Job. Wie deine coole Freundin.“ Tränen flossen.

„Oh. Ah. Nun wein doch nicht. Deswegen musst du nicht

weinen. Mach erst einmal deinen Master fertig und dann wird sich schon alles zeigen. Ich wollte auch erst keine Kinder, aber als ich dich dann sah, war ich doch glücklich…" Das half nicht mehr. Mit tränenerstickter Stimme und einem „Bye, Dad" hatte sie den Video-Anruf beendet.

Ach, auch seine Tochter. Er verstand sie nicht. Er wollte doch nur ihr Bestes und fand Enkel allmählich schon passend. Er fand nichts Verwerfliches, sie sich zu wünschen in dieser öden Welt. Sie wären für ihn eine so schöne Ablenkung von allem, ein Strohhalm.

Er klappte seinen Laptop wieder zu.

Er starrte aus dem Fenster. Blätter rieselten langsam am Fenster vorbei.

Warten. Leere Gedanken. Starren.

Kringel.

Eiche verschenkt einen Ast an Specht.
Selten kommt dies vor und Specht baut seine Höhle für mehrere Jahre.

Das Spiel in der Hallstadt-Arena müsste schon längst vorbei sein. Er klappte den Laptop wieder auf und schaltete auf den Livestream der Sport-Reportage.

Ja, vorbei. 3:2!

Gewonnen! Ein gutes Omen.

Bingo. Anruf. Chrischi.

„Wir haben es geschafft! Eingetötet! Kriegen einen eigenen Wagen, den neuesten Geländewagen, natürlich mit gebrandetem Onternehmenslogo, auch von der Stadt mit dem Kultur-Abo, klar! Passt auch ordentlich was rein. Passt super, wenn wir durch die Stadt oder öbers Land fahren. Sie wollen noch das kleine Jazz-Ensemble von den Milon-Dixies für ihre Promotion-Veranstaltungen. Das könnten wir doch wonderbar vernetzen. Da sind wir natörlich auch dabei. Können ihre CDs im Hintergrund spielen lassen bei den Info-Ständen vom Kultur-in-Milon-Abo und so. Klingt doch klasse? Bares kommt nicht so viel röber, wohl so zwischen 50- und 70.000 Tacken. Ömmerhin. Oder? Was sagst du?

Bist du noch dran?"

„Klar bin ich dran. Ich sitze schon seit heute Morgen wie auf Kohlen. Aber ich wusste, ich kann mich auf dich verlassen, Chrischi! Wirklich klasse *eingetötet* hast du das. Denen werden reihenweise die Kinnladen runterfallen, wenn wir so auftrumpfen. Chrischi, das ist einfach genial! Am besten du rufst Alessa, Maggi und Hanna gleich selbst an. Die warten bestimmt sehnsüchtig auf ein Zeichen von dir!"

ER freute sich wahrhaftig. Es lief gut für sie.

„Ja, klar, das mach ich gleich. Ich freu mich so, dass das geklappt hat und bin so erleichtert. Dieser Ölien kann uns jetzt nicht mehr abschieben. Jetzt geben *wir* den Kors an, wohin unser Boot steuert", jodelte Chrischi fröhlich.

„Ja, der kann uns jetzt nix mehr… Ein Jahr Ruhe und gute Arbeit werden wir leisten können mit dem Budget. Dann wünsch ich dir jetzt noch ein schönes wohlverdientes Wochenende, Chrischi! *Größe* an den Freund unbekannter bekannter Weise. Und Danke, Chrischi!", verabschiedete ER das Gespräch.

Ja, er konnte es kaum glauben. Sie hatten es tatsächlich geschafft! Nur noch die Präsentation am Dienstag. Wie gut! Wie erleichtert er war.

Er dachte an Miri, sorry, Miriam. Am Sonntag wollte er ihr eine Mail schreiben. Schreiben konnte er besser als reden, jedenfalls etwas.

Er dachte an seine Freundin und die Laune schlug langsam wieder um. Er wollte nach Hause und doch nicht.

Da kam ihm ein rettender Gedanke. Auf dem Rückweg hielt er bei einem früheren Kumpel an und holte sich ein bisschen Gras. Er setzte sich auf eine Bank in den kleinen Park vor dessen Haus, drehte sich einen kleinen Joint und rauchte.

„Was ist Illusion?" Diese Frage schwang in seinem Kopf.

War Illusion das, was er gerade sah oder das, was er nicht sah? Traum. Wirklichkeit. Die herbstlichen Bäume, der Wind in den Blättern, die Frau, die mit ihrem rostigen Einkaufswagen vorbeischluffte und ihm zuzwinkerte. Sie war gar nicht so alt. Jünger, älter, so alt wie er selbst, mittelalt. Schwer zu sagen. Das war eindeutig eine Illusion, denn bei näherem Hinsehen war sie gar nicht da, die Bäume schon, aber die Farben waren anders. Der Wind lauter und viele Vogelstimmen. Sie mussten vorher auch schon dagewesen sein. Das Gänseblümchen blühte noch, wie fleißig!

Er ging hin und streichelte es.

Entzückend! Ja, die Natur war real. Sie war keine Illusion. Illusionen entstanden mit den Gedanken. Den Gedanken der Menschen. Mit seinen Gedanken. Seine Arbeit, seine Freundin, seine Tochter, all seinen Beziehungen, Illusionen? Tochter ist Tochter. Arbeit sollte Freude bereiten… Vollkommene Illusion! Würde er das alles schaffen… Ebenfalls Illusion.

Wieder ein Zuzwinkern. Wieder verschwunden.

Er musste unwillkürlich lachen über seine Illusionen.

Das Gänseblümchen zwinkerte ihm im Grunde auch zu, wenn er es recht freundlich besah und die Blätter umtanzten ihn ebenso freundlich, wenn er sich darüber freute.

Ja, es gab sie, die schönen Illusionen.

Es gab sie, die Illusionen, die man sich einredete, damit das Leben erträglicher wurde. Die vergaß man nur immer, wenn es einem nicht gut ging.

Nach gefühlten fünf Minuten, welche anderthalb Stunden gewesen waren, auch eine Illusion, stand er wieder auf und fuhr langsam zurück nach Adlerfelde, einem Nest am Rande von Milon. Sie wohnten gleich in der ersten kurzen Seitenstraße nach dem Ortsschild links, Sackgasse, mit nur ihrem Haus, Doppelhaushälfte, Nachbarn nie da, Felder auf der einen und eine Wiese auf der anderen Seite. Dahinter begann versteckt die eigentliche Siedlung, wo er noch nie war, was ihn auch noch nie interessiert hatte, weil es da nichts weiter gab, außer Wohnhäusern. Sie besaßen ein kleines Grundstück, praktisch angelegt, leicht zu pflegen, keine Bäume, Wiese, mähen, fertig.

Das war historisch so gewachsen. Seine Freundin wollte nur gerade Linien, sachlich, durchgestylt, kontrollierbar, was sonst. Also wurde der Garten begradigt. Alles stylte sie durch nach den neuesten Moden der Zeit.

Sie wollte eigentlich einen Steingarten, grauer Schieferbruch mit einer gestylten japanischen XXL-Bonsai-Schwarzkiefer. Praktisch, insektenfrei, modern. Noch konnte er es abwenden.

Vor drei Jahren war seine Tochter ausgezogen und seine Freundin eingezogen. Fliegender Wechsel. Der eigentliche Grund: Er mochte nicht allein sein. Er hatte sie quasi überredet, damals.

Sie wollte nicht raus in die Pampa, tat es ihm zuliebe, was er auch fast jeden Tag mindestens dreimal zu hören bekam. Sie war eine Stadt- und Szenefrau, modern, hipp, frech.

Sie saß in der zum Wohnzimmer offenen Küche an ihrem Laptop mit einem Latte Macchiato auf der rechten Seite, in den sie nervös Amaretti tunkte, und auf der linken Bio-Dinkel-Käse-Kürbiskern-Knäcke, das zum Dippen in Bärlauchfrischkäse bereitstand.

„Ah, Frau Dip! Chrischi hat es geschafft! Wir haben gezaubert und werden Milon samt Kultur-Abo durchboxen können", erzählte ER gleich sachlich, ohne auf ihren beleidigten Blick einzugehen.

„Schön für euch. Dann dürfte deine Stimmung ja wieder besser zu ertragen sein", war ihr einziger Kommentar. ER ignorierte die Spitze, grinste und setzte sich ins Wohnzimmer, um ein bisschen zu zappen. Sie hasste es, wenn er sie „Frau Dip" nannte, erst recht mit diesem spöttischen Grinsen im Gesicht.

„Von wegen *wir*. Als hättest *du* groß was dazu beigetragen", keifte sie ihm aus der Küche zu.

„Ist doch egal wer – die Hauptsache ist, dass unsere Abteilung weiterbesteht, so wie sie ist."

ER ließ sich nicht provozieren.

„Wie ich es gesagt hatte, ohne mich und diesen Mitarbeiter hättest du deine Mitarbeiter nicht retten können. Das ist wirklich armselig." Sie war offensichtlich in fieser Stichellaune.

ER zuckte mit den Schultern und drehte die Lautstärke höher. Sportschau. Prima. Punktlandung.

„Mehr hast du nicht zu erzählen?" Sie stand auf.

„Hab alles gesagt.“ Er sah weiter auf den Flatscreen.

„Eben nicht! Hast du alles schwarz auf weiß? Unterschrieben? Wie sehen die Verträge aus? Gibt es etwas, das ich wissen muss wegen MMM? Ich hab immerhin am Mittwoch einen Termin dort. Da wäre es bestimmt hilfreich, wenn ich Genaueres weiß“, bohrte sie weiter.

„Da gibt es nichts, was euren Kontakt betreffen könnte. Betrifft nur MMM, Milon und MAIS. Und alles Weitere wird sich nach und nach klären. Von Wheelstars erzähl ich ein anderes Mal, habe jetzt keine Lust,“ antwortete er und sah dabei auf den Bildschirm. Er erhöhte die Lautstärke um einen kleinen Punkt. Sie um drei Punkte.

„Du bist den ganzen Tag weg und hast jetzt keine Lust zu erzählen! Das sieht dir ähnlich. Hast wieder gekifft und tust einen auf cool wie ein Teeny und genauso pubertär!“ Ihr Tonfall schlug einen bedrohlichen Ton an.

„Sieh mich wenigstens an, wenn ich mit dir rede!“, insistierte sie weiter.

„Du solltest auch mal einen Joint rauchen, dann wärst du deutlich entspannter, Sweetie!“, grinste er sie kurz an und sah alsgleich wieder zur Bundesliga-Tabelle. Da hatte er sie schlichtweg ausgeklinkt.

Sie stand neben ihm und schrie und zeterte und er nahm sie nicht wahr.

Verzweifelt, verletzt, wütend schritt sie auf ihn zu und stach ihn mit ihrem frisch lackierten pinkfarbenen Fingernagel des rechten Zeigefingers zwischen die Rippen.

Zack, haute er die Hand weg.

„Spinnst du?“, schrie er sie an und verfolgte gleich wieder entspannt die Fußballergebnisse.

„Ich geh jetzt! Ich geh!“, rief sie vollkommen außer sich.

„Mir doch egal“, sagte ER. Er sah sie kurz an:

„Dein Nagellack passt nicht zu deiner Gesichtsfarbe.“

„Ich gehe! Ich meine es ernst“, wiederholte sie, als würde sie hoffen, dass er sich innerhalb der nächsten Sekunde um 180 Grad änderte. Hoffnungslos.

„Ja, vergiss nichts." Das war zu viel für sie. Sie hatte ihn schon oft deprimiert erlebt, frustriert, schlecht gelaunt, aber so gleichgültig, abweisend, ignorant und dabei auch noch fröhlich abweisend, das war schlimmer als ein Schlag ins Gesicht. Sie versuchte krampfhaft, sich selbst wieder unter Kontrolle zu bekommen, unterdrückte die gekränkten Tränen.

„Und ich komme auch nicht wieder!" Sie gab noch nicht auf.

„Prima." Die Tabelle der zweiten Liga.

„Warum lässt du mich einfach so gehen?" Sie stand da, wie ein kleines verlassenes Mädchen, fassungslos.

„Weil mir alles egal ist. Einfach alles."

„Auch wenn ich nicht mehr wieder komme, nie mehr?" Sie schluchzte und wackelte mit dem Kopf hin und her.

„Ist mir egal. Dann hab ich wenigstens hier meine Ruhe." Er zog sich eine Flips-Tüte ran und fing an zu knabbern.

Sie atmete tief durch.

„Na gut! Die sollst du haben."

Nach zehn Minuten schlug die Haustür zu und ihr Stadtflitzer in quietschrosa quietschte davon.

Jetzt realisierte er, was geschehen war, goss sich zufrieden einen Whisky ein und schlief nach zwei Stunden vor dem laufenden Fernseher ein.

Den Sonntag über blieb er den ganzen Tag in Schlafklamotten, unrasiert und bewegte sich nur vom Bett zur Küche, zum Fernseher und wieder zurück. Manchmal saß er nur so da und starrte ins Nichts. Nichts war auch in seinem Kopf.

Nichts tun, für nichts und niemanden, nichts denken, nichts fühlen. Er wollte im Prinzip auch nicht da sein, nun, jedenfalls nicht hier. Aber wo, das wusste er auch nicht. Ein Irgendwo, das er nicht kannte, nur nicht hier, wo all diese Erwartungen ihn erdrückten.

Montag. Das erste Mal seit ewig, dass er keinen Traum hatte, an den er sich erinnerte. Nur das lähmende Gefühl wurde immer stärker.

Allein einen Fuß vor den anderen zu setzen raubte ihm sämtliche Kraft.

Bäcker, Stau, Kernarbeitszeit. Wie anstrengend! Schreibtisch, Tür zu. Ihre kleine Abteilung war eine rettende Insel. Er bräuchte dringend eine größere rettende Insel. Seine Lebensgeister kehrten allmählich in ihn zurück.

Chrischi kam zu ihm ins Büro:

„Da bist du ja! Morgen werden wir feiern! Ich bin jetzt schon in Partylaune. Höy, was ist mit dir? Hast du schon dorchgezecht? Ohne uns? Nicht rasiert? Keine Zensur von Sweetie? Was ist los bei euch? War Sweetie nicht da?“

„Ne, sie ist abgehauen. Weiß nicht wo sie ist. Ist mir auch egal“, sagte ER gleichmütig und zuckte mit seinen Schultern.

„Das scheint dir wörklich egal zu sein. So konnte das ja auch nicht weitergehen. Wahrscheinlich ist es besser so. Mal eine Zeit Pause voneinander. Dann geht ihr euch nicht mehr so auf die Nörven“, meinte Chrischi einfühlsam.

„Sie nervt, sobald sie den Mund aufmacht. Ich wünschte, sie würde auf ewig verschwinden. Es ist viel besser so. Ich mag nur nicht allein sein. Das ist das Ding. Da fehlt halt irgendwas, irgendwer. Nur nicht sie. Sie soll auf keinen Fall mehr wiederkommen, nie mehr!“, wehrte er mit seiner Hand energisch ab.

„Ihr seid ja auch so onterschiedlich. Ihr habt euch nie wörklich ergänzt, nur gegenseitig blockiert. Jetzt bist du frei, Tanderadei!“

„Genau und jetzt volle Konzentration auf unseren morgigen Triumphzug!“ Das Zucken der Augenbraue mit einem gleichzeitigen Augenrollen, hieß auch Alessa zu ihnen Platz zu nehmen.

Die Vorab-Verträge trudelten ein und sie studierten noch einmal alle Unterlagen, Pläne, Prognosen, Statistiken bis kurz vor Mitternacht.

Die Nacht war wirr. Er war bei seiner Frisörin, Frau Su. Sie sah zwar nicht so aus, war es aber trotzdem. Sie schnitt ihm die Haare und rasierte ihn sogar, er trug nämlich einen langen Bart. „Alter Bart muss ab, Herr ER“, sagte sie. „So Sie werden neue Freiheit kennenlernen. Wird guttun, Herr ER. Ungewohnt, neue Freiheit. Viel Kraft wird frei.“

Dann schob sie ihn plötzlich quer durch den Laden direkt vor einen bodenlangen Spiegel. Er erschrak, denn sein Spiegelbild, das ihn von dort ansah, war nicht er selbst. Dieses lachte und zog sein Gesicht ab wie eine Maske, doch es veränderte sich nichts. ER stand auf und sprang auf sein Spiegelbild zu und landete auf der anderen Seite auf einer Wiese. Schafe grasten zufrieden vor sich hin. ER setzte sich an einen Baum und winkte seinem Spiegelbild zu. ER sah sehr zufrieden aus.

Dritte Präsentation des Wirtschaftsplanes

ER wachte früh auf, stand auf und schaltete die Kaffeemaschine an. Die hatte sie gar nicht mitgenommen, es war ihre. Naja, sie würde wiederkommen und sie holen. Möglichst, wenn er im Büro war. Er wollte sie nicht sehen und schon gar nicht mit ihr diskutieren. Sollte sie doch alles nehmen, was sie wollte. Nur das Haus war seins. Das hatte er sich nach der Scheidung gekauft. Sie hatten eine Wohnung in der Stadt, die hatten sie aufgelöst. Seine Ex ist in den Norden und seine Tochter wollte zu ihm. Passte gut, weil gerade Schulwechsel war.

Diese Träume raubten ihm seine letzte Kraft, und das war nicht mehr viel. Er hatte das Gefühl, die ganze Nacht aktiv gewesen zu sein. Sie hinterließen stets ein beklemmendes Gefühl. Alles war sonderbar, eben nicht fassbar. Dieses Gefühl hielt oft lange bis in den Tag hinein an. Machte ihn noch deprimierter, lustloser, antriebslos, lähmte ihn.

Auch jetzt, obwohl er das erste Mal, seit er denken konnte, im Traum gelacht hatte und zufrieden schien. Trotzdem, auch das befremdete ihn, sogar noch mehr.

Was das immer alles sollte? Vielleicht sollte er mal einen Psychiater aufsuchen, der ihm das erklären konnte. Ja. Ein Psychiater.

Er wollte endlich mal wieder ganz entspannt durchschlafen ohne skurrile Träume.

Im Haus war es sehr ruhig. Radio wollte er nicht hören. Er setzte sich vor den Fernseher, Frühstücksfernsehen. Das hatte sie immer gehasst. Er liebte es.

Er fuhr sehr zeitig los. Trotzdem Kommentare:

„Kernarbeitszeit ist Kernarbeitszeit! Heute sind Sie zu früh ER."

Diese Person, konnte der nicht einfach mal seinen Mund halten? Am besten gar nicht mehr auf diesem Flur erscheinen?

Alle waren sie früher heute wegen der dritten Präsentation des Wirtschaftsplanes, des Magazins für den nächsten Monat sowie der neuen Sponsoren.

„Auffi, in die Höhle des Löwen!", rief Chrischi frohgelaunt. „Sieh dir mal Alessa an! Ihr Anblick hat mir glatt die Sprache verschlagen!"

ER ging in ihr Büro mit fünf Schreibtischen. Alessa lächelte kokett, stand auf, lief ein paar Schritte auf dem Laufsteg hin und her und setzte sich dann wieder kokett.

„Wow, beeindruckend! Du bist ein völlig anderer Typ! Er wird dir das Futter aus den Händen fressen wollen!", sagte ER schwer beeindruckt von seiner Mitarbeiterin, die sonst eher konsequent die sportliche und natürliche Type war und heute im knallroten Kostüm, roten High Heels, geschminkt und frech frisiert erschien. Sogar ihre Fingernägel hatte sie knallrot lackiert.

„Donnerwetter! Du bist der absolote Hammer! Wenn ich nicht schon meinen Freund hätte, käm ich glatt in Versochung, zum anderen Ofer zu wechseln. Aber vielleicht steht meinem Schatz ja auch was Rotes. Also mich haut diese Farbe schlichtweg om", meinte Chrischi begeistert, klatschte sich auf die Oberschenkel und gluckste.

„Dann wollen wir mal. Wir wollen schon vor den anderen im Meetingraum sitzen und sie empfangen und einen nach dem anderen von oben bis unten mustern, so, wie dieser Herr Möchtegern es immer schamlos mit uns getan hat."

ER war fest entschlossen. Das freute alle und spornte sie noch mehr an.

Gesagt, getan. Es lief wie geplant. Die Musterungen, perfekt. Vor allem, als Herr Dr. Schwarzenegger hereinstolzierte, Alessa ihn schamlos beäugte und dann grinste, als sie in der Mitte seines Körpers angelangt war. Das brachte ihn vollkommen aus dem Konzept, was genau eine Stunde anhielt, genau die Zeit, die sie brauchten, um alle Zahlen und Pläne ungestört vorzutragen.

Schwarzenegger nickte immer wieder wie ein Wackeldackel und sagte nichts. Er hatte offensichtlich in keinster Weise mit diesem Ergebnis gerechnet und war mit alledem völlig überrumpelt.

Er nahm alles anstandslos hin. Man hörte sogar ein verstohlenes:

„Beeindruckende Leistung“, und ein:

„Wenn alle von MAIS solch ein Engagement zeigen würden, dann wäre ich ohne Job.“

Doch genau eine Minute nach jener legendären Stunde taute der Fiesling wieder auf und haute doch noch eine Keule rein.

„Alles schön und gut, aber dieser Schnarchverein braucht einen neuen Anstrich. Das traurige Kultur-Käseblatt gehört übergepinselt. Und zwar in Ergänzung zum neuen CD-Blau von Milon dieses wundervolle Rot aus Ihrem Kostüm, Frau Schimmelreiter.

Außerdem fliegen die seit Jahren künstlich aufgeblasenen Konzert-, Theater- und Ausstellungs-Vorschauen aus dem Magazin raus. Diesen tristen Teil liest doch sowieso keine Sau und kostet nur. Viel zu viele Buchstaben! Dafür mehr Farbe, mehr Fotos. Weg mit dem Mief. Verjüngt werden muss dieses Käseblatt. Ein paar hübsche Ladies müssen auf den Titel, natürlich in Rot. Nicht diese Grufties von verstorbenen Komponisten, Malern, Schriftstellern aus dem letzten Jahrtausend. Wir peppen das Ganze mal ein bisschen auf. Jetzt, wo das Geld da ist, soll es ja auch sinnvoll eingesetzt werden. So, das wär‘s. Ich muss zum nächsten Meeting in den K5.“

Herr Dr. Schwarzenegger stand auf. Kurz vor der Tür kam noch die zeitliche Vorgabe, natürlich megaknapp:

„Sie können uns ja in zwei Wochen schon mal erste Entwürfe samt Kosten vorlegen. Genauen Termin machst du, Michi, du hast ja meinen Plan, nicht wahr, Schnäuzelchen?“

Klatsch, hatte Michaela Erhard wieder einen Klaps auf ihrem extra prallen Hintern. Was tat Frau nicht alles…

Der Spuk war zu Ende.

Die drei saßen und verdauten.

„War doch gut, naja, das wird schon, glaub ich, geht ja nicht anders. Ach nö! Unser geliebtes Heft. Wie sagen wir das nur den Abonnenten, keine ausführlichen Informationen mehr? Die arbeiten doch damit, streichen alles genau an, was sie sehen wollen, wollen genau wissen, welcher Komponist, genauste Stöckbezeichnung, welches Orchester, welcher Dirigent, welche Solisten. Und die genausten Hintergründe zu den Theaterstücken, samt Lebensläufen der Besetzung. Und bei den Ausstellungen wollen sie auch genau wissen, welche Öntention der Könstler mit seinen Werken verfolgte, damit sie kommen, um ebendies genaustens zu pröfen und mit ihresgleichen über all dies zu philosophören und ihr Wissen auszutauschen…und und und. Ach nö, musste das denn jetzt sein? Es reicht nun wirklich, was wir geleistet haben. Manno!“, zeterte Chrischi vor sich hin.

ER fühlte sich nach diesen Höhenflugminuten als wäre er gegen eine unsichtbare Wand geprallt und schmierte gerade langsam daran ab. Er rappelte sich mühsam zusammen.

„Lasst uns rüber. Wir haben ein neues Jahr gewonnen. Das wollten wir erreichen und das haben wir erreicht. Das Magazin, da setzen wir uns in einer Stunde mal alle im Büro zusammen und bereden alles. Es war klar, dass was kommen würde, wen wundert es? Es wäre eine Illusion, wenn alles so bliebe wie es ist. Kommt, wir gehen.“

Sie standen auf und gingen erhobenen Hauptes durch die Transparenz auf ihre Büroinsel.

Auf dem Gang sagte ER:

„Das habt ihr prima gemacht. Das war ein genialer Auftritt, den ihr da hingezaubert habt. Der war unschlagbar und ist mit keinem anderen Auftritt zu toppen. Ich bin stolz auf solch ein Team! Danke.“

„Auch danke, Chöf!“, zwinkerte Chrischi und gab ihm einen

Stups mit dem Ellenbogen und Alessa meinte:

„Ja, du warst aber auch unschlagbar, Chöf. Danke fürs Kompliment. Das tut gut."

Als sie ins Büro kamen, trafen sie auf eine leicht panisch aussehende Maggi.

„Du sollst in der Miloner Uni-Klinik zurückrufen. Irgendwas mit deiner Freundin. Sie haben mir natürlich nichts gesagt. Und wie war es? Haben wir es geschafft?", sagte sie und reichte ER mit zitternder Hand einen gelben Post-it mit Telefonnummer.

„Alles geklappt, ja. Nur das Heft, da fordert er Änderungen, die uns nicht so gefallen. Die beiden werden euch alles erzählen. Ich geh mal nach nebenan", sagte ER ruhig, hob seine Augenbraue und verschwand in sein Büro.

Unfall? Wo? Wann?

Uni-Klinik Milon. Was bedeutete das? Sie hatte sich doch nicht etwa was angetan? Ein Unfall?

„Universitäts-Klinikum Milon, guten Tag", sagte eine freundliche Dame am Telefon.

„Moment, ich verbinde mit dem leitenden Arzt der Intensivstation."

ER fühlte Unheil.

„Wir bedauern, Ihnen eine traurige Nachricht mitteilen zu müssen. Sie ist vor einer halben Stunde an den Folgen eines schweren Autounfalls verstorben. Es war nichts mehr zu machen."

„Unfall? Wie? Wo? Wann?", stammelte ER.

„Vor etwa eineinhalb Stunden auf der B 373 Richtung Adlerfelde. Kein anderes Auto war beteiligt. Gerade Strecke. Von der Spur abgekommen. Man vermutet, sie war mit dem Handy zugange. Man hat es gefunden mit einer angefangenen Nachricht… an Sie. Tut mir leid. Hat sie nähere Verwandte?"

„Nein, ihre Eltern sind verstorben, hatte weder Kinder noch

Geschwister."

„Übernehmen Sie dann alles Weitere?"

„Ja. Na klar. Ich brauche ein paar Minuten, ein paar Minuten. Dann komme ich."

„Gut. Lassen Sie sich Zeit und nehmen Sie sich ein Taxi."

ER saß wie gelähmt.

Zack, weg war sie.

Weg aus seinem Leben. Gestern noch dachte er das. Doch aber nicht so! Das war furchtbar! Sie war auf dem Weg zu *ihm* gewesen. Aber sie wusste ja, dass er nicht zu Hause war. Sie wollte sicher ihre Kaffeemaschine. Sie kannte den Zeitpunkt seines wichtigen Meetings heute.

„Oh Mann, so doch nicht! So hab ich das doch nicht gemeint!", rief er laut und vergrub sein Gesicht hinter seinen Händen.

Alle standen betroffen in der Tür. Sie hatten ihn gehört. Und ahnten.

Er sah hoch mit glasigem Blick:

„Sie ist weg. Tot. Ich muss ins Krankenhaus. Ich muss mich um alles kümmern. Danach komme ich wieder. Fangt bitte schon ohne mich an. Wir brauchen jede Minute für das Projekt. Die Zeit sitzt uns wieder im Nacken. Wir brauchen drei Varianten zum Vergleich, wenn wir wissen, was wir wollen. Fangt bitte schon mal an. Bitte. Tut mir leid, ich muss jetzt…"

ER stand auf und suchte wahllos etwas auf dem Tisch zusammen.

„Das ist ja furchtbar, ER. Du hast mein Mitgeföhl, ER. Ich komme mit dir. Du kannst jetzt nicht Auto fahren, nicht durch die Stadt. Ohne Wöderrede", sagte Chrischi betroffen, der gleich auf die abwehrende Handgeste reagierte.

ER wehrte sich nicht weiter und die beiden zogen los.

Friedlich lag sie da. Man sah eigentlich gar nichts. Er wollte auch nichts sehen. Es tat weh, sie so zu sehen.

Er fühlte sich mies.

Er fühlte sich schuldig.

Chrischi spürte das und tröstete ihn:

„Du kannst nichts dafür, ÖR. Es passieren so viele Unfälle, weil Leute mit ihrem Handy spielen. Das ist wie ein Sekondenschlaf. Das Einzige, das ich von ihr kenne, ist der Blick zum Smartphone, immer wichtig, wichtig. Da kannst du nichts för. Das war ganz allein ihr Ding. Fröher oder später wäre es eh passiert."

Der Stationsarzt drückte ihm eine blaue Plastiktüte mit persönlichen Dingen in die Hand.

„Melden Sie sich bitte morgen, wenn Sie wissen, welches Beerdigungsunternehmen sich um den Leichnam kümmert. Sie werden dort auch noch einmal Zeit zum Verabschieden haben, wenn Sie es möchten."

Er nickte wie ferngesteuert.

„Ich fahr dich nach Hause, damit du das alles sacken lassen und in die Wege leiten kannst. Da ist bestimmt viel zu tun. Viele Anrufe. Wir kriegen das schon hin mit MAIS. Das ist alles nicht so wöchtig", versuchte Chrischi ihn im Wagen zu überreden.

„Doch, unser Projekt ist jetzt wichtiger denn je. Sich um die Lebenden kümmern. Ich brauche die Ablenkung. Zu Hause fällt mir die Decke auf den Kopf. Ich telefoniere und organisiere das morgen früh und komme danach ins Büro", wehrte ER ab.

„Du gehörst auch zu den Lebenden. Ich mach mir schon seit geraumer Zeit Gedanken um dich. Du hast dich sehr verändert. Ich hatte mich öhrlich gesagt sehr gefreut, dass sie gegangen ist. Ich mochte sie einfach nicht. Eure Beziehung war noch nie der Hit, wenn du öhrlich zu dir selbst bist. Das letzte Jahr wurde es ömmer ärger um dich. Keine Energie mehr, das hat sie alles aufgesaugt. Ich wäre schon längst geflohen oder hätte sie mal auf den Pott gesetzt. Kiffen ist okay, aber damit löst man auf Dauer keine Probleme. Mit Alk auch nicht. Sie sind nur kurz mal weg, aber am nächsten Morgen umso stärker. Ich kenn das, ich bin damit durch. Für Partys, oder mal am Wochenende, okay, mal, aber sonst nicht. Das ist für dich jetzt die Chance, aus dieser verfluchten Schwermut mal rauszukommen, ÖR, nach der Trauer."

„Danke, Chrischi! Du bist ein guter Freund. Aber trotzdem. Ich kann es nicht fassen, dass sie jetzt ganz weg ist. Weißt du, am

Samstagabend, nachdem sie gegangen war, hatte ich mir gewünscht, dass sie auch nie, nie mehr wiederkommt. Ich habe sie verflucht, Chrischi. Deswegen ist sie jetzt umgekommen. Aber ich wollte doch nicht, dass sie gleich stirbt…“, sagte ER und starrte aus dem Beifahrerfenster.

„DU bist nicht schuld! ÖR, hörst du? Das ist doch vollkommener Blödsinn. Verfluchen gibt es nicht. Wenn es heißt, sie hat während der Fahrt eine SMS eingetippt, dann ist das doch kein Wonder, dass sowas passiert. Sie wusste doch ömmer alles besser. Sie föhlte sich doch ömmer als was Besseres und chic und hip. Das Hippe hat sie jetzt unter die Erde gebracht. Nicht du, ÖR, nicht du! Kapierst du das?“ Chrischi wurde richtig laut, was ER zusammenzucken ließ.

„Ich meine das nicht böse, ÖR. Ich will nur nicht, dass du dir das Leben ihretwegen noch weiterhin so schwer machst, obwohl sie tot ist. Sie trägt die alleinige Schuld an ihrem Tod. Sie hat Mist gebaut mit ihrer Unachtsamkeit und mit dem Leben daför bezahlt. Das hat mit dir nöchts zu tun! Gar nöchts!“

„Doch, sie war auf dem Weg zu mir. Sie wollte nach Hause, um die Kaffeemaschine zu holen. Hätte ich mich nicht so ignorant ihr gegenüber benommen, wäre sie irgendwo auf irgendeinem Meeting und würde heute Abend lebend nach Hause kommen.“

„Und dir das Leben weiter zur Hölle machen, ÖR. Merkst du nicht, dass eure Beziehung schon lange aus war? Ihr Tod hat damit nichts zu tun“, versuchte Chrischi weiter, seinen Chef und Freund von den zerstörenden Gedanken runter zu holen.

Sie parkten vor dem Büro.

„Ich will das mit unserem Magazin erst einmal klären, dann telefoniere ich. Jeden Tag halte ich an der Ampel bei der großen Kreuzung vorn und starre gedankenverloren auf die Schaufenster des Beerdigungsunternehmens. Hätte nie gedacht, dass es einen erwischt. Nicht so früh. Bei denen ruf ich an. Ich suche nicht lange. Will das schnell hinter mich bringen.“

Der transparente Büroflur war ungewöhnlich ruhig. Keine Begegnungen.

In gedämpfter Stimmung erörterten sie das Problem um den Dreh- und Angelpunkt des Abos – das Magazin mit den ausgiebigen Informationen und Vorbesprechungen. Schnell stellten sie fest, dass das zu einem riesigen Problem werden würde, und dass ihre Abonnenten scharenweise austreten würden. Sie würden sogar von ihrem Sonderkündigungsrecht Gebrauch machen, bei solch einer einschneidenden Änderung der Abo-Card. Ihre Klientel war eben so. Sie wollten weiter im Leben stehen und dazu gehörte diese Art von Weiterbildung. Über das ausführliche Magazin wurden sie als kulturell Interessierte ernst genommen. Sie hatten einen gehobeneren Anspruch, der über den der Durchschnittsbürger hinausragte. Und wen es nicht interessierte, der konnte ja darüber hinweglesen, aber die Informationen waren da. Schwarz auf weiß. Und die sollten jetzt zusammengestrichen werden.

„Es nutzt nichts, je mehr wir uns dagegen auflehnen, desto madiger wird er uns unser Leben bei MAIS machen. Ihm werden weitere fiese Nummern einfallen, um uns zu schikanieren, wenn wir ihn ignorieren. Er sitzt mit Vitamin B zum Vorstand von MAIS Gujaland am deutlich längeren Hebel.

Maggi, versuche du die drei Grafik-Studenten zu erreichen, die immer mal bei uns jobben. Wir brauchen auf jeden Fall noch Unterstützung in der Grafik. Vielleicht kriegst du das zeitlich hin, dass die Studis sich die Zeit irgendwie teilen können. Wir brauchen drei Varianten und auch Angebote von drei Druckereien.

Die erste Variante belassen wir in dem gewohnten Umfang. Dieser in schwarz-weiß, wie gehabt, aber mit einer Zusatzfarbe – nämlich rot. Durchgängig Rot als Akzentfarbe. Wie Alessas Kostüm…“

„Es tut mir leid, aber ich dachte, ich ziehe alle Register…“, sagte Alessa betrübt.

„Nein, Alessa, so war das nicht gemeint. Dein Auftritt hat uns eine Stunde perfektes Vortragen geschenkt und unser Projekt für ein weiteres Jahr gerettet. Das war genau richtig und nun werden wir diese Farbe als Zeichen unseres Kampfes ansehen. Das sagen wir aber niemandem, sondern verkaufen es als eine geniale Idee des externen Herrn Dr. Alexander Schwarzenegger.“ ER lächelte sie liebevoll und müde an. Dennoch war da ein kleines Aufblitzen in seinen Augen zu sehen, was sie erleichtert zurücklächeln ließ.

Sie kannten seine Augensprache zu gut.

„Am Anfang erweitern wir den Magazinteil durch mehr Fotos und eine Rubrik *Hinter den Kulissen*. Das wird er mögen. Genau so stellte ich mir das Magazin auch immer vor. Peppiger. Da muss ich diesem aalglatten …, naja, ihr wisst schon wem, durchaus Recht geben. Ob da nun immer Ladys in Knallrot und High Heels auf die Titelseite müssen, das werden wir einfach sehen. Wir nehmen es erst einmal auf. Auf die Tiefe des Ausschnitts können wir vielleicht ein bisschen Einfluss nehmen."

„Es jedenfalls versuchen", ergänzte Maggi, die schon sehr entmutigt dreinschaute, weil sie wohl schon ahnte, was alles auf sie zukommen würde. All die Telefonate mit enttäuschten und vor den Kopf gestoßenen Abonnenten…

„Ja, wir versuchen es. Rot gefällt mir auch. Wir sollten alle ab morgen einen roten Schal tragen, jetzt, wo es draußen kälter wird. Très chic!", meinte natürlich Chrischi. Er war ein Segen. Er war der ausgeglichenste Mensch, den ER kannte. Wie oft hatte er ihn schon mit seinen leichten Worten aus der Tiefe herausgezogen, wie oft?

„Die zweite Variante, so schlage ich vor, ist der Wunsch des…, ihr wisst schon wem. Bunt von vorn bis hinten, ganz ohne Information nach Illustrierten Art wie sie in Wartezimmern von Ärzten herumliegen. Nur Teaser von 2-3 Sätzen."

Maggi seufzte tief.

„Die dritte, und das sehe ich als unsere Chance, ist ein Kompromiss – vorn ordentlich bunt, dann der Infoteil in verkürzter Fassung. Wie, das müssen wir ganz genau durchdenken. Wir überprüfen, was die Abonnenten bisher am meisten interessiert hat. Wonach kamen die meisten Nachfragen. Maggi, du und Hanna, ihr habt doch die Anfragen alle abgelegt, wo ich noch meinte, ob das denn Sinn macht. Jetzt macht es Sinn, denn diese Ordner flöhen wir nach diesen Aspekten durch und werden jeden Schnipsel einer markierten Information diesem Herrn, ihr wisst schon wem, vorlegen. Das sind unsere Beweise, dass es ganz ohne tiefgründigere

Besprechungen in Sachen kultureller Veranstaltungen nicht gehen wird. Dazu die Grafik zur Altersstruktur, die unsere Argumente untermauern wird. Was meint ihr?"

„Ja, das machen wir. Vielleicht kriegen wir doch mehr unter, wenn wir die Schrift im Infoteil verkleinern. In den TV-Zeitschriften ist ja auch immer alles recht kleingedruckt. Ich habe da eh immer meine Lesebrille liegen. Das wird den Abonnenten nichts ausmachen. Es wäre doch schön, wenn wir das irgendwie schaffen. Wenigstens ein paar mehr Informationen…", rief Maggi beglückt über diesen Hoffnungsschimmer.

„Ja, das klingt prima. Wir sollten für alle Varianten jeweils zwei Versionen anbieten", überlegte Alessa laut.

„Ja, das macht Sinn. Genug Auswahl muss er haben mit unterschiedlichen Stilen, aber stets auf das CD/CI achten bezüglich des Auftritts von Milon. Es muss passen, aber schon eine eigenständige Variante sein, die anspruchsvolle Kultur unterstreicht. Wie bisher auch, nur peppiger. Ihr wisst, was ich meine. Das werden genug Abstimmungs-prozesse sein für zwei Wochen.

Wir müssen aus strategischen Gründen auch Michaela vom Marketing mit ins Boot nehmen, auch wenn wir vorsichtig sein müssen, was wir sagen. Man weiß nie, was da außer den offensichtlichen Tätscheleien noch so abgeht. Und ich will es auch gar nicht wissen.

Alessa, kannst du versuchen, mit ihr für morgen Nachmittag einen Termin zu vereinbaren? Die Marketing-Praktikantin müsste morgen auch wieder bei uns sein, das passt doch. Kritische Meinungen sind wichtig.

Hanna, vielleicht kriegst du die Grafik-Studenten auch für morgen Nachmittag mit an den Tisch. Das wäre genial. Morgen Vormittag werde ich noch einiges erledigen müssen", sagte ER. Er klang sachlich, emotionslos.

„Klar, Chef", nickten Chrischi und Hanna ihm zu.

„Chrischi, ich werde eben noch meine Ideen zu Papier bringen, wie ich mir ein neues Bild für unser Magazin vorstelle. Die trage ich schon seit einiger Zeit mit mir. Ich weiß nicht, warum ich selbst nie die Initiative ergriffen habe… Ach, es ist mühsig, darüber nachzudenken. Es gibt so vieles, das ich hätte… Jedenfalls kannst du meine Kritzeleien in eine etwas hübschere Form bringen, damit alle verstehen, worum es uns geht. Wenn ihr noch Ideen dazu habt, dann sagt sie nur. Wir haben jetzt die Chance für ein bisschen frischen Wind und die wollen wir nutzen, so gut es uns gelingt."

ER nickte einmal in die Runde. Alle nickten zurück mit einem liebevollen Lächeln, was ihn fast schmerzte.

Rasch stand er auf und verzog sich in sein Zimmer, ohne Augenrollen. Alle wussten warum.

Kringel.

Eiche…

Kringel.

Eiche…

Kringel.

Eiche…

Er kam auf keinen anderen Gedanken. Sie flirrten in seinem Kopf wirr durcheinander – Tod und Leben, Schuld und Opfer, Druck und Chancen, Liebe und Ohnmacht, Versagen, völliges Versagen.

Er sah nicht das Eichhörnchen, wie es sich auf dem Vogelhaus draußen aufrichtete und zu ihm hineinschielte.

Er sah nicht, wie die Sonnenstrahlen die Wolken beiseiteschoben.

Er sah nicht die goldenen Blätter sanft hinabschwingen. Sie gaben die Nahrung für kommendes Leben.

Mit allen Kraftreserven drang er zu seinen Ideen durch und skizzierte sie auf.

Warum hatte er nicht früher den Mut aufgebracht, das zu ändern? Warum hatte er nicht früher an neue Sponsoren gedacht? Warum hatte er so unermesslich wenig Willenskraft? Warum sah er alles als eine Last und schwere Bürde? Warum sah er alles negativ? Warum war die Freude für ihn so schwer zu erreichen? Warum hatte er nie versucht, mit seiner Freundin wirklich zu reden? Warum ließ er die Zeit verstreichen als wäre sie nichts wert? Warum fühlte er sich immer schwer und schlecht? Warum? Warum? Warum?

„ER, kann ich sonst noch irgendetwas für dich tun? Die Zeichnungen sehen doch ganz gut aus, jedenfalls erkennt man schon sehr gut, worauf es dir ankommt. Finde ich gut. Nur das Milon-Logo darf nicht unten stehen. Alle Milon-Logos stehen oben rechts, niemals unten“. ER erschrak. Er hatte Alessa nicht kommen hören.

„Nein, ist schon gut. Ich komm schon klar“, stammelte er.

„Du kannst auch bei uns übernachten, wenn du magst. Du kennst ja meinen Mann und meine beiden Kinder. Ich kann sehr gut verstehen, wenn du jetzt nicht allein sein magst“, bot sie ihm freundlich an.

„Danke, sehr freundlich, aber ich möchte allein sein. Das ist es ja gerade. Vielleicht ist sie deswegen gestorben. Ich wollte allein sein…“, faselte er vor sich hin.

„Das ist Quatsch. Ich habe gehört, es war wegen des Handys am Steuer. Das passiert so oft jetzt. Die Leute sind sich zu sicher und eine Sekunde ist sehr viel, besonders auf einer Landstraße bei höherer Geschwindigkeit. Das hat sie das Leben gekostet, nicht, dass du allein sein wolltest. Völliger Quatsch“, versuchte auch sie, ihn zu trösten.

„Mag sein. Wer weiß das schon? Trotzdem. Aber hier, sei so lieb, bring es Chrischi. Er soll das alles in eine ordentlichere Fassung bringen. Ich habe zu viel übereinander gekritzelt, das erkennt ja keiner. Kannst ja ein Foto von dir einkleben.“ ER rang sich ein Lächeln ab.

„Mach ich. Wenn du es dir anders überlegst, komm einfach rum. Das gilt immer, okay?“, sagte sie ihm mit einem mitfühlenden Blick.

„Danke.“

„Bei uns bist du natörlich auch stets wöllkommen, Chöf-chen! Nur, der Vollständigkeit halber“, rief Chrischi von der Tür. Er hatte unglaubliche Luchsohren und bekam einfach immer alles mit.

„Danke. Wenn ich euch nicht hätte…“, er nickte dankbar in ihre Richtungen.

Dann telefonierte er mit dem Bestattungsunternehmen und

verabredete einen Termin am nächsten Morgen um 9 Uhr. Darauf fuhr er heimwärts.

Als er sein Haus betrat war das kurze Aufflackern eines lange vermissten Gefühls von Freiheit wie weggefegt und eine Stimmung der Beklommenheit durchwebte jedes Zimmer und jeden Ort, an dem sie sich je aufgehalten hatte. Weg war schön, aber ganz weg, das war furchtbar zu ertragen. Er hasste sie doch nicht so sehr, dass es sie jetzt das Leben gekostet hatte?

Die Kaffeemaschine stand ebenfalls tot in der Ecke. Nie wieder würde er sie bedienen, hören wollen.

Der Bestatter fragte nach einem Testament und dem Bestattungswunsch und ob sie in der Kirche war. Das Krankenhaus nach einem Organspendeausweis. Sie war doch erst 52, darüber hatten sie noch nie gesprochen… Doch… Er erinnerte sich an ein kurzes Gespräch im Auto, wo sie sagte, nur eine Feuerbestattung käme für sie in Frage, am besten sogar irgendwo verteilen, vom Wind verwehen lassen. Irgendwo, wo es schön war. Das konnte für sie auch mitten in der Stadt sein, denn dort hatte sie sich eigentlich immer am wohlsten gefühlt. Sobald sie in der Natur gewesen waren, hatte sie nach Action gebrüllt. Die Ruhe war für sie oft unerträglich gewesen und die Natur hatte sie schlichtweg gelangweilt.

Allein das hatte von Anfang an nicht gepasst. Aber er durfte jetzt nichts Schlechtes über sie reden. Das tat man nicht.

Er suchte wahllos in ihrem Schrankteil und in ihren Schubladen. Da fand er eine kleine Broschüre über Bestattungsformen und um das Wort Feuer war ein Kringel gezeichnet. Er war wie erleichtert, dass er das nicht entscheiden musste. Das war klar.

In der Kirche? Organspendeausweis… Den trug man doch bei seinen Personalien. Da fiel ER die blaue Tüte aus dem Krankenhaus ein.

Er holte sie aus dem Auto, setzte sich an den Küchentisch und kippte den Inhalt der Plastiktüte aus. Das waren alles Dinge, die sie das letzte Mal berührt hatte. Und jetzt er. Er wollte nicht, wollte alles aus seinem Blickfeld haben, denn der Schmerz war auch so groß genug.

Aber er brauchte die Telefonnummern ihrer nächsten Kontakte. Hinter ihrem Führerschein fand er den Organspendeausweis. Sie war perfekt in Sachen Ordnung.

Kirche… Das musste ja auf Lohnabrechnungen stehen. Er konnte sich das zwar nicht vorstellen, stand aber kurz auf und suchte nach einem Ordner. Natürlich fand er ihn gleich und ebenso, dass sie Kirchensteuer bezahlte. Er war verwundert darüber, so, wie sie immer über die Kirche hergezogen hatte.

Wenn er gestorben wäre, keiner hätte irgendetwas gefunden, weil er nichts wirklich geordnet hatte. Das war schon erleichternd, irgendwie.

ER ergriff ihr Smartphone.

Er kannte ihren Pin und schluckte beim Anblick des Startbildschirms. Sie beide am Strand an der See. Sonnenuntergang. Er fand die angefangene Nachricht.

„Sweetie. Deine Reaktion war klar und deutlich. Du willst mich nicht mehr sehen. Wir passen auch nicht wirklich zusammen. Du hast mich sehr verletzt. Ich hole gleich nur ein paar Sachen raus, Kaff-Maschine und so. In zwei Wochen können wir ja mal sprechen, wenn du bereit dazu bist. Ich schlafe erst einmal bei einer Freundin auf der Couch. Ich kann noch nicht ganz glauben, dass das unser Ende sein soll… Vielleicht erholst du dich in der Auszeit ja ein bisschen und du kannst mir endlich mal in die Augen…“ Ende. Aus. Vorbei. Er fühlte den Aufprall.

Es war erschütternd.

Rasch stand er auf und goss sich einen Whisky ein. Einen 3-fachen. Dann drehte er sich einen Joint und stellte sich auf die Terrasse. Das war ein Ort, wo sie selten gewesen war, weil sie es gehasst hatte, wenn er rauchte. Dann ging das Zetern gleich doppelt weiter, aber er konnte es besser an sich abprallen lassen. Deswegen hatte er ja wieder mit dem Kiffen angefangen. Okay, das war eine bequeme Entschuldigung.

Einen Dauerbeschuss von Vorwürfen hatte er auch nur so ertragen können. Reden war ihm viel zu anstrengend. Aufhören, wozu also? Obwohl in der letzten Zeit auch das Kiffen keinen Spaß mehr gemacht hatte. Seine Gemütsverfassung war so mies, dass er in der Folge immer tiefer hineingeraten war, statt dass es ihn befreite.

Jetzt war es egal. Es kümmerte keinen mehr.

Miri musste er es als erste sagen. Er ging wieder rein und fuhr seinen PC hoch.

Miri weinte. Herzzerreißend. Wie gut sie das konnte. Wie gut für sie. Frauen konnten das besser. Er fühlte keine Tränen. Absolute Trockenheit. Sie wollte unbedingt zur Beerdigung kommen, auch wenn sie gerade erst seit vier Wochen wieder in Donlon war. So versprach er ihr, einen Montag oder Freitag auszuwählen und nicht an dem Wochenende ihrer ersten Modenschau.

Ihm war wohler, es seiner Tochter gesagt zu haben. Deutlich. Er nahm wieder ihr Smartphone in die Hand und durchstöberte die Kontakte. Ihre Freundin war die nächste, die ihm versprach, ihm bei den Anschreiben zu helfen, denn er kannte viele gar nicht, mit denen sie zu tun hatte. Waren alle von ihrer Werbebranche. Er hatte jetzt schon keinen Bock auf die Beerdigung, weil er diese Heiopeis nicht sehen wollte und ihr oberflächliches Getue.

Dann telefonierte er mit fünf weiteren Bekannten, die die Freundin als wichtig empfunden hatte und leerte dabei den Whisky. Dann Fernseher an, zappen, einschlafen.

Wirrer Traum von vielen vollgestellten Räumen.

Der Bestattungsunternehmer war ein skurriler Mensch. Sehr freundlich, sehr einfühlsam, für ihn fast zu sehr, aber er war froh, dass da einer war, der sich um alles kümmerte. ER brauchte nicht zu denken und fühlte sich, ebenso skurriler Weise, in diesem sehr kargen und besinnlichen Raum des Bestattungsunternehmens neben der Ampel sehr wohl. Er sah sich eine Vitrine an, wo man den Fingerabdruck seines Liebsten in Gold als Anhänger oder Ring tragen konnte. Hm.

Daneben in Plexiglas gelasert ein lachendes Ehepaar.

„Das ist nicht für jeden geeignet, aber manche mögen diese Art von Andenken und es hilft ihnen über die Zeit des Trauerns hinweg“, erklärte der blauäugige Inhaber von MBI, dem Miloner Beerdigungsinstitut, Herr Wuschnewski, in einem kuscheldeckenartigen Tonfall.

Man setzte sich, Kaffee und Wasser wurden gereicht und mit gedämpfter Stimme gesprochen.

Eine Checkliste wurde abgearbeitet, sachlich, effektiv. Sie kümmerten sich einfach um alles, inklusive lästiger Ämterangelegenheiten und Versicherungsanschreiben.

Er suchte eine Urne aus, Naturfaser, schlicht, schwarz, Punkt.

Kirche ja, Feuerbestattung ja. Luftbestattung bedauerlicher Weise noch nicht erlaubt, also Hauptfriedhof von Milon, Kolumbarium mit Glasfenster und Gravur.

Bestattungstermin in zwei Wochen, da derzeit die Schlange der Verbrennungen lang war und schon in zwei Schichten gearbeitet wurde. Gut für Miris Zeitplan. Miriam.

Texte für die Anzeigen und Anschreiben ausgesucht. Er musste nur noch die Zahl durchgeben.

Sie kümmerten sich einfach um alles. Mit einer hingebungsvollen Freundlichkeit. Wo gab es das sonst?

Er wollte gar nicht mehr weg!

In einer vollkommenen Ruhe, eingelullt in ein sich Tragenlassen von kümmernden Händen und zarten und klaren Worten, verstrichen drei Stunden. Erholt, ja, fast leicht, verließ er diese Hallen der Besinnlichkeit.

Wäre dies eine Kirche, er würde sofort beitreten. Auf dem Weg zu MAIS kamen ihm sogar Gedanken wie „Könnte ich dort arbeiten“, „Welchen Job könnte ich dort übernehmen?“ oder „Wahrscheinlich verdient man dort nicht so viel, wäre aber auch egal“.

Dann dachte er an seine Kollegen und schob diese Ausflüchte beiseite. Er hatte das Gefühl, viel erledigt zu haben.

Spontane Umbesetzung

ER ging den Flur entlang, an den Transparenzen vorbei, gewappnet auf einen dummen Spruch, da kam ihm ein fremdes Gesicht freundlich lächelnd entgegen:

„Guten Morgen. Mein Beileid. Ich habe von Ihrem tragischen Verlust erfahren. Darf ich mich Ihnen kurz vorstellen: Georg Frühling. Ich habe die Geschäftsführung von MAIS Milon übernommen und leite für den Übergang auch Kreation Young. Gestern Nachmittag kam es zu einer spontanen Umbesetzung. Ihr einstiger Kollege Willi Schnurz durfte an einen anderen Standort wechseln. Nun bin ich hier und darf mich unter anderem auch um ihren legendären Kreation-Bereich kümmern. Mein Schwerpunkt liegt natürlich bei *allen* Außenkontakten von MAIS für unsere Stadt Milon und dazu zählen Ihre geschätzten Kontakte und Ihre treuen Abonnenten. Ich habe von Ihrem herausragenden Auftritt gestern gehört und freue mich auf eine angenehme und gegenseitig befruchtende Zusammenarbeit.

Wenn Sie die neuen Entwürfe vorliegen haben, lassen Sie es mich wissen. Ich kenne Herrn Dr. Schwarzenegger und kann das eine oder andere mit in die richtige Richtung lenken. Wir sitzen quasi in einem Boot und werden es besonnen und professionell durch die Gewässer von MAIS im Sinne von Milon schippern, egal wie stürmisch sie sind, nicht wahr?“

„Ja, natürlich, mein Name ist…“, ER war überwältig von diesem völlig unerwarteten und freundlichen Redeschwall.

„ER. Ist mir bekannt. Ich habe meine Hausaufgaben gemacht“, strahlte ihn sein neuer eifriger Vorgesetzter an und stand noch aufrechter. Ja, er hatte etwas von einem Streber, nur eben Anfang Mitte vierzig, geschätzt.

„Ich weiß, Sie sind ein geschätzter und professioneller leitender Mitarbeiter von MAIS und Sie werden Ihren privaten Kummer von den hiesigen Problemen klar trennen können. Dennoch, wir sind alle Menschen. Sagen Sie bitte rechtzeitig Bescheid, wenn Sie etwas brauchen. Weiterhin erfolgreiches Schaffen und die Nase immer eine Hand breit über dem Wasser!“, lachte dieser aufmunternd, auf angemessene Art, reichte ihm die Hand und verschwunden war er in der Transparenz.

Langsam ging ER auf ihre Büros zu. Was war da geschehen? Es gruselte ihn. Er hatte Gänsehaut am ganzen Körper und schweißnasse Hände.

Wie lauteten noch die Worte, die er gestern erst gedacht hatte:

‚Diese Person, konnte der nicht einfach mal seinen Mund halten? Am besten gar nicht mehr auf diesem Flur erscheinen?‘

Um Himmels Willen! Was ging da vor sich? Das Ganze entwickelte sich zu einer Paranoia.

Er wollte gerade eine Kehrtwendung machen, da kam Alessa aus der Tür.

„Ah, ER. Wie geht es dir? Hast du alles geschafft?“, fragte sie einfühlsam.

„Weißt du schon das Neueste?“, schoss prompt Chrischi hinter ihr hervor.

ER sammelte sich.

„Ja, alles erledigt. Lief besser als ich mir das je hätte träumen lassen. Und ja, weiß ich. *Das Neueste* hat einen Namen, Georg Frühling.“

„*Das Neueste* gefällt mir aber besser“, grinste Chrischi. Sein Humor tat einfach immer gut.

„Vorsicht, Vorsicht, besonders die Transparenz hat spitze Ohren“, antwortete ER mit einem Augenbrauenzucken.

Also verschwanden sie in ihren eigenen abhörsicheren vier Wänden und besprachen grob das weitere Vorgehen.

„Wir bearbeiten ab sofort alles nur noch nach Checklisten. Das habe ich heute beim Bestattungsunternehmer mitgenommen. Hatte ich früher auch immer. Vergessen, mit der Zeit. Man vergisst so viel…“

Und bevor ER auf trübsinnige Gedanken kommen konnte, rief Chrischi Maggi zu:

„Kannst du unsere Fragen gleich eintippen? Dann brauchen wir sie nur noch zu sortieren und auszudrucken, fertig.“

Im Handumdrehen war eine Check-Liste fertig sowie eine Zusammenfassung der wichtigsten Punkte zur Präsentation des Miloner Kultur-Abos über das Magazin.

Um 19 Uhr waren sie mit ihrer zweiten Besprechung durch. Dazu hatten sie sich demonstrativ ins neue Besprechungszimmer gesetzt, das mitten in der Transparenz lag. Kaum einer arbeitete jetzt mehr. Nicht einmal *das Neueste*, das sich intern zu einer *Frühlingsrolle* entwickelt hatte, war zu sehen. War im Grunde sympathisch.

„Alles angestoßen. Mal sehen, wie es aussieht, wenn es umgesetzt ist. Ab dann sollen wir die Fröhlingsrolle ja mit ins Boot nehmen, hat er gesagt", meinte Chrischi zufrieden.

„Ja, ich habe davon gehört. Wir werden sehen", meinte ER leicht bitter.

„Es kann nur besser werden – die Fröhlingsrolle kann sich auch keinen Schiffbruch leisten, sonst wird er umverteilt und das geht nicht immer nur aufwärts, wie es uns die transparenten Wände vom Chief von Kreation Young so zugeflöstert haben", ermutigte Chrischi.

„Wie? Umverteilt? Du meinst Willi Schnurz?", fragte ER irritiert.

„Ja, er soll wohl außer Wichtigtuereien nicht viel gemacht haben. Sein PC war voll mit Prövatangelegenheiten. Nur weil er Alleinverdiener mit Familie ist, haben sie ihn als Sozialfall eingestuft und nicht fröstlos entlassen. Da hatte wohl der Betröbsrat ein rasches Auge drauf. Ging gestern ganz schnell. Zackzack, weg war Herr Piesack."

„Ja. Weg", meinte ER gedankenverloren und ging in sein Zimmer.

„Alles klar, Chef?", Alessa und Chrischi standen in seiner Tür.

„Ja. Ja. Ich muss jetzt allein sein. Das ist schon okay", meinte er kurz.

„Wollen wir noch in die Bar vorn an der Öcke und reden?", bot ihm Chrischi an.

„Nein, nicht mehr reden. Ich brauch einfach nur ein bisschen Ruhe, dann gehts wieder, wirklich. Danke. Schönen Feierabend euch beiden. Und danke. Das war sehr konstruktiv heute."

Er zwang sich ein müdes Lächeln ab und die beiden gingen.

ER versank in seinen wirren sich wiederholenden Ahnungen:

„Diese Person, konnte der nicht einfach mal seinen Mund halten? Am besten gar nicht mehr auf diesem Flur erscheinen?"

„Und ich komme auch nicht wieder!"

„Prima."

„Warum lässt du mich einfach so gehen?"

„Weil mir alles egal ist. Einfach alles."

„Auch wenn ich nicht mehr wieder komme, nie mehr?"

„Dann habe ich wenigstens hier meine Ruhe."

„Diese Person, konnte der nicht einfach mal seinen Mund halten? Am besten gar nicht mehr auf diesem Flur erscheinen?"

„Warum lässt du mich einfach so gehen?"

Gab es noch mehr grausame Wünsche, die in Erfüllung gegangen waren, ohne dass er es gemerkt hatte?

„Ich brauche Hilfe!", sagte er zu sich. „Ich bin gefährlich! Ich brauche dringend Hilfe!"

Raus

Er musste raus. Aus dem Büro, raus.

Er fing an zu laufen.

Den Flur durch die Transparenz, raus, Treppe hinunter, raus, quer über die leeren Parkplätze, raus, auf die Straße, raus.

Zum kleinen Park gegenüber.

Er rannte und rannte seine Gedanken aus dem Kopf.

Dreimal um den äußeren Kreis.

Es war dunkel, aber genug Licht beschien die Wege von Laternen aus.

Klatsch!

Er schlug der Länge nach hin.

Doch nicht genug Licht.

„Oh! Entschuldigen Sie vielmals. Oh! Haben Sie sich verletzt? Oh! Kommen Sie, ich helfe Ihnen auf. Oh! Amiga, nun komm hier her.“

In der Dunkelheit zog eine Frau an ihrer Hundeleine.

„Oh! Hm. Sie liegen auf der Leine“, meinte sie etwas unentschlossen.

„Geht schon. Ich komme schon wieder hoch“, meinte ER, stöhnte etwas und raffte sich wieder auf. Schwups war der Geisterhund unter ihm durch.

„Ich habe ihn nicht gesehen, den Hund…“, meinte ER, weil er irgendwas sagen wollte.

„Ich hatte Sie auch nicht kommen sehen, sonst hätte ich sie auf die andere Seite gezogen.“

„Warum laufe ich auch im dunklen Park?“, stellte er sich die etwas dumme Frage.

„Wahrscheinlich, weil es so über Sie kam und Sie sich noch was von der Seele laufen mussten. Sonst hätten Sie Sportsachen an. Selbst im Dunkeln sehe ich, dass Sie wohl geradewegs aus dem Büro kommen. Ihre Schuhe glänzen im Laternenlicht“, meinte sie freundlich.

„Ja, wahrscheinlich. Und Sie sind wahrscheinlich eine Detektivin, so, wie Sie gleich alles ergründen“, sagte er bemüht freundlich, um von sich abzulenken.

Kurze Stille.

„Oh, habe ich etwas Falsches gesagt?“, fragte ER gleich höflich nach.

„Nein. Es ist vielleicht so ähnlich. Ich bin Psychologin“, erklärte sie.

„Ach!“

Nun verfiel ER in Stille.

„Habe *ich* jetzt etwas Falsches gesagt?“, fragte sie nun nach.

„Nein, alles gut. Sehr interessant. Jetzt muss ich weiter.“ ER trat den Rückzug an. Das war ihm jetzt zu heikel. Nicht in seiner jetzigen Gemütsverfassung.

„Passen Sie auf sich auf! Man sieht sich“, verabschiedete sie sich und reichte ihm die Hand.

„Man sieht sich“, antwortete er einfallslos verwirrt.

Welch eine warme wohltuende Hand!

Sie entfernten sich voneinander.

„Was ist Illusion?“, hörte er eine Stimme neben sich.

„Illusion? Das soll Illusion sein?“, rief er laut und drehte sich um.

Sie hatte ihn wohl gehört, aber nicht verstanden, denn sie winkte ihm einfach zu. Und er winkte ferngesteuert zurück.

„Das ist keine Illusion. Das ist alles wahr!“, sagte er fast bockig.

Er sah sich um, aber da war niemand. Vielleicht im Dunkeln verschwunden. Die einen verschwanden in der Transparenz, die andern in der Dunkelheit. Wahrscheinlich wurde er jetzt langsam verrückt. Er zuckte seine Schultern. War eben so.

Langsam lief er zu seinem Wagen und fuhr heimwärts.

Er schlief wie ein schwerer Stein.

Kein Traum.

Keine Bilder.

Kein komisches Gefühl.

Das war ein komisches Gefühl.

In der Mittagspause ging er nicht mit in die Kantine, sondern holte sich einen belegten Bagel und ging hinüber zum Park. Die Sonne schien, alles sah freundlich aus. ER fühlte sich hundsmiserabel. Vorhin war er schon wieder kurz davor alles hinzuschmeißen, als ihr neuer Herr Geschäftsführer von MAIS Milon, Herr Georg Frühling, seine spitze Nase in einfach alles stecken musste, was in ihren Ordnern feinst geordnet war. Und das war erst der Anfang. Mitarbeitergespräche, Optimierungsstrategien, effizienteres Arbeiten, Kosten im Blick haben. Er war ein kleines Abbild des Dompteurs. Allerdings war er freundlich und geduldig. Er hatte sogar etwas Verständnisvolles.

Im Grunde wehrte ER sich gegen die Vorstellung, ihn als Spion zu sehen.

So saß er auf der Bank, in Gedanken versunken, als er neben sich jemanden bemerkte. Eine Frau, vorher nicht bemerkt, lächelte ihn freundlich aus tausenden von Lachfalten an.

„Moin“, sagte er höflich, leicht verlegen.

„Moin“, antwortete sie. Das war sie doch. Dubioses Alter, schwer zu schätzen. Aber frisch, jung und wach waren ihre Augen.

„Den Augenblick genießen, nicht wahr?“, sagte sie und nickte ihm zu.

„Augenblick… Jetzt… Ja, ich versuchs. Ist nicht so einfach“, antwortete er ehrlich.

„Der Augenblick ist immer jetzt“, lächelte sie weiter.

„Sie können das?“, fragte er unbewusst laut.

„Ich habe es gelernt. Den Augenblick zu schätzen. Und nun bin ich steinalt und schätze ihn immer noch, jeden Augenblick aufs Neue“, sagte sie mit einem fast spitzbübischen Lächeln.

Steinalt. Da übertrieb sie aber ordentlich. Die weißen Haare täuschten. Weiße Haare waren hip. Sie war maximal zehn Jahre älter als er. Oder war sie jünger? Er sah ihr kurz in die Augen und blickte in sein eigenes Spiegelbild. Leicht verwirrt meinte er:

„Es fällt mir schwer. Es geschehen immer Dinge, die mir nicht ermöglichen, das Jetzt zu genießen“, sagte ER mutlos.

„Ich gehe weiter. Schauen Sie sich mal die Gänseblümchen an. Sie lächeln uns das ganze Jahr über mit ihrem bescheidenen Gesichtchen an. Schauen Sie sich mal die Gänseblümchen an“, sagte sie während sie aufstand und langsam mit Stock und kariertem Leinenbeutel davonschlurfte. Wieso hatte sie einen Stock? Vielleicht was mit dem Knie oder der Hüfte.

„Gänseblümchen? Hm“, dachte er bei sich. „Was weiß die Frau schon von meinem Kummer?“

Termin mit der Konzerthalle wegen eines dauerhaften Infostandes für Kultur-in-Milon und seine Abo-Card. Die Suche nach einem geeigneten Lager, wo die schweren Magazine und das ganze Infomaterial gelagert werden konnten, damit die Studenten diese nicht immer über lange Wege dorthin schleifen mussten: Dummerweise vergessen, was ihn natürlich wieder ärgerte. Die

Frühlingsrolle hatte ihn natürlich daran erinnert, was ihn noch mehr ärgerte und frustrierte, denn er fühlte sich einmal wieder absolut untauglich. Erst recht, weil die Frühlingsrolle ihm deswegen keine Vorhaltungen machte, sondern ihm sogar den Ball zuschob, indem er sagte:

„Ach, was sage ich da. Ich komme von einer Abteilung, in der man alles, ja wirklich alles ansagen musste. Bitte entschuldigen Sie, wenn ich da manchmal zu weit gehe. Leute, die Herrn Dr. Schwarzenegger mit solch einer Größe und Professionalität Paroli bieten, denen sollte man nicht dazwischenreden, wenn Prozesse noch nicht abgeschlossen sind. Es war sicher Ihre Strategie, nicht mit der Tür ins Konzerthaus zu fallen, sondern langsam aber sicher das durchzusetzen, was man haben will. Sehr gut, ER, sehr gut." Dabei nickte er ER freudig anerkennend zu.

ER war geplättet.

Er fühlte sich wie der absolute Looser und dieser Mensch hob ihn in den Himmel! Am liebsten wollte er ihm hinterher und die Wahrheit ins Gesicht schreien, aber auch dazu fehlte ihm der Mut. Jetzt hatte er bei ihm anscheinend auch noch einen Himmelsstatus, den er halten musste. Welch eine Bürde!

„ÖR, ist der nicht nett? Die Fröhlingsrolle liebt uns, er wörde sich am liebsten bei uns einquartieren. Okay, ein bösschen schnöffeln tut er schon. Aber er lobt uns ohne Ende! Das meint er echt echt. Wir haben noch einen im Boot, ist doch prima?", meinte Chrischi voller Euphorie.

„Nun, ja. Ein bisschen Vorsicht sollten wir walten lassen. Man weiß nie, wer ihn geschickt hat und welche Strategie wirklich dahintersteckt. Wir wollen uns keinen Illusionen hingeben", hörte ER sich reden.

„Stimmt schon, Chöf. Ich pass auf. Trotzdem angenehm", ging Chrischi leicht gebremst darauf ein.

„Ja, hast recht, besser als der davor allemal; dennoch, nicht allzu redselig sein. Wir lassen erst einmal etwas Zeit vergehen und beobachten auch ihn, bis wir klar sind, ob er wirklich echt ist", meinte ER.

Illusionen, dieses Wort arbeitete in ihm und es tat ihm nicht gut. Er schien mehr und mehr zu schwimmen.

Die Arbeit lenkte ab.

Lang war er im Büro, extra lang. Dann ging er in den dunklen Park und dort langsam eine Runde. Zwei Hunde-leute begegneten ihm. Sonst niemand.

Also fuhr er heim.

Er träumte von einer Eiche, einer wohl zwei- bis dreihundertjährigen Eiche. Er stellte eine Bank vor die Eiche und setzte sich drauf. Dann bog die Eiche ihre Äste um seinen Platz und hob ihn in den Himmel empor. Kurze Zeit fühlte er sich himmlisch frei. Plötzlich schossen aus allen Richtungen mit lautem Geschrei Vögel auf ihn zu und er fiel von der Bank von den Ästen und wachte panisch auf.

Es war eh Zeit zum Aufstehen.

„Moin ÖR. Heute bist du aber fröh. Steht ein besonderer Termin an?“ Chrischi war immer *fröh*, denn er war eine Lärche, die jeden Morgen ihren Liebsten bei der Bäckerei vorbeifuhr, wo dieser mit Liebe und Hingabe Torten kreierte. Nachmittags das gleiche Spiel dann umgedreht.

„Weiß auch nicht. Bin früh aufgewacht…“, sagte ER.

„Siehst auch noch beömmelt aus, ÖR. Bist noch gar nicht richtig wach. Waren das wieder diese Träume?“, fragte Chrischi mitfühlend.

„*Beömmelt* ist nun nicht gerade aufbauend…“, meinte ER schwach lächelnd und:

„Ja, diese Träume. Ich werde sie einfach nicht los. Und wenn ich mal, ein Mal, um genau zu sein, nicht träume, dann fühle ich mich ebenso gerädert, als hätte ich nicht richtig geschlafen. Ich weiß auch nicht, was das soll.“

„Geh zu einem Psychologen. Die haben Ahnung von sowas. Die können mit dir die Träume analysieren. Du kommst ja sonst nicht frei davon. Und überhaupt wird es dir guttun, all deinen Kummer mal los zu werden, den du schon seit einigen Zeiten mit dir herumschleppst. Es wird doch immer schlimmer. Hier im Büro haben wir wieder Land unter den Füßen. Da kannst du dir wirklich mal Zeit für dich nehmen. Du warst all die Jahre immer da für MAIS, es steht dir mehr als zu, Zeit zum Erholen zu nehmen. Das meine ich ernst. Sei es dir endlich einmal wert!"

Solch ernste Worte hatte Chrischi noch nie mit ihm gesprochen und ER musste schlucken. Nicht ein einziges Ö hatte er eingeflochten. Sehr ernst.

Es sich wert sein.

Da stockte ihm schier der Atem. Er musste schnell ablenken, denn er spürte eine bekannte Kluft und eine Ohnmacht…

„Ja, ja, ich kümmere mich schon. Lass uns jetzt mal in Ruhe die ersten Entwürfe durchgehen. Bevor die Frühlingsrolle kommt. Damit wir uns hier schon mal einig sind", meinte er rasch, was auch Sinn machte.

Eine Stunde später schon steckte die Frühlingsrolle seine spitze Nase ins Büro und suchte alle Schreibtische nach den neuen Entwürfen ab. Er sah sie sauber und ordentlich zur Präsentation liegen.

„Oh, die warten wohl schon auf mich! Da bin ich aber gespannt!", sagte er strahlend und rieb sich die Hände, was so echt aussah, dass es einfach echt sein musste. Es war sehr angenehm, dass er nicht der Pünktlichste war und niemanden kontrollierte wegen seiner Arbeitszeiten. Er schien sowieso nicht der Kontrollmensch zu sein, wie es erst den Schein hatte.

Trotzdem, sein ganzes Wesen befremdete ER.

Sie analysierten wie besprochen mit Frühlingsrolle und kamen zum gleichen Ergebnis, was Änderungen anging. Ihm gefiel die Idee mit dem gekürzten Programmteil, obgleich er die Chancen als schlecht einstufte, diese bei dem Dompteur durchzusetzen. Er kannte ihn von anderen von ihm angesagten Veränderungen, die keinerlei eigenmächtigen Umgestaltungen geduldet hatten. Aber probieren sollten sie es, unbedingt, vor allem mit dieser Unmenge an Beweismitteln seitens der Abonnenten. Zig säuberlich ausgeschnittene Konzert- und Theater-Vorbesprechungen, detaillierte Informationen zu Lesungen, Kunstausstellungen und Museumsführungen, unterstrichen, eingerahmt, mit Ausrufezeichen versehen, gemarkert. Alles mit meist langen dankenden und lobenden Anschreiben versehen. Manches aufwendig kommentiert, kritisiert, bis ins kleinste Detail analysiert oder korrigiert, wenn sich ein Schreibteufelchen eingeschlichen hatte. Sie passten auf, so genau wurde alles gelesen, inhaliert.

Man musste natürlich damit rechnen, dass der Dompteur sich darüber lustig machte, aber wenn man es wusste, konnte man auch damit umgehen. Schließlich dürfte das für sie ein Kinderspiel sein, nach dem, was sie bereits durchgemacht und erreicht hatten… Nur ein bisschen weniger Rot, meinte er, es sei doch zu dämonenhaft. Und die Schrifttype sollte doch die gleiche wie bei den neuen Auftritten von Milon sein, darauf würde als Erstes geachtet werden.

Fünf Tage waren es noch bis zum nächsten Termin, sie waren also gut in der Zeit.

An Frühlingsrolle war kein krummes Haar zu finden. Zu Ablehnung und Befremdung gesellte sich mit einem Mal Bewunderung, ja fast Sympathie.

Sehr dubios. ER wollte ein bisschen nachforschen, was es so mit *dem* auf sich hatte.

Irgendetwas war sehr anders an ihm, aber was?

Wollte er ihm einfach das Leben noch schwerer damit machen, indem er vorlebte, wie man offensichtlich mit Leichtigkeit durch das Leben ziehen konnte? Das war kaum auszuhalten!

Oder bildete er sich das alles nur ein? Illusion?

Kringel.

Dann zerfällt die Wohnung und Käfer und Maden ziehen ein.
Der Ast wird ein lebendiger Tummelplatz von allerhand Getier.
Pilze spenden ihnen Schatten.

Moin, Frau Augenblick

Ja, er musste in den Park. Er wollte auf der Bank sitzen und warten. Die Psychologin ging ihm nicht aus dem Kopf. Die Frau dahinter war zweitrangig.

Und er wollte im richtigen Augenblick da sein. Augenblick… Ja, denn er wollte, dass Frau Augenblick keine Illusion war.

Diese Frau war wie ein Strohhalm, der ihn davon abhielt, dass ihm alles egal war. Und er klammerte sich daran.

Er wünschte sich, Frau Augenblick wieder zu sehen, denn er war sich nicht mehr sicher, ob sie bloß seinen Wunschvorstellungen entsprach. Er kämpfte gegen die Illusionen, wollte sich ihnen nicht hingeben, aber jeder Tag bestätigte, dass er sich einfach vieles einbildete, was gar nicht so war. Auch in der Firma.

Er setzte sich zum gefühlt hundertsten Mal auf die Bank und rauchte seinen Feierabendjoint hier. Prompt kam der Augenblick auf ihn zu. Er hustete ertappt, trat den winzigen glimmenden Stummel aus, versuchte, den Geruch unbemerkt zu verteilen und *natürlich* setzte sie sich neben ihn. Direkt neben ihn, quasi auf Tuchfühlung.

Völlig verwirrt faselte er ein:

„Moin, Frau Augenblick.“

Wie dumm war das denn eben?

„Sie erinnern sich an mich? Das freut mich. Schön ist die Luft, nicht wahr?“, sagte sie ohne das kleinste Augenfunkeln und atmete laut ein und aus.

ER war völlig fertig. Hoffentlich passierte jetzt nichts mit ihr, wenn sie den Rauch so tief inhalierte.

„Ja, schöne Abendluft. Man riecht die feuchten Blätter, wie sie langsam anfangen zu vermodern“, faselte er und fuchtelte mit seiner Hand in Laubrichtungen.

„Ja. Vermodern ist gut. Es gibt Nahrung für neues Leben“, sagte sie ruhig und nickte zufrieden.

„Ja. Neues Leben“, wiederholte ER wie ein Papagei. Seine Stimme hörte sich auch genauso krächzend an. Wie furchtbar!

„Genießen Sie den Augenblick", meinte Frau Augenblick.

„Das geht nicht. Nicht jetzt", meinte ER bockig.

„Sie sind oft hier in letzter Zeit", bemerkte sie sachlich.

„Entschuldigung, ich habe Sie nie gesehen", faselte er ehrlich.

„Sie haben auch nicht nach *mir* Ausschau gehalten." Jetzt grinste sie wieder spitzbübisch. Er wollte am liebsten unter dem nächsten gammelnden Laubblatt verschwinden.

„Ich geh weiter. *Sie* kommt meist morgens noch vor acht Uhr. Abends eher selten. Und achten Sie auf die Gänseblümchen", sagte sie während sie aufstand, ihren gepunkteten Leinenbeutel umhängte und davonschluffte. Warum schluffte sie so? In dem Alter war cooles Schluffen uncool. Naja, Knie- oder Hüftprobleme.

„Ach", dachte er bei sich. Grübelte. Wollte aufstehen und sie noch einmal fragen, da war sie weit und breit nicht mehr zu sehen.

Nein, er wollte nicht, dass Frau Augenblick eine Illusion war. Weil dann morgen Früh, vielleicht…

Der Kluft-Traum war vollkommen verschwunden. Die farbwechselnden Tiere auch. Aber die Eiche. Die tauchte immer wieder auf. Und er fiel und fiel und wachte schweißnass auf.

Heute aber war es anders. Er fiel nicht, er schwebte von Baumspitze zu Baumspitze und wollte runter, kam aber nicht runter, weil irgendjemand sagte, es gäbe kein Unten, nur diese Welt.

Er fühlte sich ebenso unwohl und ging nach dem Aufwachen gleich auf die Terrasse. Ein kleines Gänseblümchen sah ihn an. Er bückte sich und hielt seine Hände auf den Rasen.

„Ach, du bist auch da? Der Rasen fühlt sich echt an und alles riecht echt, also bist auch du echt. Ein Segen!", seufzte er.

Dem Gefühl der Unfähigkeit zur Erde zurückzukehren zum Trotze, fuhr er in den Park, obgleich Samstag war und wartete. Es regnete. Er saß auf einer Plastiktüte mit Schirm.

Niemand zu sehen, plötzlich eine Hand auf der Schulter, dass er in sich zusammenzuckte und einen kleinen Schrei ausstieß.

„Oh, entschuldigen Sie! Ich wollte Sie nicht erschrecken! Wie ungeschickt von mir“, meinte ihre Stimme erschrocken.

„Oh nein“, meinte ER und schoss nach oben, dass er mit seinem Schirm den ihrigen aus ihrer Hand riss und dieser wegsegelte.

„Oh, wie, wie ungeschickt von mir! Und dass, dass ich mich erschrecke, obwohl Sie, Sie es sind“, stotterte er ungeschickt.

„Darf ich?“, fragte sie und stellte sich prompt, ohne die Erlaubnis abzuwarten, mit unter seinen Schirm.

„Ja“, kam es etwas spät von ER.

Kurze Stille.

Der Hund zog an der Leine. Er hatte offensichtlich keine Lust hier im Regen stehen zu bleiben.

„Ja, da muss ich wohl weiterziehen, Amiga gefällt es heute nicht hier draußen. Sie mag Wasser nicht soo gern. Vielleicht sehen wir uns mal wieder?“, sagte sie bewusst zögerlich.

„Ja, bestimmt. Ich bin öfter hier im Park“, sagte ER, was der Wahrheit entsprach, hob artig ihren Schirm auf und reichte ihn ihr.

„Bis dann“, sagte sie in einem warmen Tonfall und einem noch wärmeren Lächeln und ging in Richtung Hundeleine langsam weiter.

ER stand da wie ein begossener Pudel.

Das konnte doch alles jetzt schon wieder nicht wahr sein – er verbockte einfach alles! Sie drehte sich noch einmal um und nickte ihm zu. Er fasste sich ein Herz und rannte ihr hinterher. Kurz hinter ihr schoss Amiga mit einem Mal wieder vor seine Füße und brachte ihn zu Fall. Da lag er, mitten in einer Pfütze, Schirm nach vorn geschleudert, sonst hätte er sich womöglich vor ihren Augen selbst aufgespießt. Am liebsten hätte er das. Er wollte sich nicht sehen, zu erbärmlich.

Er rappelte sich wieder hoch, doch sie saß neben ihm und lachte und sagte:

„Wie im Film und ich dachte immer, das gibt es nicht. Aber hier sitzen wir. Wie schön!“ Sie lächelte ein Frühlingslächeln, nein nicht Frühlings-, ein Sommerlächeln. Egal.

„Schön finde ich das eher nicht. Nass und ungeschickt. Was für ein Bild! Ich, ich brauche Ihren Rat." Gut, da war es heraus. Er hatte es geschafft.

„Ah, meinen Rat", antwortete sie immer noch lächelnd, aber sie schluckte, was ER nicht bemerkte.

„Mich plagen Träume, die ich nicht loswerde und die ich mir nicht erklären kann und die mich den ganzen Tag über lähmen. Ich dachte, Sie als Psychologin…", stammelte er weiter. Er hatte es geschafft. Ihm war leichter.

„Darf ich Ihnen hochhelfen", fragte er, sichtlich entspannter. Selbst der Hund war entspannter und hatte sich neben sie gesetzt, unter ihren Schirm.

„Ja, gern und ja, gern", sagte sie freundlich.

„Nur die Wochen sind voll, ich habe erst wieder in vier Wochen Termine frei…", sagte sie ehrlich bedauernd.

„Und am Sonntag, haben Sie am Sonntag Zeit? Morgen? Ich bringe Kuchen mit. Zum Kaffee. Oder ist da jemand, mit dem Sie Kaffeetrinken?" Was für eine plumpe Frage.

„Entschuldigen Sie, das war nicht so gemeint. Wie egoistisch von mir…", nahm er alles wieder zurück.

„Warum nicht? Wir haben uns auf ungewöhnliche Weise kennengelernt. Warum also nicht. Es ist ein Versuch. Gerne. Kommen Sie am Sonntag um 15 Uhr. Hier ist meine Karte. 90 Tacken die Stunde. Bringen Sie nur sieben verschiedene Kieselsteine mit."

Dann ging sie.

Er stand. Es regnete. Er sah sie zur Straße hin verschwinden. Und Frau Augenblick kam. Er wachte auf und hob seinen Schirm auf und ging auf die weißhaarige Frau zu.

„Guten Morgen", begrüßte er sie fröhlich verwirrt.

„Ihnen auch einen guten Morgen", antwortete sie mit einem leichten Lächeln.

„Sie hatten recht. Ich habe sie heute getroffen. Heute Morgen. Es war genau richtig. Es war keine Illusion und der richtige Augenblick. Auch wenn er komisch war und ich noch nicht weiß, ob er gut war oder nicht. Ich musste sie treffen. Es muss sich etwas ändern. Ich…", erklärte er dieser fremden Frau.

„Sie haben sich auf den Weg gemacht. Auch wenn er steinig ist, aber er ist es wert, dass sie ihn gehen. Am Ende werden sich viele freuen."

Ihre tausend Fältchen sprachen freundlich, aber auch in Rätseln.

ER lächelte schwach.

„Ich weiß nicht, ob ich es schaffe. Ich weiß es nicht. Aber danke für den Mut, den Sie mir geben. Danke. Bis bald", sagte ER und ging weiter.

„Bis bald", sagte sie grinsend.

ER drehte sich noch einmal zu ihr um:

„Das Gänseblümchen. Heute Morgen. Im Garten. Deswegen bin ich gefahren."

Sie drehte sich nicht um, aber hob ihre Hand samt Leinenbeutel mit Gänseblümchenmuster. ER nickte leicht verwirrt.

Zu Hause fühlte er sich wieder schlecht. Seine Ex-Freundin war seinetwegen gestorben und sie war noch nicht einmal unter der Erde, da bändelte er schon mit der nächsten an. Nein, er wollte nur die Psychologin. *Sie* sollte ihm helfen. Er wusste sonst nicht, wohin. Da war die Hürde zu groß. Er bewegte sich in seinem Haus nur von der Couch vor dem Fernseher zur Terrasse und wieder zurück. Er schlief auch dort seit jenem Tag. Er mied alle anderen Zimmer, die sie einst beherrscht hatte. Er fühlte dort immer noch ihre Kontrolle und hörte ihre Kommentare.

Ihre Asche war schon in der Urne. Gern hätte er etwas Asche, damit er sie im Wind verstreuen konnte. So, wie sie es wollte.

Den Versicherungsordner musste er noch einmal durchforsten. Ihren Wagen abmelden. Ihr Vermögen ging an den Staat. Er wollte auch nichts davon. Er könnte mit ihrem Geld keinen Kuchen kaufen.

Die Möbel, ihre Kleider, ihr Zeugs… Er hatte keine Lust, darüber nachzudenken. Das sollte sich einfach irgendwie in Luft auflösen.

Sonntag. Er ging um sein Haus und sammelte wahllos sieben Kieselsteine auf. Er kontrollierte noch einmal die Anzahl in seiner Hand. Dabei fiel ihm auf, dass sie ihm nicht gefielen und beschloss, sie auszutauschen, was dann länger dauerte. Die Auslese fiel ihm sehr schwer, obgleich er noch nicht einmal wusste, für was er sie gebrauchen sollte. Er beäugte jeden Stein genaustens und war nach einer knappen Stunde zufrieden mit seiner Auswahl.

Sie saßen in ihrer Praxis. Ihre Wohnung war zwei Straßen weiter. Der Kuchen blieb auf dem Tresen stehen.

Das trennte sie klar.

Eine Stunde erzählte er seine Träume. Sie hörte zu und machte sich Notizen.

Er erzählte ihr von seinen diversen diffusen Klippen-Träumen, den farbwechselnden Tieren, den Eichen-Träumen und dem neuesten aus der Reihe:

Er wurde von der Eiche hinaufgehoben und wurde von Eiche zu Eiche gereicht, bis er und die Eiche, auf der er zuletzt saß, ganz allein weit und breit waren und er konnte wieder nicht selbstständig herunterklettern.

„In Ihren Träumen spiegelt sich ihr Gefühl der Lähmung wieder, das Sie auch tagsüber begleitet. Das bedingt sich gegenseitig. Jedoch suchen wir nach der Ursache, die in Ihrem wirklichen Leben geschehen ist, so dass diese Kette sich um sie legen konnte. Wir können dem gemeinsam auf den Grund gehen. Ich kann Sie begleiten, wenn Sie mögen. Es wird Zeit in Anspruch nehmen. Und viel Geduld. Und so manchen Schmerz, durch den Sie gehen werden. Doch dies ist ein Weg, der hinausführen kann. Die Kraft haben Sie, auch wenn Sie das derzeit nicht so fühlen. Die Träume sind nur ein kleiner Teil von Ihnen“, sagte sie ruhig.

„Ja. Bitte. Ich komme mit meinem Leben überhaupt nicht mehr klar. Nach außen hin schon, aber nicht in meinem Kopf. Meine Gedanken und meine Gefühle, die machen jeden Tag zentnerschwer.“

ER atmete tief durch.

„Ich schlage vor, dass Sie am nächsten Sonntag um die gleiche Zeit wiederkommen. Ohne Kuchen. Ich kann mein Privatleben mit der Praxis nicht mischen. Das tut mir leid. Aber ich glaube, es ist besser so, denn so kann ich Ihnen momentan besser helfen“, sagte sie ruhig. Für ihn war das eine sonderbare Mischung aus in den Arm nehmen und eine Ohrfeige erteilen.

„Okay, danke“, sagte er. Dann fiel ihm ein:

„Nächsten Sonntag ist meine Tochter aus Donlon da wegen der Beerdigung meiner… Ex-Freundin… Ich bringe sie um 15.30 Uhr zum Flughafen und wäre gegen Viertel vor vier hier. Ich hoffe, das passt?“, fragte er fast bittend.

„Oh, mein Mitgefühl. Ich wusste nicht, dass… Sie tragen viel mit sich. Ich bin am nächsten Sonntag hier, das passt“, antwortete sie etwas irritiert. Was verbarg sich alles in diesem Mann? Sie fühlte, dass die Entscheidung die richtige war, ihm in seiner verworrenen und traurigen Gemütswelt zu helfen. Danach konnte alles andere sein, wenn es sein sollte.

ER nahm den Kuchen und ging zur Tür.

„Die Kieselsteine, die lass ich schon mal hier“, sagte er und wollte sie statt des Kuchens auf den Tresen legen.

Sie lachte:

„Oh nein, das sind Ihre Steine! Tragen Sie diese bitte bei sich bis zum nächsten Sonntag. Dann werden wir sie einsetzen.“

Irritiert nahm er die Steine, die schon ein kleines Gewicht zusammenbrachten, und ging.

Was machte er jetzt mit dem Kuchen?

Er fuhr kurz bei Chrischi vorbei. Rolf, sein Freund, öffnete. ER überreichte den Kuchen dem freudig Strahlenden, der kurz darauf mit ernster Miene sein Beileid kundtat.

„Komm doch rein. Chrischi kommt gleich wieder. Er ist nur kurz runter in der Garage zum Schrauben. Sein Fahrrad. Da muss immer was geschraubt werden. Er liebt es, du kennst ihn ja. Immer in Action. Das Essen ist gleich fertig und du bringst uns den Nachtisch, der heute fehlte, was ansonsten nur selten vorkommt.

Als hättest du es gerochen. Wie schön! Iss doch mit uns, es ist immer genug da“, lud er ihn ein, doch ER verabschiedete sich gleich wieder und wünschte guten Appetit.

Sie hatten solch eine schöne Beziehung, so, wie er es sich vorstellte, nur eben mit einer Frau. Voller Respekt und Zuneigung, die sie offen zeigten. Keiner engte den anderen ein. Keine Bevormundung. Keine Vorwürfe. Kein lautes verletzendes Wort. So wollte er es auch einmal haben. Irgendwann. Aber, ja, das Aber war er selbst.

Er fuhr nach Hause. Heute kein Park. Glücklicherweise, wenn man da von Glück reden konnte, war seine Ex-Freundin an einer anderen Strecke verunglückt, die er selten benutzte, und jetzt nie mehr.

Löschzug

Als er in seine kleine Straße einbog erschrak er.

Ein kompletter Löschzug stand vor seinem Haus! Er parkte rasch, rannte nach vorn und wurde von dem Feuerwehrhauptmann in Empfang genommen.

„Gut, dass Sie kommen, das erspart uns einen Anruf“, meinte dieser fast entspannt.

„Was ist? Was ist mit meinem Haus?“ fragte ER, während seine Augen fieberhaft das Äußere seines Hauses nach Brandspuren absuchten.

„Sie haben Glück gehabt, Mann. Ein älteres Ehepaar, das hier vorbeispazierte, bemerkte, dass kleine Rauchwölkchen an diesem Fenster dort im ersten Stock aufstiegen. Sie klingelten, doch als niemand öffnete, riefen sie die Feuerwehr. Wir waren genau neun Minuten nach Eingang des Anrufs am Einsatzort und haben den Schaden deutlich begrenzen können. Nur das Schlafzimmer und das angrenzende kleine Zimmer waren ziemlich ausgeräuchert. Gut, dass sie im Flur oben Fliesen haben, und die Treppe aus Stein ist, so hat das Feuer sich nicht so schnell ausbreiten können. Nun ja, wir waren auch rasch da", erklärte er anscheinend zufrieden mit seinem Einsatz.

„Ja, wieso, wie konnte das geschehen?", fragte ER perplex.

„Kabelbrand schätzen wir, vom Fußdimmer der Stehlampe im Schlafzimmer. Wohl ein älteres Modell", meinte der Feuerwehrhauptmann.

„Sie können rein. Wir haben sauber gearbeitet, kaum Wasserschaden. Eben punktuell Schaum. Sie haben Glück gehabt, Mann. Das ältere Ehepaar ist wieder verschwunden. Haben leider keine Daten von ihnen, wegen Bedanken und so. So, wir ziehen wieder ab. Jungs!", rief er seinen fleißigen Männern zu.

„Danke", sagte ER und ging Richtung Eingang. Er sah sein Haus an und drehte sich um. Der Löschzug von drei Fahrzeugen verschwand nach einigem Rangieren. Er ging rein. Unten war alles wie gehabt. Es roch leicht verräuchert. Treppe okay. Flur, Brandstellen um die Schlafzimmertür. Die war angekokelt. Er öffnete und war sprachlos.

„Glück, tss, dass ich nicht lache!", lachte er zynisch. „Toll, alles voller Schaum."

Dann sah er, dass im Prinzip der Kleiderschrank wie ausgebrannt war, die Kommode, das Bett, Teppich sah man nicht unter dem Schaum. Er stapfte durch den Schaum. Eine Fensterscheibe war zerbrochen. Im Nebenzimmer ein ähnliches Bild bis zur Mitte. Sein Kleiderschrank dort stand unberührt. Eigentümlich. Als hätte es das Feuer nur auf bestimmte Sachen abgesehen. Es hatte sich durch die Sachen seiner Ex-Freundin gefressen. So, wie er es übersehen konnte, war nichts mehr von ihren Klamotten übrig. Selbst ihr pinkfarbener Morgenmantel war weg, den er heute Morgen noch aus dem Badezimmer erst einmal auf den Stuhl gelegt hatte.

Er zuckte mit seinen Schultern.

„Habe ich damit wieder etwas zu tun? Habe ich etwas Falsches gedacht?", dachte er so bei sich als er die Treppe hinunterging. Naja, so etwas wie ‚in Luft auflösen' habe ich wohl gedacht. Aber nichts mit verbrennen, nichts mit Feuer. Nein, kein Feuer.

Aber… Es hatte sich in Luft aufgelöst.

Die Kaffeemaschine stand noch an ihrem Platz. Er nahm sie und stellte sie raus in sein Auto.

„So, hier bist du sicher. Dich stelle ich zu ihr ins Kolumbarium. Dann hat sie dich ganz nah und kann sich immer ihren Kaff oder Espresso kochen, wann immer sie will. Dich wollte sie haben, alles andere ist unwichtig."

Dann parkte er sein Auto auf der Einfahrt und klebte das Fenster oben mit einer Folie zu.

Er setzte sich auf die kalte Terrasse und starrte zum Gartentor.

Er rauchte nicht und trank nicht. Er war wie gelähmt. Sein Kopf war voll und leer zugleich.

„Ich muss dringend etwas unternehmen. Was tu ich da? Was tu ich da nur? Ich kann nichts mehr sagen, darf nichts mehr laut denken. Ich muss aufpassen bei jedem Wort!"

„Bei mir ist auch mal ein Vogel an die Scheibe geflogen", rief eine alte Frau mit Hund vor dem Gartentor.

ER hob die Hand und nickte wie ferngesteuert. Sie sollte gehen.

Sie ging und redete weiter mit ihrem Hund.

Er ging rein. Zwei Schritte, drei Schritte, dann fing er an zu schreien. Er schrie sich seinen Kummer raus.

„Was macht ihr mit mir? Ihr scheußlichen Gedanken! Geht raus aus meinem Kopf! Geht raus!" Dann hielt er sich am Türrahmen von der Küche fest und schlug seinen Kopf dagegen. Immer wieder und schrie:

„Raus! Raus! Ihr seid böse! Böse! Raus!"

Dann hielt er kurz an und lachte hysterisch:

„Das ist die Probe: Ich wünsche mir, dass ein Flugzeug abstürzt! Ha, seht ihr? Meine Gedanken sind böse! Wir werden sehen, wie böse sie sind. Ob sie allmächtig sind. Wenn das klappt, könnte ich diese Welt zerstören, die doch nur böse ist. Nein, die Menschheit, die ist böse, die ist dieses parasitäre Geschwür, das die Natur überwuchert und aussaugt. Ich könnte damit der Erde einen Gefallen tun, jawohl! Und mit der Menschheit vernichte ich mich mit all meinen bösen Gedanken."

Darauf schlug er seinen Kopf wieder gegen den Rahmen bis Blut über sein rechtes Auge floss.

Wie von Sinnen ging er hoch ins Bad und suchte nach den Schlaftabletten seiner Ex. Die starken für die Nacht. Wunderbar. Zwei Röhrchen voll. Zahnputzbecher. Wasser. Weg damit.

Dann brach er zusammen.

Mitten in der Nacht wachte er auf und krümmte sich auf dem Boden. Er zog sich über den Boden zum Klo und kotzte. Sein Kopf schien zu bersten, sein Bauch krampfte sich als würde einer von innen seine scharfen Krallen ins Fleisch bohren. Neben dem Klo brach er erneut zusammen. Zwei Stunden später das Gleiche wieder. Dann rappelte er sich hoch, krabbelte zur Dusche und ließ kaltes Wasser über seinen Kopf laufen. Und schrie. Seine Stirn brannte wie Feuer. Er hielt sich fest und zog sich hoch und sah sich im Spiegel.

Erbärmlich.

„Warum? Warum wollt ihr mich nicht? Warum wollt ihr die Menschheit nicht von mir befreien? Ich will diese Gedanken nicht mehr! Ich kann das alles nicht mehr…“

Er nahm ein Handtuch, ließ Wasser darüber laufen und tupfte seine Platzwunde an der Stirn sauber. Er suchte nach Klemmpflastern und verpflasterte sich. Das konnte er von seiner ExEx.

Er schleppte sich runter ins Wohnzimmer, fiel auf die Couch und schlief einen traumlosen Schlaf.

Um 12 Uhr wachte er auf. Das Telefon. Er musste sich erst einmal sammeln. Was war geschehen? 12 Uhr? Welcher Tag? Montag. MAIS! Büro! Die Entwürfe!

„Autsch!“ Der Kopf hämmerte. Die Wunde brannte. Eigentlich alles. Sein Magen. Ihm war endlos schlecht und er fühlte sich auch so.

Das Klingeln stoppte. Er nahm sein Handy und rief zurück. Chrischi, klar. Der hatte es wohl schon hundert Mal versucht.

„ÖR! Endlich. Wir haben uns solche Sorgen gemacht. Ich wollte mich gerade auf den Weg zu dir machen. Was ist los mit dir?“ Chrischi hatte seine hohe Stimme, die er immer hatte, wenn er sich besonders aufregte.

„Geht wieder. Oben hat es gebrannt. Gestern Abend. Muss mich heute hier kümmern. Sonst gehts. Schwere Zeiten, Chrischi. Schwere Zeiten. Ich wollte das nicht. Meine Gedanken machen, was sie wollen“, stammelte ER.

„Gebrannt, oh Mann! Du lässt aber auch nix aus. Wie geht es dir? Wie meinst du das mit deinen Gedanken? Du kannst immer zu uns kommen, das weißt du doch! Ömmer!“, sagte Chrischi weiter quietschend.

„Ja, danke. Aber ich will keine Last sein. Hier ist es okay. Unten ist alles okay. Nur oben. Ich muss lernen, allein zu sein. Das Alleinsein ist schwer. Das will ich nicht. Und meine Gedanken…“ Plötzlich hielt ER inne. „Ist ein Flugzeug abgestürzt?“

„Wie? Was? Nö. Alles in Ordnung. Das waren bestimmt wieder deine Träume. Jetzt kriegst du alles dorcheinander, weil alles zu viel ist für einen menschlichen Kopf. Das, was du gerade alles dorchmachst. Und dann brennt es auch noch! Oh Mann, das ist wörklich krass zu viel…“, versuchte Chrischi ihn zu trösten.

„Ich habe es mir gewünscht, dass sie sich in Luft auflösen, ihre Sachen. Da hat es gebrannt und puff sind sie weg. Ich habe es mir gewünscht, verstehst du?“, sagte ER fast teilnahmslos.

„ER, du hast da so ein Schuld-Ding drin, das gehört da nicht hin. Das bist nicht du. Du bist ein guter Mensch. Denk nicht so etwas Schlechtes von dir. Du bist ein durch und durch guter Mensch! Das ist ja schon eine Art Paranoia. Komm zu uns heute Abend, okay? Sonst komm ich zu dir raus“, bot er ihm an. Er klang wirklich äußerst besorgt.

„Ich weiß nicht. Ich will nicht allein sein. Vor allem die Nächte sind schrecklich. Wenn ich nachts nicht allein wär. Aber ich muss es lernen. Ich bin ein wandelndes Risiko. Ich muss allein klarkommen. Ich will euch da nicht mit reinziehen!“, redete ER sich ein.

„Du warst doch gestern bei der Psöchiaterin. Ruf sie an. Ist doch ein Notfall. Sprich mit ihr. Ich muss jetzt zur Fröhlingsrolle wegen der neuen Entwörfe, weißt schon, letzter Schliff. Ich melde mich danach gleich wieder bei dir. Ruf sie an. Versprich mir das, ÖR!“, forderte er seinen Chef auf.

„Mal sehen. Muss die Versicherung anrufen und klären, wie man das hier wieder renoviert kriegt.

Ich hab einfach keine Lust mehr. Aber ihr haltet mich am Leben. Was für ein tolles Team. Wie ich mich auf euch verlassen kann! Und ich.... ich bin morgen wieder bei euch. Morgen ist die Präsentation. Heute muss ich mich hier kümmern. Mach dir keine Sorgen. Ich ruf sie an.“ So langsam kam er wieder zu sich.

„Versprochen?“, forderte Chrischi ihn noch einmal.

„Versprochen. Heiliges Chrischi-Ehrenwort“, sagte er versucht locker.

„Okay. Bis nachher, ÖR. Pass auf dich auf. Ich weiß, du erzählst mir nur die Hälfte. Und davon die Hälfte…“ Dann legte Chrischi auf.

ER überlegte. Die Ordner waren alle hier unten. Auch ihre. Das Feuer hatte genau gewusst, was es tat.

Er suchte die Versicherung raus und klärte das weitere Vorgehen. Heute Nachmittag gleich wollte einer kommen, zum Begutachten und Fotografieren. Dann rief er das Bausanierungsunternehmen an, das auf seiner Strecke in die Stadt lag. Die kamen gegen 17 Uhr. Der meinte, schnell handeln, damit die Feuchtigkeit rauskommt, alles aus-trocknen kann und dann wird renoviert.

Er kochte sich einen Tee. Das erste Mal seit seiner Kindheit, dass er Tee trank. Er fühlte sich krank. Kamille. Das taten sonst nur seine Ex und seine ExEx und seine Tochter. Die Kamille tat ihm gut. Dann zog er die Visitenkarte von der Psychologin aus seiner Brieftasche und las ihren vollständigen Namen:

Dr. Salana Iva Engel. Engel, das passte. Als Psychologin tat sie schon sehr viel Gutes für die Menschen. Salana Iva Engel. S.I.E. Er musste auf einmal lachen. Lauthals lachen, dass sein Gesicht schmerzte.

SIE… ER…

Ein Licht am Horizont.

Er würde sie jetzt schon so gern sprechen, aber er wusste ja, dass ihr Terminkalender voll war. Sie arbeitete parallel noch als Coach für Firmen in Sachen neue Arbeitskultur durch Digitalisierung. Die

Anfragen nahmen stark zu. ER rief SIE also nicht an.

Stattdessen gab er sich einen inneren Ruck und putzte. Er beseitigte die Spuren seines Kampfes mit sich selbst. Wenn die Feuerwehrleute die Blutspuren am Türrahmen gesehen hätten! Er schüttelte den Kopf. Es tat weh. Mittendrin klingelte das Telefon und SIE war am Apparat.

„Wie ist es Ihnen ergangen gestern nach unserer ersten Sitzung?“, fragte sie, als würde sie es immer so handhaben, sich einen Tag später zu erkundigen.

„Naja, erst ganz gut, später ehrlich gesagt nicht mehr. Es hat gebrannt im ersten Stock. Ich war schon geschockt, aber jetzt gehts wieder. Ich kann hier gut weiterwohnen. Hier unten. Gleich kommen welche von der Versicherung und vom Bauunternehmen. Dann sehe ich weiter. Morgen gehe ich wieder ins Büro“, erklärte er in einem recht sachlichen Ton.

„Oh, das tut mir leid. Sie haben viele Baustellen zu bewältigen. Das ist nicht einfach, aber es ist alles eine Chance für wunderbare Veränderungen in Ihrem Leben. Von Grund auf. Und deswegen rufe ich auch an. Sie kennen doch Amiga, den Hund?“, fragte sie.

„Ja, über den ich schon zwei Mal gefallen bin…“, antwortete ER trocken.

„Ja, genau. Sie war mir zugelaufen. Heute Morgen wollte ich sie endlich ihrem Besitzer zurückbringen, da sagte man mir, der Herr sei in ein Pflegeheim gekommen und es gäbe keine Verwandten, die sich des Hundes annehmen könnten. Ich solle ihn im Tierheim abgeben“, erklärte sie und machte eine kurze Pause, damit es in ihm arbeiten konnte.

„Aber das ist doch ein besonderer Hund, solch eine Fuchsrasse, wie heißt die noch?“, fragte ER ergriffen.

„Sie ist ein Shiba Inu, eine sehr alte japanische Rasse. Ich kann mich leider nicht um sie kümmern, eine Hündin. Ich darf sie nicht in meiner Wohnung halten. Haustiere sind nicht erlaubt. Das ist ein Problem. Ich dachte mir, Sie könnten mir da vielleicht helfen“, sagte sie frei heraus.

„Ich? Ich hatte noch nie einen Hund und wollte auch nie ein

Haustier“, wehrte er ab.

„Sie sagten mir, Sie mögen nicht so gern allein sein… Vielleicht für den Übergang. Ich wollte schon immer nach draußen ziehen, aufs Land. Der Zeitpunkt war aber noch nicht reif dafür. Meine Praxis läuft jetzt sehr gut und nun kann ich mich auch auf die Suche begeben. Das wird aber sicher dauern – und bis dahin dachte ich, dass Sie mir vielleicht helfen könnten“, sagte sie und horchte.

„Ein Hund. Ich weiß nicht. Eigentlich ist gerade alles so chaotisch.“ Er überlegte im Kreis. *Eigentlich* hatte er schon ja gesagt.

„Genau da ist ein Hund exakt der richtige Begleiter. Denn er bringt einen gewissen Rhythmus ins Leben, allein durch die Hunderunden. Und Amiga ist eine besonders angenehme Begleiterin. Wenn man sie versteht. Sie ist nicht einfach. Hat ihren Willen und ist bisweilen sehr stur. Aber Sie werden sicher mit ihr klarkommen, das weiß ich. Sie ist eine kleine positive Herausforderung. Wie gesagt, wenn ich ein Häuschen gefunden habe, dann kann ich sie wieder zu mir nehmen. Ich mag diesen Hund sehr.“ Sie wartete wieder ab.

„Nun…“, überlegte ER.

„Prima! Ich wusste, dass Sie sie mögen! Sie ist so eine nette Gesellin. Sie beide werden sich prima verstehen. Ich bringe sie heute Abend gegen 19 Uhr zu Ihnen und erkläre Ihnen alles. Adresse habe ich ja. Bis später. Und vielen Dank. Sie glauben gar nicht, wie froh ich darüber bin!“ Sie legte auf.

Ach. Hundebesitzer. Er, ER! Das war mit Sicherheit der Beginn zum Wahnsinn.

Eine gewisse Aufregung stieg in ihm auf.

Das Leben kehrte in ihn zurück.

MAIS. MAIS hatte er ganz vergessen! Er überlegte. Er hatte einen direkten Zugang von seinem Büro zum Garten. Sogar eine kleine Terrasse, wo sie im Sommer gern mal saßen und eine wind- und regengeschützte Ecke mit einem Überstand. Das könnte gut passen, wenn Georg Frühling es genehmigte. ER war zuversichtlich. Er hoffte, dass es klappen würde.

Er putzte emsig weiter, wischte, polierte, saugte, staubte ab, ordnete, räumte; Hausputz im November. Versicherung kam und begutachtete, Bauunternehmer begutachtete und orderte gleich für den nächsten Tag früh morgens ein Aufräumkommando.

ER rief Chrischi an, der zufrieden über das war, was ER ihm erzählte und dabei bedeutend ruhiger klang.

Amiga

Chrischi freute sich schon auf den Hund, klar. Genau solch einen wollte er auch schon immer haben, oder einen Akita,

oder einen Husky,

oder einen echten Pudel,

oder…,

und er betete eine lange Liste Hundenamen herunter bis ER ihn lachend unterbrach.

Dann kam Amiga.

Und SIE.

Als sie ihn sah, sagte sie nichts zu seiner Platzwunde am Kopf. Im Haus unten sah alles pikobello aus. Es roch etwas nach geräuchertem Schinken. Eigentlich lecker. Sie tranken eine Weinschorle und Amiga begutachtete alles.

„Genauso wie der Versicherungs-Fritze und der Bau-Fritze heute. Du könntest als Spürhund für sie arbeiten“, lachte ER. Es war schon so lange her, dass er frei gelacht hatte.

ER freute sich sichtlich sehr. SIE war erleichtert. Amiga wollte raus. Sie reichte ihm die Hundeleine und er führte die Hündin durch den Vorgarten. Sie führte ihn durch den Vorgarten bis zur Straße.

„Schön ist es hier, so ganz am Rand von allem. Man sieht auch nichts vom Ort? Wie ist es dort?“, fragte sie interessiert.

„Ja, ich mag es leiden. Ist schön ruhig, ab vom Trubel. An den Ort kann ich mich gar nicht mehr erinnern. Da war ich nur mal ganz am Anfang, aber da ist nichts weiter, glaube ich. Interessiert mich auch nicht.“

Er machte eine abwehrende Handbewegung.

„Und Ihre Nachbarn? Wohnt dort niemand? Es sieht so unbewohnt aus. Der Garten ist auch wenig gepflegt“, fragte sie weiter.

„Die haben noch ein Haus, auf irgendeiner Insel. Sind sehr selten hier. Das letzte Mal meinten sie, sie wollten es vielleicht verkaufen. Zu Weihnachten tauchen sie meist kurz auf. Ist ein älteres Ehepaar. Die reisen auch nicht mehr gern und mögen es wohl lieber in der Wärme. Sie sagen, ihren Knochen täte die Wärme besser. Jetzt wär es mir schon lieber, wenn bald jemand Nettes nebenan wohnen würde, ich war schon sehr einsam die Tage. Damit komme ich nicht gut klar. Muss ich mich erst dran gewöhnen. Sprechen wir sicher noch drüber. Danke, dass Sie bei Amiga an mich gedacht haben. Ich glaube, sie kommt genau im richtigen Moment“, erklärte er aufrichtig.

Sie nickte.

„Sie könnten nebenan wohnen, bis Ihr Haus wieder in Ordnung ist. Es ist zwar gemütlich hier unten, aber es hat schon eine leicht verbrannte Note“, meinte SIE.

„Ja, mal sehen. Vielleicht rufe ich sie tatsächlich mal an. Ich gehe jede Woche einmal rüber zum Lüften“, meinte er schulterzuckend.

„Und Sie riechen auch wie ein Stück frisch geräucherter Schinken“, meinte sie und grinste ihn frohlockend an.

„Was? Wie ein Schinken? Oh.“

ER war irritiert und schnupperte an seinem Arm. „Na dann…“

„So schlimm ist es nicht, würzig, man bekommt plötzlich Hunger auf etwas Deftiges…“ Sie lachte und lenkte ab:

„Amiga fühlt sich wohl hier. Das merke ich. Als wäre sie schon immer hier. Bei mir zu Hause war sie wesentlich unruhiger und hat ihren Platz nicht wirklich gefunden.“ Sie nickte. Amiga zog sie beide wieder ins Haus. Sie setzten sich. Er kochte Tee. Kamille. War ihr recht.

„Egal was, aber tun Sie etwas Gutes für sich. Sie müssen nicht immer alles aushalten, wenn Sie es nicht mögen. Aber Amiga mögen Sie, das sehe ich. Sie passen gut zusammen, das fühle ich.

Schauen Sie, sie hat schon ein gemütliches Plätzchen gefunden“, strahlte die Psychologin.

Amiga hatte sich eine Fleecedecke nach unten gezogen und sich darauf eingerollt. Von dort beobachtete sie die beiden.

SIE erklärte ER, was er beachten musste, Gassi gehen, Futter, Kacki-Beutel, Hunde-Kräcker, Hunde-Spiele, Hunde-Macken, Shiba-Macken, der nächste Tierarzt.

Sie ging gegen 21 Uhr. Er schaltete den Fernseher an und legte eine weitere Kuscheldecke neben sich. Es dauerte nicht lange, da legte sich Amiga neben ihn. Er blieb wie versteinert sitzen, um sie nicht zu verscheuchen und genoss die Nähe seiner neuen vierbeinigen Freundin. Ihm war seit langem richtig wohl ums Herz, auch wenn so vieles noch nicht geklart oder getan war. Er war froh in diesem Moment und tankte auf. Er lächelte sogar und dachte an Frau Augenblick.

Die Nacht verlief den Hundeumständen entsprechend sehr unruhig. Amiga suchte mindestens sieben Mal eine neue Stelle und ließ sich zum Schluss von der Rückenlehne der Couch langsam hinunterrutschen und drückte damit ER sanft zur Couchkante. Zusammen passten sie gerade so auf die Couch.

Um sechs Uhr waren beide wach. Obwohl er kaum geschlafen hatte, fühlte er sich gut, denn seine Träume hatten keine Chance, in der Nacht Fuß zu fassen. Amiga wollte raus. Er verstand es als Hunderunde und zog mit ihr ins Dunkel hinaus. Es gab zwei Spazierwege, einen kurzen über die Felder und einen längeren bis zum Wald hin. Er ging aber nur seine Straße kurz hin und her, das hieß, Amiga ging mit ihm die Straße hin und her. Es gab keine Bürgersteige, nur Sandwege am Straßenrand. Das passte für Hunde auch besser. Dann hatte sie genug und wollte ohne Geschäft wieder rein, legte sich auf die Couch und rollte sich ein.

Mit einem Fragezeichen im Gesicht stand er vor ihr und überlegte seine nächsten Schritte für heute.

Sie musste überall mit. Um sieben wollten die Sanierer kommen. Pünktlich kamen sie und er überließ ihnen einen Haustürschlüssel. Der einsetzende Lärm störte Amiga keinstenfalls. Sie öffnete kurz ein Auge und schloss es wieder.

Um acht Uhr spätestens wollte er ins Büro, um alles für sie herzurichten. Gut, dass dieser Willi Schnurz nicht mehr da war, der hätte mächtig rumgezickt. Aber Georg Frühling, der würde ihn verstehen, hoffte ER. Es war ja nur für eine Zeit. Gut, dass es nicht regnete, da würde man den Hundegeruch im Büro wohl auch nicht so wahrnehmen. Er roch an ihrem Fell. Sie hob wieder eine Augenbraue. Sie roch eigentlich gar nicht so stark.

Sie schlief offensichtlich nicht fest, sondern hatte es sich einfach nur gemütlich gemacht. Eine schöne Gabe.

„Du genießt das Leben, egal wo du bist. Frau Augenblick wird sich freuen. Ich glaube, das kann ich von dir lernen. Ich bin immer an den gleichen Orten und bin immer unglücklich mit allem, obwohl von außen betrachtet alles schön ist, naja, bis auf das alles jetzt", erklärte er ihr. Es hämmerte und klopfte ohrenbetäubend. Sie öffnete ein Auge und schloss es wieder.

„Du denkst, dass ich spinne. Das tu ich auch. Ich wollte noch vor wenigen Stunden nicht mehr leben und jetzt bist du da und bringst Sonne in mein unnützes Leben, in dem ich nichts wirklich auf die Reihe kriege. Selbst zum Umbringen bin ich zu blöd."

Sie erhob sich, dehnte sich kurz mit Vorderpfoten nach vorn, drehte sich ein paar Mal im Kreis wie eine Katze und legte sich wieder hin. Augen zu.

Er kochte sich einen Tee, einen Earl Grey. Eine normale Kaffeemaschine wollte er sich auch noch besorgen. Nächste Woche. Am Freitag war die Beisetzung. Das stand ihm bevor. Danach konnte er versuchen, so etwas wie Normalität für sein Leben zu finden. Er mochte nicht daran denken. Er hasste Normalität, mochte aber auch keine Überraschungen, bloß nicht. Nur der Hund. Der war Balsam für sein Leben, fast seit er denken konnte. Warum war er auf diese Idee nicht schon früher gekommen?

Erst mal ins Büro, die Entwurfs-Präsentation stand heute an. Dann das Haus. Dazwischen Hund.

Er sprach noch mit den Handwerkern und war bereit zu gehen. Amiga war aber noch nicht bereit. Sie machte keinerlei Anstalten, diesen gemütlichen Platz zu verlassen. Also trug er sie samt

Kuscheldecke zum Auto. Kurz davor sprang sie ihm vom Arm und rannte wieder zurück. Dumm, dass er sie nicht angeleint hatte. Gut, dass sie zum Haus zurück war und nicht in die Walachei. Er erinnerte sich an die Leckerli-Dose, nahm sie aus der Tasche und schüttelte sie. Schwups war sie da. Schwups ergriff er ihr Halsband und befestigte die Leine. So zog und schob er sie zum Auto. Schwups sprang sie hinein, fröhlich und unbeschwert, als täte sie den ganzen Tag nichts anderes.

Uff. ER war schweißgebadet. Das ging gar nicht wegen der Präsentation. Also noch einmal rein und Hemdswechsel. Deo eingepackt.

Natürlich war er nicht mehr der Erste im Büro. Natürlich gab es tausende Oohs und Aahs. Amiga hatte tausende von Hundebezeichnungen und er beschloss, sich das nächste Mal ein kleines Schild mitzunehmen, auf dem Name und Rasse des Hundes stand, damit er keine Fusseln am Mund bekam. Sie hingegen genoss es, im Mittelpunkt zu stehen und benahm sich wie eine feine Dame. Von allen Seiten wurde sie fotografiert. Wie ein Model drehte sie sich, hielt den Kopf schief, sah alle lieb an und holte sich tausendfache Streichel-einheiten. Allerdings nicht von jedem. Dann setzte sie sich zufrieden neben ER, der ihre Kuscheldecke im Arm hielt, und schien zu lächeln.

Ja, sie lächelte eindeutig, dachte er bei sich. An diesen Spießrutenlauf musste er sich gewöhnen, ob er wollte oder nicht. Er wollte sie ja…

„Es ist viel los bei Ihnen im Moment. Tut mir leid mit dem Hausbrand. Es wird Zeit zu einem Neustart. Der Hund kommt da genau im richtigen Moment“, meinte Georg Frühling freundlich lächelnd.

„Ja, schon viel los, aber geht schon. Stück für Stück. Ja, sie tut gut“, meinte ER kurz.

„Wenn Sie eine Auszeit brauchen, sagen Sie Bescheid. Das ist in Ordnung und allemal zu verstehen. Aber wie ich Sie kenne, wählen Sie lieber die Ablenkung. Alles zu seiner Zeit, das ist richtig. Tun Sie das, was gut für Sie ist“, sagte sein direkter Chef einfühlsam. ER war diese Situation unangenehm.

„Das habe ich gestern schon einmal gehört, das ist nicht so einfach“, meinte er leicht abwehrend.

„Alles ist möglich. Ich wollte nur, dass Sie das wissen. Die Kollegen werden sich rasch an die Hündin gewöhnen und sie in den Arbeitsalltag integrieren, als wäre sie ein Kopiergerät. Nun, eher ein vierbeiniger Mitarbeiter. Der Aufstand ist bald vorbei. Keine Sorge.“ Die Frühlingsrolle zuckte die Schultern. ER zuckte die Schultern, ließ sie aber tendenziell eher hängen.

„Ja, danke für Ihr Verständnis. Ich helfe übergangsweise einer Bekannten, bis sie ein Haus gefunden hat. Jetzt wohnt sie in einem Mietshaus, wo Haustiere nicht erlaubt sind“, erklärte ER in kleinen Häppchen.

„Ah. Ja. Das ist ungünstig“, kommentierte die Frühlingsrolle. Er war einfach freundlich, obwohl ER solch einen Mist erzählte. Was war das für eine armselige Argumentation.

„Ja, sie hat ihn angenommen, weil er ihr zugelaufen ist und Nachforschungen ergaben, dass Amiga einem Rentner gehörte, der ins Pflegeheim gekommen war und keiner sich um den Hund gekümmert hatte.“ Das klang plausibler.

„Das sieht den Menschen so ähnlich. Kümmert sich keiner. Das ist schlimm. Aber Tiere sind schlau. Sie wissen ganz genau, zu wem sie gehen können.“ Die Frühlingsrolle zwinkerte Amiga zu.

„Hm, ja, meinen Sie? Man hat Gesellschaft. Sie fordert zwar auch, aber anders“, meinte ER ehrlich. Das war das Schlüsselwort für Amiga zum Aufbruch und zog ER hinter sich her.

„Ach ja, ist das denn in Ordnung? Ich habe hinten eine Terrasse zum Garten mit Unterstand. Da kann sie sein, wenn es keinen stört und wenn es Sie nicht stört. Sonst muss ich mir etwas anderes überlegen, selbstverständlich…“, rief er hastig.

„Passt schon, ER, passt schon! Sie werden selbst sehen, ob es geht oder nicht. Probieren Sie es aus. Wie alt ist sie?“, rief Frühlingsrolle hinterher.

„Ich glaube sieben“, rief ER und prompt fiel er fast über die Hündin, denn sie hatte abrupt gebremst und sich fast bockig hingesetzt.

„Vielleicht auch fünf…“, er sah sie an. „…Oder sechs Jahre?“ Sie stand wieder auf und ging erhobenen Hauptes weiter.

„Sechs Jahre, scheint so“, rief er und zuckte lächelnd die Schultern. Die Frühlingsrolle nickte und ER verschwand im Büro.

Da die gleiche Nummer noch einmal, nur nicht tausendfach. Sanny, eine der Grafik-Studenten, hatte eine leichte Hundeallergie, aber Amiga wäre ja in seinem Büro, also passte es.

Sie waren allesamt begeistert und Amiga beschnupperte ihren neuen Arbeitsplatz ausgiebigst.

„Die Entwürfe… Wir besprechen gleich noch einmal alles in meinem Büro. Um 12 Uhr ist der Termin. Wir wollen wieder vorher im Raum sein. Gut siehst du aus, Alessa. Nicht so krass wie beim letzten Mal, aber einfach klasse, dein Outfit. Das wird uns wieder retten, da bin ich sicher!“, bemerkte ER anerkennend, was sie sichtlich freute. Outfit, das hatte seine Ex immer gesagt. Nun nicht mehr. Er schluckte. Er musste sich an so vieles gewöhnen.

„Es gefällt mir selbst. Ich glaube, ich gewöhne mich daran“, sagte Alessa charmant zwinkernd.

„Wie schön für uns, nicht wahr, ÖR?“, Chrischi klatschte wieder vor Begeisterung in die Hände.

„Ja. Das ist unsere neue Strategie. Offensiv und selbstbewusst!“, sagte ER. Er war überrascht, sich das reden zu hören. Das war ein anderer, aber nicht er. Schwups hatten alle Schreibwerkzeuge in der Hand und ein „Einer für alle, alle für einen!“ besiegelte den Erfolgspakt.

Das hatte Kraft! Mit dieser Erkenntnis ging ER in sein Büro und schmiss den Rechner an.

Dann beäugte er die Terrasse und den Garten. Er ließ Amiga kurz im Büro allein und kundschaftete das neue Hundeterritorium nach Hundeart aus. Alles umzäunt, wie gut. Er verrückte seinen Schreibtisch, damit er alles im Überblick hatte. Dieser stand jetzt zwar anscheinend unmotiviert quer vor der Terrassentür und der Rest des Büros glänzte durch Leere, aber das war ihm egal.

„Das ist doch optimal! So haben Sie Platz für einen Besprechungstisch mit sechs Plätzen. Perfekt! Das gibt mehr her.

Bescheidenheit ist zwar gut, aber das hatte ich als erstes gedacht, als ich Ihr Büro gesehen hatte. Zu einer Leitung gehört ein Besprechungstisch, wenn Ihnen schon keine eigene Räumlichkeit dafür zur Verfügung steht und die Transparenz besetzt ist“, kommentierte natürlich die Geschäftsführer-Frühlingsrolle. ER hörte ihn nie kommen. Frühlingsrolle tauchte grundsätzlich leise auf, aber komischer Weise nicht unangenehm.

„Ja, danke. Das wäre in der Tat sehr hilfreich“, bedankte sich ER anständig.

„Passt, mit dem Hund. Sie werden schon miteinander klarkommen. Die Shibas sind sehr eigen. Die haben ihren Kopf. Lassen Sie nicht alles mit sich machen. Sie wird das wohlwollend akzeptieren. Geduld. Das ist das Lösungswort“, gab Frühlingsrolle ihm den freundlich gemeinten Rat.

„Geduld. Wie immer“, stimmte ER ihm zu.

„Ich komme mit in die Sitzung. Sie gehen früher hin, habe ich gehört. Sehr gute Strategie. Sehr gut. Zusammen mit Herrn Sommerschild flankieren wir gemeinsam Frau Schimmelreiter. Wir sind ihre starken Flügel! Ich freue mich drauf!“, sagte Frühlingsrolle ohne mit der Wimper zu zucken. Wie konnte er sich freuen?

„Das ist prima. So machen wir das“, begrüßte ER dieses starke Bild. Und das tat er wirklich. Dieser Mensch stärkte mit seiner sanften Art immens ihre Truppe. Langsam fiel das anfängliche Misstrauen von ihm ab. Er gab seinem inneren Gefühl nach und hörte auf, nach fiesen Makeln zu suchen. Er beschämte ihn fast, aber auf eine Weise, dass er sich nicht schuldig, sondern motiviert fühlte. So wollte ER immer sein. Solch ein Vorbild für die Mitarbeiter. Darin hatte er versagt. Er wusste nicht, was seine Truppe so an ihm fand. Sie hielten zusammen und trugen ihn mit.

Amiga zog ihn aus diesen kippenden Gedanken und klopfte mit ihrer rechten Vorderpfote auf die Türscheibe nach draußen. Er ließ sie raus. Sie guckte ihn an im Sinne von:

„Und? Warum kommst du nicht mit? Du bist mein Unterhalter…“

ER hob seine Augenbraue und sagte klar:

„Ich bleibe hier am Schreibtisch und muss arbeiten. Du kannst alles erkunden, wie du willst. Ich bin hier."

Er stellte noch eine Futterschüssel nach draußen und kehrte zu seinen Gedanken zurück.

Kringel.

Das gefällt mir und ich suche einen Platz an der moosigen Seite auf einer moosigen Wurzel, die sie anhebt, um mich einzuladen, bei ihr zu verweilen. Ich erzähle ihr meine Geschichten und schmiege mich an den moosigen Stamm, der zuhört und mich versteht.

Georg Frühling war ein guter Mensch. Vielleicht konnte er ihn einmal näher kennenlernen. Er hatte etwas Interessantes und Geheimnisvolles an sich.

Aber dieser externe Berater, an dem musste doch etwas zu finden sein, mit dem man dieses aalglatte Alphatiergehabe ein für alle Mal in die Knie zwingen konnte.

Alessa und Chrischi kamen rein und sie besprachen die neuen Entwürfe. ER war sehr zufrieden. Das war eine gute Basis. Und er war auch zufrieden, dass das Heft einen neuen Anstrich bekam. Er ärgerte sich nur wieder, dass es nicht seine Idee gewesen war, jedenfalls nicht lautstark genug. Wozu brauchten die ihn eigentlich? Er tat irgendwie nichts wirklich. Außer MMM und das kam ja von seiner Ex. Da fiel ihm ein, dass er noch zum Pfarrer musste, wegen der Predigt und der Auswahl der Lieder. Das alles lag ihm schwer auf dem Magen. Mindestens so schwer wie die Kieselsteine in seiner Tasche. Das war auch eine merkwürdige Nummer. Steine mit sich schleppen. Die gaben ihm fast den Rest.

Vierte Präsentations-Runde

Die vierte Präsentations-Runde in vier Wochen begann. Sie betraten gemeinsam mit allen anderen Meeting-Teilnehmern eine halbe Stunde zu früh den Konferenzraum K3. Die Assistentin war am Wirbeln, weil noch keine Getränke und Pipapo dastanden.

„Die Keksjen! Michaela, wo sind die denn? Die sind doch wichtiger als langweiliges Wasser, nicht wahr, Frau Schimmelreiter?“, bemerkte der Dompteur lautstark mit seiner schrillen Stimme.

Er hatte Alessa keinen Augenblick aus den Augen verloren und sie spielte ihre Rolle perfekt. ER bewunderte sie, wie leicht sie diesen Glubschaugen standhielt. Wenn er ein richtiger Mann wäre, dann hätte er diesem Lüstling schon längst eine reingehauen, der Sabber lief ihm schon aus den Mundwinkeln, aber…

„Ja, genau, vor allem die mit Schoki!“, antwortete Alessa kokett.

„Schoki!“ Die Glubschäugchen glänzten. „Genau! Das sind auch meine Lieblinge unter den süßen Naschereien. Schoki, Michi, vergiss die Schoki-Kekse nicht!“, rief er der Leiterin der Marketingabteilung von MAIS Milon rüber, die es an ihre Assistentin weitergab. Innerlich tobte sie.

Als alle Wässerchen, Teechen, Käffchen und Kekschen auf den Tischen verteilt waren, stand Alessa auf, nickte Herrn Dr. Schwarzenegger zu, welches dieser mit einer auffordernden Handbewegung und einem breiten lustvollen Grinsen bestätigte, und begann:

„Herr Dr. Schwarzenegger. Dank Ihres genialen Einwandes, was das Outfit unseres Magazins angeht, haben wir Farbe in die einstige staubige Welt bringen können und zeigen Ihnen heute diese ersten Entwürfe von zwei unterschiedlichen Designreihen. Dazu die Angebote der Druckereien.“ Sie legte ihm die Angebote vor und fuhr fort.

„Wir bereiten Ihnen jeweils drei Vorschläge über den Umfang des Kultur-in-Milon Magazins vor:

Zum einen unser Heft im Vergleich zu vorher mit einem farbig und lebendig aufbereiteten redaktionellen Teil, einer neuen Sparte *Hinter den Kulissen…*“, und dabei lächelte sie ihn kurz an. Die anwesenden Damen kochten innerlich, die Herren strahlten ein ausdrückliches „Wow“ aus. Der Dompteur fühlte sich prächtig und aalte sich darin, dass sie ihn vor allen Leuten mit diesem Lächeln verwöhnte. Genau auf diese Art Bauchpinseleien stand er, eindeutig. Hauptsache war, er ließ danach die Finger von ihr.

„Wir haben hier beim Programmteil die Schriftgröße um die Punktzahl verkleinert, damit sie der Größe in den TV-Programm-Zeitschriften entspricht. Eine Lesebrille haben die, die sie brauchen, sowieso zum Lesen. So konnten wir den Umfang im informellen Teil um fast die Hälfte kürzen."

„Und hier", nun sprach Chrischi. „Hier ist der Entwurf, der Ihrem Wunsch entspricht. Hier ist ein Magazin mit einem ausschließlich redaktionellen Teil. Die umfangreichen Informationen entfallen. Hier sind natürlich die Kosten auch am Geringsten. Dies sind die beiden unterschiedlichen Entwürfe dieses Heftes im Vergleich. Und hier haben wir noch eine weitere Gestaltungsvariante, um einen größeren Vergleich und damit Auswahl zu bieten."

Chrischi positionierte die Dummys vor dem Dompteur.

Jetzt wollte ER sprechen, doch er sah, wie Herr Dr. Schwarzenegger seinen Blick von ihm rasch abwand und wieder erwartungsvoll Alessa fixierte. ER überlegte kurz und nickte Alessa zu. Sie übernahm das Finale.

„Dies ist eine Kombination aus beiden vorliegenden Modellen. Diese Mappe enthält gesammelte Werke unserer Abonnenten, die darlegen, wie sie mit den umfangreichen Informationen zu Konzerten, Theateraufführungen, Lesungen, Kunstausstellungen arbeiten und daraufhin den Besuch dieser Veranstaltungen auswählen. Die Statistik zeigt einen überdurchschnittlichen Anteil an Mitgliedern, die sich im Ruhestand befinden, circa 70 Prozent! Diesen Anteil haben wir in unsere Entscheidung mit einbezogen, denn wir wollen keinen Einbruch der Abo-Zahlen erreichen. Diese Menschen gehören zur stärksten Zielgruppe des Kultur-Abos von Milon. Und, nebenbei bemerkt, auch zur Zielgruppe von MMM und sicher auch der SUV-Modelle von Wheelstars. Also sollten wir sie nicht unter den Tisch fallen lassen. Mit der neuen Aufmachung des Heftes werden wir jetzt zudem jüngere Kulturinteressierte ansprechen und begeistern können, egal wo, ob Theater, Konzert,

Lesung, Museum, Kunst.

Daher sehen wir dieses Heft als optimalen Kompromiss, die ältere Zielgruppe mit den neuen potentiell zahlungskräftigen Best-Agern zu verknüpfen und sogar noch jüngere zu erreichen. Das wird uns einen willkommenen Sprung bei den Abonnentenzahlen verschaffen. Dabei fällt mir gerade so etwas wie ein ermäßigtes Twen-Kultur-Abo ein…“ Alessas Funke sprang sofort auf Schwarzenegger über:

„Bingo! Sowas will ich hören! Jawoll, Frau Schimmelreiter!“

Sie lächelte und fuhr gleich fort:

„Wir haben die Abonnenten-Post analysiert und die Informationen entsprechend auf die wichtigsten Punkte gekürzt. Natürlich ersetzt das nicht den vollen Umfang, wie wir es nach wie vor gernhätten. Wir könnten jedoch auf die ausführlichen Informationen online hinweisen, um unsere Abonnenten in die digitale Welt zu locken. Dieses Magazin ist ein guter Kompromiss und durch seinen Umfang auch ein wertiges Heft. Nicht zu dünn und nicht zu dick.“ Sie sah ihn wieder an, direkt in die Augen. Ihm stockte sichtlich der Atem. Kurz, aber er stockte.

Er nahm sich alle Zeit, und blätterte die Hefte durch. Dann prüfte er die Dicke und lächelte sie an.

„Sie sind wirklich eine Statistik-Maus. Die Herren und Damen Abonnenten können es Ihrem feurigen Engagement danken. Das komplette Heft wie gewohnt kommt auf keinen Fall in Frage. *Blick hinter die Kulissen* ist gut und soll auf zwei Doppelseiten ausgeweitet werden. Und auf dem Cover muss ein Porträt mit Oberkörper sein. Nicht so klein, wie diese hier. Man muss doch was sehen von den Ladys. Hübsche Künstlerinnen, Schauspielerinnen, Autorinnen, Musikerinnen wie Geigenspielerinnen, Klavierspielerinnen, Bläserinnen…“ Er lachte.

„In Nahaufnahme, das ist doch was. Das bringt auch bei den Opas wieder Schwung in die Hose. Wir können das meinetwegen ausprobieren mit den gekürzten Informationen. Aber noch zwei Seiten raus, zugunsten des *Blicks hinter die Kulissen.*

Das muss langen. Zufrieden?“, fragte er Beifall heischend.

ER nickte Alessa zu und sie stimmte ihm zu:

„Ja. Das ist eine gute Entscheidung. Schön, dass wir sie gemeinsam tragen. Wir müssen die Abonnenten rein rechtlich noch anschreiben, weil das eine Änderung der Abo-Card-Konditionen mit sich führt. Aber das ist kein Problem. Wir legen ein entsprechendes Informationsschreiben dem Januar-Heft bei und halten so die Kosten gering.“

Der Externe grinste kurz und meinte dann noch fast wie nebenbei:

„Nur die Druckereien gefallen mir nicht. Ich kenne da eine. Den Inhaber kenne ich persönlich und der macht mir einen guten Preis und kennt sich mit schnittigen Heftchen aus. Da kann ich Sie gern mal vorstellen, Frau Schimmel-reiter. Wie steht es um die Sponsoren?“ Thema Magazin beendet. Blick zu ER.

„Bei Wheelstars ist diese Woche ein Termin bezüglich der Auto-Übergabe. Der neueste SUV aus der Z-Reihe muss noch gebrandet werden“, erklärte ER.

„Michi. Hab du ein Auge drauf. Wegen Positionierung und Größe der Logos“, gab er es an die Leiterin Marketing ab.

Sie meinte ganz soft:

„Klar, Alex, mach ich, weißt du doch.“ Oh wie arm war das.

„Und mit MMM steht ebenso ein Termin. Sie beteiligen sich neben den 200.000 Tacken an den Info-Ständen in den Konzerthallen, den Theatern, den Museen und den Kunsthäusern mit kleinen Verköstigungen.“

Prompt meldete sich Alessa:

„Vielleicht kannst du Herrn Achterliek überzeugen, uns etwas von seinen Verköstigungen für die nächste Sitzung hier mitzugeben?“

Volltreffer. Schwarzenegger quietschte vor Begeisterung:

„Sie können Gedanken lesen! Wer hätte das gedacht – der staubige Bereich Kreation Matura entwickelt sich zu meinem Lieblingsprojekt! Vielen Dank. Wir freuen uns auf nächsten Montag. Michaela, gib ihnen die Adresse von HippsterPress, Liebes.“

Ein Blick und ein Nicken zu Alessa und aus K3 war er samt

seiner Einheit verschwunden. Mit einem Doppelklaps und einem hörbar erleichterten Frauenkichern.

„Sorry, ER. Das fiel mir spontan ein. Ich wollte dich nicht…“, meinte Alessa entschuldigend.

„Ach was, das war eine prima Idee, Alessa. Dazu das Twen-Abo, klasse! Da hätte ich auch draufkommen können. Danke euch allen. Ihnen auch. Die Flügelflanke war stark. Wir lassen es erst einmal sacken und treffen uns um 15 Uhr zur Besprechung. Bis dahin wird Michaela die Druckerei-Adresse rübergemailt haben. Dann gehen wir mal. Die anderen werden schon gespannt sein.“

„Es war beeindruckend. Sie haben wirklich alles gegeben und gewonnen. Achten Sie bitte darauf, dass Sie nicht mehr geben. Er kennt keine Grenzen. Das sage ich Ihnen im Vertrauen, Frau Schimmelreiter. Dieser Mann ist ein Phänomen. Er spielt ein Theaterstück und alle spielen mit“, sagte die Frühlingsrolle. Sehr ernst fügte er noch hinzu:

„Verzeihung, ich meinte, er spielt *sein* Theaterstück. Und er spielt grundsätzlich die Hauptrolle. Heute hat Frau Schimmelreiter es geschafft, dass er kurz diese Hauptrolle abgegeben hat. Aber das ist nur seinem Trieb zu verdanken. Genau deswegen passen Sie auf sich auf, bitte. Nichts ist es wert, weiter zu gehen, glauben Sie mir das. Ich stehe voll und ganz hinter Ihnen allen.“

Von nun an hieß Frühlingsrolle nicht mehr Frühlingsrolle, sondern Georg Frühling.

Georg Frühling ging zu Tisch. Kaum, dass sie den Flur zu ihren Büros betraten, hörte man ein leises Heulen, das immer lauter wurde, je näher sie kamen. ER steigerte sein Tempo, Chrischi und Alessa hechelten hinter ihm her. Tür auf.

Welch ein rührendes Bild: Maggi, Sanny, Hundeallergie egal, und Lisa, zwei Studentinnen, und vier weitere Mitarbeiter von weiter vorn saßen allesamt auf dem Boden und mitten unter ihnen die wie ein Wolf heulende Amiga. Jeder redete in sanftem Tonfall auf die Hündin ein, um sie zu beruhigen. Kräcker und Spielzeugversuche lagen überall verstreut.

„Oh, ein Glück, dass ihr wieder da seid! ER, sie heult fast

ununterbrochen! Sie hat dich bestimmt vermisst… Du hattest sie draußen vergessen. Wir haben sie gehört und sie ins Büro geholt, aber trotzdem, sie heult und heult und lässt sich kaum beruhigen. Das ist herzzerreißend!“, rief Maggi mit einem panischen Blick und hielt ihre Arme gen Himmel.

ER ging zu Amiga und redete ruhig auf sie ein. Half nichts. Sie heulte wieder.

„Völleicht ist sie einfach nachtragend. Gib ihr ein bösschen Zeit. Und dann vergiss sie nicht wieder…“, meinte Chrischi.

„Hat sie schon was zu essen bekommen?“, fragte Alessa.

„Ja, das habe ich ihr draußen gegeben.“ ER zuckte ratlos seine Schultern.

„Vielleicht hat sie es aufgefressen und will mehr“, hakte Alessa weiter nach.

ER schaute nach.

„Nein, da ist noch die Hälfte in der Schüssel.“

„Die Leckerlies hat sie auch verschmäht“, meinte Sanny.

Das Heulen wurde intensiver.

„Was hat sie nur? Vielleicht muss man mit ihr zum Arzt?“, überlegte Maggi verzweifelt. Das Heulen die ganze Zeit auszuhalten ließ einen auch verzweifeln.

Alessa überzeugte sich selbst und ging zur Futterschale.

„Ja, aber zu trinken hat sich nichts! Hast du ihr keine Schüssel mit Wasser hingestellt?“, meinte sie mit einem leicht vorwurfsvollen, aber nett gemeinten Ton.

„Oh“, meinte ER. Prompt war die Hündin still und sah ihn lieb an.

„Ich bin sofort wieder da. Ich bin ganz schnell. Ich hol lecker Wasser“, rief er ihr zu und rannte los in die Küche, holte eine Schale mit Wasser, das seine Spuren auf Hose und Flur hinterließ, weil er schwappend rannte. Amiga kam ihm schon entgegen. Er stellte die Schale hin und sie trank und trank und trank.

Allgemeines erleichtertes Seufzen.

Auf die Blicke seiner Mitarbeiter hin sagte er nur entschuldigend:

„Sie ist ganz neu und ich habe mich noch nicht so richtig daran gewöhnt, an all die neuen Befindlichkeiten.“

Amiga guckte hoch und kam zu ihm, machte ein paar aufgeregte Tänzeleien und er streichelte sie. Dann wollte sie wieder raus.

„Ist doch ganz einfach: Essen, Trinken, Verdauen, Schlafen, Unterhaltung. Das ist das Prönzip. Das wird schon. Wir sind ja auch da“, meinte Chrischi tröstend und alle wandten sich wieder ihrer Arbeit zu.

ER setzte sich an seinen Schreibtisch und beobachtete Amiga, die eine Schnupperrunde ging, um sich dann oben vor die Tür auf den Fußabstreifer zu legen.

Kringel.

Siebenstern sät sich aus und wird zu einem Himmel auf Erden.
Ich verbeuge mich vor Eiche und gehe durch den Himmel nach Hause.

Alle sind fleißig. Nur er nicht. Er hatte so vieles zu tun. Stattdessen lenkte er sich mit seinem Eichen-Gedicht ab und starrte aus dem Fenster. Amiga, er hatte sie nicht wirklich verdient. Er würde sie gern mitnehmen auf eine einsame Insel, dorthin, wo es keine weiteren Verpflichtungen gab, die ihm den Hals zuschnürten. Wie weit waren sie eben gegangen? Wie weit hatte er seine Mitarbeiterin gehen lassen für ein buntes Stück Papier? In welcher Welt lebten sie, wo solche Personen in Machtpositionen aufsteigen konnten und kein Mensch tat etwas dagegen? Was war das für eine Ohnmacht! Wieder eine Ohnmacht mehr zu den vielen anderen.

Es war die gleiche Ohnmacht, die er fühlte, wenn er morgens aufstand, wenn er zur Arbeit fuhr, wenn er das Büro betrat, wenn er in Beziehungen steckte, wenn er etwas essen musste, wenn er sich kümmern, kümmern, kümmern musste, musste, musste.

Jetzt als Krönung zu allem noch dieser geile Bock, der es offensichtlich auf seine Mitarbeiterin abgesehen hatte. Georg Frühling hatte klare Worte gesprochen. Das wäre seine Aufgabe gewesen, seine Mitarbeiterin zu schützen. Wäre, hätte, müsste, sollte, könnte… Genau das war er – ein zu Mensch transformierter wandelnder Konjunktiv II.

Da schreckte er auf. Amiga schoss gleichzeitig hoch, zwängte sich durch den Türspalt und raste laut wuffend in den Garten auf jenes zu Boden gestürzte Etwas zu. ER sprang auf und hinterher. Ein Vogel abgestürzt? Hoffentlich nicht das Eichhörnchen! Die sprangen immer so waghalsige Sprünge, dass er schon immer dachte…

Nein! Weder noch. Es war ein ferngesteuertes Flugzeug. Das war abgestürzt.

Ein Flugzeug! Abgestürzt!

„Hallo Sie! Können Sie mir mein Flugzeug rüberreichen?“, kam es vom Zaun weit nebenan. Amiga rannte gleich Richtung dem etwa 10 Jahre alten Jungen, der erschrocken einen Schritt zurückwich, obgleich ein starker Zaun das MAIS-Bürogebäude vom Wohngelände nebenan trennte.

„Sie tut nichts“, rief ER. „Amiga, komm zurück, alles ist gut. Amiga. Komm!“, rief er entschieden und trabte mit dem zerdellten Flugzeug hinterher.

„Amiga, komm. Bei Fuß!“

Jetzt stoppte sie und setzte sich hin. Das war zwar kein Kommen, aber auch gut.

„So ein Mist, das ist ja ein Totalschaden! Können Sie Flugzeuge reparieren?“, fragte der Junge ganz plietsch direkt heraus.

„Vielleicht. Ich könnte es versuchen. Ich müsste mir das genauer ansehen“, meinte ER etwas überrumpelt.

„War das ein Ja oder ein Nein?“, fragte der Junge. Der kannte keinen Konjunktiv II. Doppelte Überrumpelung.

„Gut. Ich sehe mir das mal an. Kann aber etwas dauern, weil ich momentan viel um die Ohren hab“, antwortete ER wie ferngesteuert.

„Prima. Ich wohne hier im zweiten Stock. Benjamin Hirse. Hier ist die Steuerung. Danke.“ Er schmiss die Fernsteuerung gekonnt über den Zaun und weg war er.

ER ging zu Amiga und streichelte sie. Sie hob die Pfote und wollte ein Leckerli.

„Nein, meine Liebe. *Bei Fuß* heißt, dass du zu mir kommst und dich neben mich setzt und nicht irgendwo. Das üben wir noch einmal. Dann kriegst du ein Leckerli."

Sie stand auf und trabte neben ihm zurück. Einen Stüber bekam er noch gegen die Wade, dann akzeptierte sie das Nein.

Jetzt hatte er auch noch ein Flugzeug zu reparieren! Die Baustellen wurden immer mehr statt weniger. Aber er fühlte sich hierfür verantwortlich.

Ein Flugzeug... Abgestürzt...

Er musste seine Gedanken sammeln, musste noch was tun für MAIS und nicht noch mehr Baustellen anhäufen.

Zum Feierabend zog es ihn in den kleinen Park. Er wusste, SIE wäre nicht da. Ohne Hund gab es keinen Grund. Sie hatten einen Termin am Sonntag. Sie hätte sich ja mal melden können, hätten gemeinsam mit dem Hund in den Park gehen können, aber nein, was dachte er da. Konjunktiv II. SIE war seine Psychologin. Mehr wollte er auch nicht. Er war zu schwierig. Erst aufräumen, dann Beziehung.

Amiga machte endlich ihr Geschäft, nachdem sie lange nach einem geeigneten Platz gesucht hatte. Er verpackte alles ordnungsgemäß und ab in die Tonne damit. An dieses körperwarme weiche Gefühl gewöhnte man sich hoffentlich schnell.

Endlich. Da war sie. Sie saß auf der Bank. Er ging zu ihr und setzte sich neben sie. Es fiel ihm das erste Mal auf, wie kunstvoll wirr sie ihre Haare nach oben gesteckt hatte.

„Hallo junger Mann", sagte sie freundlich lächelnd.

„Hallo Frau Augenblick", sagte er ebenso freundlich. Er sah ihr dabei in die Augen. Sie hatten etwas Unnahbares und gleichzeitig etwas anziehend Magisches, als würde er in die Tiefen des Universums sehen. In ein freundliches endlos friedliches Universum, in welches jede ihrer tausend Falten führte. Doch dann schob es ihn zurück an die Oberfläche und er blickte wieder in sein Spiegelbild, linkes Auge, rechtes Auge. Ein doppeltes Spiegelbild, kaum zu ertragen. Er seufzte. Tatsächlich hatte sie auch nur leichte Sonnenfalten, aber sie fühlten sich alt und weise an. Seine Falten hingegen schienen ihm schlaff und fad.

„Amiga hat den Besitzer gewechselt. Sie fühlt sich wohl bei Ihnen, das sieht man", brachte sie ihn zurück und lächelte die Hündin an. Sie lächelte zurück und setzte sich zwischen die beiden.

„Es ist ein Wunder, dass sich überhaupt jemand bei mir wohlfühlt. Ich bin eine Gefährdung für die Menschheit", sagte er frei heraus.

„Nun, sie ist kein Mensch. Dann passt es doch", antwortete sie sachlich korrekt.

„Ja, vielleicht sind Tiere immun gegen meine Gedanken. Und Pflanzen, denn das Gänseblümchen steht immer noch an seinem Platz. Das ist ein Trost. Vielleicht sollte ich im Wald allein leben", meinte er mehr zu sich.

„Wollen Sie das wirklich?", fragte sie.

„Ja und nein. Eher auf die Insel, dorthin zieht es mich sehr."

„Sind Sie hier nicht glücklich?", fragte sie ihn und sah ihm in die Augen.

Er war wie hypnotisiert.

„Nein."

„Was hält Sie davon ab, glücklich zu sein?"

Stille.

„Was hält mich davon ab, glücklich zu sein? Hm. Ich glaube, ich selbst. Ich bin es. Meine Gedanken sind es. Ich kann nicht glücklich sein wegen meiner Gedanken. Ich bin gefährlich. Ich habe meine Ex-Freundin umgebracht, habe meinen Vorgesetzten versetzt, habe eine schwierige Person in der Firma zum Schweigen gebracht, die Sachen meiner Ex-Freundin zum Verbrennen und ein Flugzeug zum Abstürzen gebracht. Ich habe bestimmt noch viel mehr getan und habe es nie bemerkt. Ich will das nicht und es geschieht doch. Unbewusst. Die Gedanken zapfen mein Unbewusstes an. Und das ist böse. Im tatsächlichen Leben kriege ich nichts auf die Reihe und habe es nicht einmal geschafft…" ER stützte seinen Kopf in die Hände.

„…Sich das Leben zu nehmen", ergänzte Frau Augenblick.

„Ja."

Stille.

„Sie, sie ist Psychologin und will mir helfen. Aber das dauert. Ich bräuchte jeden Tag Hilfe. Jemand, der mir meine Gedanken abnimmt und vor allem meine Träume. Mir graut vor jeder Nacht, die mir nur noch mehr zeigt, welch ein Versager ich bin. Ich will leben und will es nicht, nicht so…“, sagte ER aus seinen Händen.

„Sie sind in einer sehr misslichen Situation. Sie werden mit Ihren eigenen Schattenseiten konfrontiert“, sagte Frau Augenblick.

„Ich bin ein Monster! Meine Gedanken. Ich habe sie nicht unter Kontrolle und dann geschehen furchtbare Dinge…“ Er fing an zu schluchzen.

„Deshalb betäuben Sie sich. Und wenn Sie aufwachen, wird es immer ärger. Sie verschwinden nicht von selbst, wenn Sie sich Ihre Schattenseiten nicht ansehen. Sie werden mit Ihren Aufgaben wachsen. Die Psychologin wird Ihnen helfen können.“

„Ich laufe vor allen Aufgaben davon. Es ist mir zu viel. Ich schaffe das alles nicht, kann aber paradoxer Weise nichts abgeben. Die Baustellen werden immer mehr. Nichts um mich herum ist in einem heilen Zustand. Alles ist eine Baustelle. Die ganze Welt! Die ganze verdammte Welt!“, er schluchzte.

„Da kommen wir dem Übel auf die Spur“, sagte sie. „Das ist gut.“

„Egal, wo ich hinhöre: Gewalt, in welcher Form auch immer. Die Nachrichten – nur Gewalt, egal wo. Zeitungen lese ich darum schon lange nicht mehr. Auf den Straßen nur gestresste, pöbelnde und drängelnde Leute. Selbst Vorwürfe sind Gewalt. Subtil und niederträchtig hämmern sie sich ins Gehirn. Nicht zu genügen ist Gewalt, auch sich selbst gegenüber. Liebesentzug ist Gewalt. Leistungsdruck ist Gewalt. Einem Idealbild hinterher zu eifern ebenso. Alles Formen von Gewalt, die mich erdrücken und fertig machen, dass ich keine Kraft mehr habe und deshalb wollte ich mich weg haben aus dieser Welt…“, er schluchzte.

Sie ließ ihn.

Nach einer Weile sagte sie:

„Sie haben sehr viel mehr Kraft, als Sie es von sich glauben.“

„Ja, um etwas zu zerstören, aber nicht für etwas Gutes, was Sinnvolles, was Nützliches. Das hatte ich noch nie“, sagte er fast bockig.

„Sie haben die Kraft Ihrer Gedanken erfahren. Aber nur die Kraft Ihrer negativen Gedanken. Schulen Sie die Kraft Ihrer positiven Gedanken! Mit Ihren guten Gedanken sind Sie imstande, Berge zu versetzen. Junger Mann, Sie besitzen eine Gabe, die Sie von anderen Menschen unterscheidet. Nutzen Sie Ihre Gabe, dann werden Sie Ihr Glück wiederfinden.“

Sie stand auf. Er sah sie hilfesuchend an.

„Ich gehe jetzt. Denken Sie über meine Worte nach. Wir werden uns wiedersehen. Vielleicht komme ich Sie in Ihrem Traum besuchen und helfe Ihnen, über die Kluft zu springen oder von der Eiche herunter zu klettern. Es kommt ganz auf Sie an. Auf Wiedersehen.“

Dann ging sie mit ihrem Regenschirm und mit einer Eiche auf ihrem Leinenbeutel.

„Auf Wiedersehen. Danke. Wie gut, dass es Sie gibt“, sagte er, als sie schon fast nicht mehr zu sehen war. Wie auch immer, sie hörte es, hob ihren Schirm hoch und schien zu nicken.

Amiga nickte auch und wollte los. Ja, sie hatte recht. Es nutzte sowieso nichts, seinen Gedanken nachzuhängen. Seinen nutzlosen Gedanken.

Was hält Sie davon ab, glücklich zu sein?

Momentan alles.

Der Traum. Er war fast wütend, als er aufwachte. Er saß auf der Eiche. Stand auf und konnte ganz leicht von Ast zu Ast gehen, aber nur von Krone zu Krone. Er wagte sogar einen weiteren Sprung. Es ging ganz leicht. Tatsächlich erschien Frau Augenblick, doch sie drehte sich wieder um mit dem Kommentar:

„Sie wollen noch nicht hinunter. Ich gehe wieder.“

Das konnte doch nicht wahr sein! Er wollte sie im Park fragen, was das jetzt bedeuten sollte – er *wollte* nicht hinunter? Er war empört.

Pastorengespräch war heute am Mittwochmorgen. Der Pastor fragte viele Dinge, zu denen er keine Antwort kannte. So wenig wusste er von ihr. Das war erschreckend. Wieso wusste er das alles nicht? Sie waren doch immerhin fünf Jahre zusammen gewesen. Mehr oder weniger. Zugegeben eher weniger. Als er zu MAIS fuhr, hatte er wieder das Gefühl des absoluten Versagens. Als sie lebte, nervte sie ihn einfach mit allem. Anstatt zu reden oder ehrliche Konsequenzen zu ziehen, war er derjenige, der sich verschlossen hatte, abends, mit seinem Feierabend-Joint oder Rotwein oder was auch immer. Er hatte der Beziehung nie wirklich eine Chance gegeben. Feige fühlte er sich. Feige.

Was für ein unfähiger Mensch war er? Er war so erbärmlich. Er wünschte, er könnte mal in seinem Leben etwas Gutes tun, etwas, das vielen Menschen helfen würde, einfach so. Das alles jetzt konnte doch nicht sein Sinn im Leben sein?

Abends, Frau Augenblick war nicht im Park. Verärgert fuhr er heim. Kaum, dass er die Tür zuhatte, brach sein Funktions-Gerüst zusammen. Er begann wieder, den Kopf an den Türrahmen zu schlagen.

„Warum ist diese blöde Strubbelige nicht erschienen? Warum meldet sich diese blöde Psychologin einfach nicht? Bin ich ihnen nicht wichtig genug? Dieser Looser, dieser Schlappschwanz, dieser Volltrottel. Dieser…" Er schlug weiter. „Dieser Nichtsnutz. Ich wünschte, die würden sich auch mal so allein fühlen. Wären so hilflos. Würden sehen, wie das so ist, wenn man allein mit all diesen Aufgaben klarkommen muss. Kann nicht mal jemand für mich da sein, einfach so?"

Er schlug wieder, immer zu… Dann heulte seine Hündin. Amiga saß neben ihm und heulte. Er stutzte und sah sie verstört an, dann flossen ihm die Tränen und er kniete sich zu ihr und nahm sie in den Arm. Das genügte ihr und tapperte ins Wohnzimmer und legte sich auf das Sofa. Er blieb auf dem Boden und sah ihr nach und ließ seinen Tränen freien Lauf.

„Ja, du bist da. Ich habe mir jemanden gewünscht und du bist da! Das ist gut, ja, genau. Positive Gedanken… Aber wie soll ich das nur immer… Wenn die Arbeit… Und das Leben… Wie soll ich das nur immer schaffen?“, schluchzte er.

Er setzte sich rüber zu Amiga. Sein Schädel dröhnte. Er kraulte ihr dichtes Fell und sagte:

„Ich tu es nie wieder. Versprochen. Du kannst nichts dafür, dass ich mit meinem Leben unglücklich bin. Du bist genau im richtigen Moment zu mir gekommen. Danke, kleine Freundin mit vier Pfoten. Danke, Amiga.“ Er lächelte sogar und sie schloss zufrieden ihre Augen, öffnete sie aber gleich wieder als er aufstehen wollte.

„Nein, keine Sorge. Nie wieder. Du bist es wert. Ich wasch mir nur mal das Gesicht und hole Kühlkissen.“

Mitten in der Nacht wachte er schweißgebadet auf. Frau Augenblick. Sie stand auf der Spitze der Eiche, eingehüllt in blaues Licht, wie in einer Kugel. Und er hing fest, mit dem Kragen hinten, und baumelte an einem Ast.

Amiga war nicht da. Er schoss hoch und suchte sie, fand sie im Bad oben auf der kuscheligen Vorlage. Sie öffnete nur kurz ein Auge und schlief dann weiter. Der Geruch störte sie nicht.

Er trank Wasser und legte sich wieder hin. Er wollte schlafen und doch nicht. Nicht immer wieder diese Träume – nicht diese Träume! Er wollte am liebsten seinen Kopf… Aber nein. Er hatte es versprochen. In seinem Kopf hämmerte es und er holte sich Schmerztabletten. Dann stellte er sich auf die Terrasse und rauchte eine zur Entspannung. Er schaffte es nicht ohne. Ging auch nicht alles auf einmal. Langsam wurde er ruhiger und im Strahl des Lichtkegels sah er ein Gänseblümchen. Er bückte sich zu dem Gänseblümchen, lächelte und meinte:

„Du bist auch solch ein Phänomen. Du hast Kraft! Auf dem Fußballfeld warst du auch immer. Immer. Das ist es. Immer. Dich kann man treten so viel man will, und trotzdem wächst du und öffnest deine hübschen Blüten. Sogar im Winter! Ich bin sicher, dass du genau aus diesem Grund auch helfen kannst. Die Kraft steckt in deinen Zellen. Mein Kopf, die Nummer war zu stark. Aber ansonsten, so schätze ich, kannst du vielleicht Wunden heilen, oder wenn man sich gestoßen oder geprellt hat. Vielleicht auch bei Erkältungen, denn du wächst Sommer wie Winter und trotzt jedem Wetter. Du bist so stark und dennoch so bescheiden. Du bist einfach da. Wie schön das ist!

Du bist jetzt meine unerschütterliche Freundin aus dem Pflanzenreich. Meine ExEx hat immer den Salat mit euch dekoriert. Also pflücke ich einfach mal drei Blüten und esse sie. Es wäre schön, wenn ihr mir ein bisschen helfen könntet…“

Er ging ein Stückchen weiter und pflückte drei Blüten. Zwei kaute er lange und genüsslich. Lecker waren sie, nussig. Die dritte hielt er auf seine Stirn.

„Möge deine Kraft in mich fließen, vor allem erst einmal in meine Stirn. Danke.“

Dieses nahm er mit nach drinnen, holte seine Brieftasche aus der Hosentasche und klemmte es zwischen Perso und Führerschein.

„So“, sagte er zufrieden. Dann schüttelte er den Kopf und meinte:

„Was mache ich da eigentlich? Das war jetzt schräg, aber so zu denken ist wohl tausendmal schöner. Frau Augenblick kann das. Sie ist weise. Ich wünschte, ich könnte das auch eines Tages, immerzu so zu denken, einfach so.“ Er seufzte.

Am nächsten Morgen holte ihn der Jammer wieder ein. Er war nicht imstande, in die Firma zu gehen. Er schickte eine Mail an Chrischi. Er wollte mit niemandem reden. Chrischi hatte wie immer Verständnis und bot seine Gesellschaft an.

Gesellschaft, Menschen. Nein. Er hatte ja Amiga, die ihre Pfote gegen die Terrassentür tockte.

Dann fiel ihm das Gänseblümchen ein und die Bilder, die er dazu hatte. Erst freute er sich wieder, dann fühlte er Beschämung aufkommen.

„Das schaffe ich nur, wenn ich mich im Dämmerzustand befinde. Verdammt. Und jetzt bin ich zu blöd dazu. Jetzt ist eh alles blöd.“

Er ging rein und kochte sich einen Kaff. Verdammt, auch das hatte sie immer gesagt: Kaff. Was solls. Er konnte nicht alles von ihr aus dem Kopf verbannen. Nach und nach. Kaff. Das war in und frech. Er lachte spöttisch und startete seine neue Kaff-Maschine. Eine ganz einfache. Kaff, und gut.

Um 19 Uhr Miri vom Flughafen abholen. Miriam. Er lernte es noch. Die würde sich über Amiga freuen. Endlich ein guter Gedanke. Es war so schwer, gute Gedanken zu finden, wenn alles grau war außer dem Fuchsfell von Amiga. Okay und dem Weiß-Gelb der Gänseblümchenblüte. Jetzt wurde er langsam verrückt. Seine einzigen Lichtblicke waren ein Hund und Gänseblümchen. Wen kümmerte es.

Da entdeckte er das zerbeulte Flugzeug. Das war genau das Richtige. Er rauchte eine und zerlegte es in seine Einzelteile, glättete alle Beulen, reinigte, ölte. Dann fügte er alles wieder zusammen, dank seiner Fotoreihe mit dem Handy. Amiga genoss es sichtlich. Sie kam immer mal zum Schnuppern und setzte sich schließlich auf einen Stuhl, von dem sie alles bestens im Überblick hatte. Dann versuchte er einen Start im Garten, jedoch kein Ton war zu hören.

„Hm“, meinte ER und mit einer selbstvergessenen Hingabe schraubte er alles wieder auseinander, prüfte, verglich mit den Fotos und da entdeckte er es, das Verbindungskabel. Nach genau fünf Stunden Bastelns schnurrte das Flugzeug in die Luft. Was war das für eine Freude, eine Freude über ein Erfolgserlebnis, wie er es schon ewig nicht gespürt hatte!

Amiga war ebenso außer sich und heulte und tänzelte und rannte hin und her und versuchte, das neue fliegende Kaninchen zu erjagen.

„Welch ein Glück!“, dachte er bei sich. „Und es ist ganz einfach, nicht wahr, Amiga? Du weißt das ganz genau. Es kann so einfach sein, schlicht und einfach, glücklich zu sein, wie all ihr Gäääänseblümchen!“ Er lachte laut und war happy. Er hatte für ein paar Stunden einfach alles um sich vergessen.

Miri

Abends holte er seine Tochter Miri ab, die zunächst, als sie ihn sah, ein etwas trauriges Gesicht aufsetzte, dann ein etwas irritiertes, als sie die blau-rot-lila-beulige Stirn beäugte. Doch als sie die Leine in seiner Hand verfolgte und erspähte, was da am anderen Ende in die andere Richtung zog, da lief sie auf ihren Vater zu, umarmte ihn rasch und bückte sich in angemessenem Shiba-Abstand zu Amiga. Das gefiel der Hündin, klar. Die beiden mochten sich sofort.

Auf dem Rückweg besorgten sie noch eine neue Matratze für Miri und bauten ihr ein Lager im Wohnzimmer. Gemütlich fand sie das.

„Hier durfte ich vorher nie auf dem Boden schlafen. Mir gefällt das fiel besser. Es ist nicht so bieder…“, meinte sie.

„Es ist nie zu spät. Von nun an darfst du das eben. Wenn du älter wirst, wirst du verstehen, wie angenehm es ist, wenn man entspannt und leicht ohne Turnübungen aus dem Bett kommt“, antwortete ER, ganz ohne den herkömmlichen Vorwurfsabwehrmechanismus. Auch das fühlte sich gut an. Neu und gut. Ihm kam es so vor, als wäre in seinem Kopf mehr Luft, mehr Freiheit. Zwar nicht viel, aber eine kleine Ecke war da.

„Ja, das kommt, weil du nicht trainierst, Dad. Jetzt, wo sie nicht mehr da ist, muss ich dich ja immer daran erinnern. Wir können ja nach der Beerdigung zum Fitness-Studio gehen und unsere Traurigkeit abtrainieren“, meinte sie aus ihrer neuen hippen Matratzen-Ecke voller Ernst.

„Morgen ganz bestimmt nicht. Samstag, vielleicht. Lassen wir es auf uns zukommen. Nicht gleich alles verplanen“, meinte ER mit einem kleinen wachsenden P auf der Stirn.

Die Beerdigung kam und verging unspektakulär, wie abgesprochen. Alles klappte reibungslos. Die Ansprache war kurz und treffend, in einen liebevollen Rahmen gekleidet. Er positionierte die Kaff-Maschine in ihrem kleinen Fach im Kolumbarium, bevor es verschlossen wurde. Er war froh, dass sie nun bei ihr stand. So konnte sie jedenfalls immer einen Kaff kochen, wann sie wollte und mit wem sie wollte. Sie hatten so gar keine Überschneidungen im Freundeskreis gehabt. Und zu Hause hatte er sich immer zurückgezogen, denn er hatte diese hohlen hippen Smalltalks gehasst.

Wenige waren gekommen und er kannte auch keine weiteren außer jener Freundin, die herzzerreißend weinte. Keiner sprach mit ihnen und wenn sie in seine Richtung sahen, dann mit schuldzuweisenden Blicken. Seine Schuldgefühle waren wieder ordentlich am Triumphieren und er wollte am liebsten schreiend weglaufen.

„Ich wollte das nicht“, dachte er immer wieder bei sich.

Der Urnenträger kam auf ihn zu und reichte ihm noch eine kleine Tüte.

„Das hatten Sie bei unserem letzten Gespräch vergessen“, sprach dieser auffällig überlaut und merkte gleich, dass das eher ungeschickt war.

Dann flüsterte er mindestens ebenso auffällig:

„Damit können Sie den Wunsch ihrer Freundin erfüllen.“ Er räusperte sich und sah kurz in die ihn anstarrenden Augen, die sich ertappt abwendeten. Dann nickte er ER noch einmal zu:

„Naja, jedenfalls ein bisschen.“

ER wusste, was er meinte und steckte das Tütchen mit einem dankbaren Nicken ein.

Sichtlich erleichtert, dass er diese verantwortungsvolle Aufgabe erledigt hatte, schlurfte der Urnenträger mit seinen überlangen Hosenbeinen wieder von dannen.

Er war kaum drei Meter entfernt, da steckten die wenigen Köpfe sich rasch zusammen und tuschelten.

Diskretion war selten des Menschen Stärke.

ER und Miriam gingen. Sie hatte immer wieder geschluchzt und er nutzte die willkommenen Ablenkungen, um sie mit Taschentüchern zu versorgen.

Er selbst brauchte keines.

Im Auto meinte Miriam:

„Ich habe für dich mitgeweint."

„Ist das jetzt ein Vorwurf, meinst du es als indirekte Frage oder als Hilfe, dass ich nicht geweint habe?", antwortete er darauf etwas bissig.

„Quatsch, Dad. Männer können oft Gefühle nicht zulassen und so habe ich es dir etwas leichter gemacht. Da ist gar nichts dahinter. Außerdem war sie ja auch nicht einfach und eure Beziehung war schon längst den Bach runtergelaufen", meinte sie freundlich.

„Ja, sie war Superwoman und ich war immer ein Luschi für sie", sagte er mit Grabesstimme.

„Ich mochte sie. Sie wird den Himmel jetzt ordentlich aufmischen und kann sich schon bald in ihrem nächsten Leben auf neue Projekte stürzen", sagte Miriam und wurde nachdenklich:

„Nun, vielleicht war ihre Seele auch zu geschockt und weiß noch gar nicht so recht wohin. Dad, wir sollten eine Totenkerze dort aufstellen. Ich glaube, das Licht ist wichtig."

„Wie, dort? Was meinst du damit? Ich verstehe dich nicht. Wir müssen jetzt nach Hause. Amiga ist schon fast drei Stunden allein im Haus und da kann ich unmöglich jetzt…", sagte er abwehrend.

„Ich meinte auch nicht jetzt sofort, aber heute schon. Wir nehmen Amiga mit, klar. Du musst dich damit auseinandersetzen. Das ist besser für dich. Ich sehe doch, dass es dir miserabel geht. Keine Widerrede!", sprach die 28-Jährige energisch.

ER schwieg den Rest des Weges. Wie konnte er aus dieser Schlinge wieder herauskommen. Was dachte sich diese Studentin eigentlich? Sie konnte ihm nicht einfach vorschreiben, was gut für ihn war. Woher wusste sie das eigentlich? Er drehte und wälzte sich innerlich und wollte nicht. Aber er sagte nichts. Stattdessen ärgerte er sich noch mehr über sich selbst. Vielleicht wurde sie ja von diesen befremdlichen Gedanken wieder abgelenkt, wenn sie Amiga sah. Das könnte klappen.

Und wie es klappte! Und wie sie durch Amiga abgelenkt war!

Und ER erst.

Das ganze Wohnzimmer war zerpflückt. So kam es ihnen vor, als sie ins Haus kamen. Oben waren zwei Handwerker fleißig am

Renovieren. Und unten… Alles voller Federn und Schaumstoff-Flocken. Alles voll! Überall. Amiga, stolz wie Oskar, saß mittendrin, mit kleinen Federchen an ihren Barthaaren und Ohren. Dann stand sie auf und kam schwanz- und popowedelnd auf sie zu. Zuerst zu Miriam, weil sie wohl ahnte, dass sie ihr Kunstwerk bestimmt gebührend bestaunen würde.

ER stand fassungslos vor dem Desaster:

„Amiga! Was hast du nur angestellt?“, kam nur aus ihm heraus. Amiga blickte ihn ebenso schwanzwedelnd an und hielt ihre Vorderpfote hoch.

„Was, und dafür willst du auch noch eine Belohnung? Nein, mein Fräulein. Kein Leckerli, nix da!“

Er schoss durch das Wohnzimmer und wirbelte ordentlich Federn und Schaumstoff-Flocken auf.

„Dad! Sie ist mächtig stolz. Sie denkt, sie hat etwas Gutes gemacht. Sie hat aufgeräumt!“, erklärte Miriam die Sicht der Hündin.

„Aufgeräumt? Seid ihr beide übergeschnappt? Schau dir das hier an! Alle Kissenhüllen und Deckenhüllen sind leer! Vollkommen leer!“, sagte er schon leicht hysterisch.

„Saubere Arbeit ist das! Sie ist eben sehr gründlich, was das Aufräumen angeht. Ja, dann füllen wir sie eben wieder!“, meinte Miriam, zuckte mit ihren Schultern und lächelte Amiga liebevoll an.

„Von wegen saubere Arbeit! Sollen wir jetzt aus diesem Gewühl die einzelnen Federn herausklauben oder wie stellst du dir das vor?“, sein Tonfall drohte zu kippen. Er merkte es und atmete tief ein und aus.

Miriam streichelte die Hündin, die wieder aufgeregt tanzte und ihr die Vorderpfote hinhielt.

„Süße, ich habe keine Leckerlis und ich glaube, wir wollen das wieder so herrichten, wie es war. Wenn Dad mal ein größeres Haus hat mit mehr Zimmern, dann kriegst du ein Zimmer, das du so einrichten darfst, wie du es magst. Aber Dad mag es lieber anders. Komm. Wir räumen jetzt auf und dann kriegst du deine Leckerlies!“, erklärte sie der Hündin und die lief zum Sofa und legte sich drauf.

„Das sieht ihr ähnlich! Jetzt liegt sie da und tut nichts mehr. Aber danke, dass du mir bei den Leckerlies nicht in den Rücken gefallen bist… Dann wollen wir mal. Am besten ist, wir stopfen alles in diese Deckenhülle…“ ER funktionierte wieder.

Und es war sogar lustig wie sie versuchten, diese luftigen Teilchen einzufangen und zu bändigen.

Miriam freute sich, dass es ihrem Vater für kurze Zeit quasi federleicht ums Herz war. Den Rest erledigte der Staubsauger. Amiga beäugte alles sichtlich belustigt. Das könnte sie jeden Tag haben, welch ein schönes Spiel.

Als alles aufgeräumt war, erinnerte sie natürlich prompt an das Versprechen. Es wurde ihr dieses Mal auch gewährt.

Alle drei saßen zufrieden auf der Couch.

„Ich weiß ja noch nicht, was ich nach dem Studium mache, aber ich glaube schon, dass ich hier in Milon auch immer mal was zu tun haben werde. Da wäre es schon praktisch, wenn ich hier ein Zimmer hätte. Willst du nicht umziehen, Dad?“, fragte sie frei heraus.

Sofort wirbelten seine Gedanken im Kopf wild durcheinander. Das schaffte sie immer in Millisekunden.

„Umziehen, nein. Solange ich den Job bei MAIS habe, bleibe ich hier. Das genügt vollkommen“, sagte er bestimmt und überrascht über seine Bestimmtheit.

„Ja, aber wenn du dir eine Luschi-Freundin anlachst, dann ist das einfach zu eng auf die Dauer. Die Luschi-Freundin will bestimmt auch ein bisschen gärtnern und hat so ihre Hobbys“, meinte Miriam wie selbstverständlich.

„Was? Was hast du für eine Vorstellung von Luschi-Freundinnen? Was ist das überhaupt für ein Ausdruck?“, sagte er sichtlich verwirrt.

„Das hast du selbst gesagt, du seist ein Luschi. Und Luschis brauchen nun mal Luschi-Freundinnen, dann passt das. Die brauchen eben mehr Platz.“

Punkt.

„Miri, Miriam. Also. Diese Geschichte hier muss erst einmal eine

Zeit vergehen. Dann schauen wir mal. Ganz langsam. Und dann auch nur, wenn diese Luschi-Freundin das auch will und ihren Teil dazu beiträgt.

Ich will niemanden mehr, der mir im Nacken sitzt und ständig Vorhaltungen macht, dass ich dies oder jenes nicht gemacht habe oder zu faul bin, zu bequem, zu langsam, zu gleichgültig. Weder einen Chef noch eine Freundin oder sonstwen."

„Ja, genau so sind Luschi-Freundinnen. Die sind einfühlsam und trotzdem machen sie ihr Ding. Allerdings findest du sie auch nur, wenn du nicht in einem anderen Film unterwegs bist. Du weißt, was ich meine. Alles andere wird sich dann schon fügen. Es wird dir damit bestimmt tausendmal besser gehen, Dad", beharrte Miriam auf ihrer Theorie.

„Schauen wir mal. Das Haus müsste dann schon genau doppelt so groß sein wie dieses hier, damit ich auch genug Raum für mich habe. Sonst wird das nichts. Ich brauche auch meinen eigenen Raum", sagte er, wieder verwundert über seine Klarheit.

„Das wird schon Dad, eins nach dem anderen, wirst schon sehen. Dann haben Amiga und ich ein Zimmer bei euch. Bis dahin schlafen wir eben in der Ecke auf dem Boden", lachte sie herzlich darüber, dass sie ihren Vater aus der Reserve gelockt hatte.

„Dein Wort in des Himmels Ohren. Schön wäre es allemal. Davor muss sich bei mir aber noch so einiges ändern. Ich möchte mal so richtig was Gutes tun, was Sinnvolles. MAIS ist okay, aber es erfüllt mich nicht mehr. Diese ganze Struktur dort… Ich bin einfach alles müde… Nur die Mitarbeiter, um deren Willen bin ich eigentlich noch da. Die sind einfach eine tolle Truppe. Wenn ich ehrlich bin, läuft momentan auch ohne mich alles ganz gut. Eigentlich können sie den Laden echt allein schmeißen. Eigentlich will ich mal was anderes finden. Eine Aufgabe, die irgendwie besser zu mir passt", erklärte er ihr ehrlich, überrascht über sich selbst.

„Das klingt doch alles gut, Dad. Eigentlich…", blinzelte sie ihn an. „Eigentlich… brauchst du es einfach nur tun."

Sie merkte sofort, wie sich sein Gesicht wieder verzog und innerlich abzublocken schien. Sie sah schlichtweg darüber hinweg:

„Wir haben keine Kissen und Decken mehr zum Schlafen. Da müssen wir eigentlich ins Einkaufszentrum und uns neue besorgen, Dad“, rief Miriam erfreut.

ER wollte eigentlich nichts mehr machen heute, nichts außer dasitzen und seine Ruhe haben. Aber sie hatte natürlich recht, obgleich man sich eigentlich auch mit Zeitungen hätte zudecken können. Eigentlich. Er lächelte. Also anziehen und los. Fast.

„Dad, hast du eine Kerze? Eine Grabkerze wäre am besten, aber es regnet nicht, da reicht auch ein kleines Teelicht in einem schlichten Trinkglas. Amiga ist auch meiner Meinung, wir sollen dorthin. Die Straße zum Einkaufszentrum führt direkt an der Unfallstelle vorbei. Ich habe es im Internet nachgesehen“, sagte sie wieder in ihrem bestimmenden Tonfall, gegen den ER nichts einwenden konnte. Er wusste, dass sie allein für diese gute Stimmung zwischen ihnen beiden verantwortlich war und wollte es nicht wieder verderben.

Also suchte er umständlich nach einem Glas. Das Teelicht hatte sie schon in der Hand, woher auch immer. Amiga freute sich, denn sie spürte, jetzt folgte wieder eine gemeinsame Unternehmung.

ER war in tief bedrückter Laune und kam auch nicht heraus. Seine Tochter ließ ihn völlig in Ruhe. Woher hatte sie nur diese Gabe? Hatte er das an seiner ExEx nicht bemerkt? Wieder so ein Versagensgefühl. Das war schlimmer als in die Höhle des Löwen zu gehen, das war das Maul des Löwen und er wusste, er konnte nicht kneifen, konnte nicht fliehen. Irgendwie zog es ihn dort auch hin, er war bisher nur zu feige gewesen. Feige.

Sie fuhren langsamer, als sie auf der B373 waren. Dort sahen sie die Stelle. Es lagen Blumen auf dem Grünstreifen. Davor stand… Frau Augenblick. War es Frau Augenblick? Mit einem schwarzen Leinenbeutel! Sein Herz schlug ihm bis zum Hals. Was geschah hier? Woher wusste sie und was hatte sie damit zu tun? Und überhaupt.

„Hast du die Frau eben gesehen?“, fragte er mehr zu sich als zu seiner Tochter.

„Nein, welche Frau?“

Sie parkten auf dem Seitenstreifen. Seine Knochen fühlten sich an wie Blei, so schwer. Wie furchtbar war das alles!

Er traute seinen Augen kaum.

„Aber da stand doch eben noch eine Frau. Eine ältere Frau, naja, vielleicht auch jünger, aber mit weißen hochgesteckten Wuschelhaaren, mit einem schwarzen Leinenbeutel. Sie hat mich gesehen. Ich kenne sie aus dem Park“, sagte er fassungslos und sah sich pausenlos um.

„Nein, Dad, hier ist niemand. Man kann doch von hier Kilometer weit gucken und niemand ist auf dem Weg zu sehen. Ist doch auch egal. Wir sind hier. Hast du das Glas?“, fragte seine Tochter.

„Nein, ich hole es eben“, sagte ER und kramte im Kofferraum, während Miriam sich vor die Blumen stellte und wartete.

ER ging zu ihr. Sie stellte das Teelicht in das Glas.

„Du kannst es anzünden, Dad“, sagte sie ruhig. Sie hatte Tränen in den Augen.

Zitternd zündete er die Kerze an.

Miriam stand neben ihm und hielt sie in der Hand.

„Es tut mir sehr leid, dass du so aus dem Leben gehen musstest, aber wer weiß, wer das gelenkt hat. Es ist schade, weil ich dich mochte, aber mein Dad und du, das wäre eh nicht gut gegangen. Er ist nun mal mein Dad. Sei ihm nicht böse deswegen. Danke für deine Tipps bei der Farbmuster-Auswahl für meine Kostüme im Frühling. Ich werde es mir merken, mit wie viel Elan du an alles rangegangen bist und immer an das geglaubt hast, was du tust. Und ich werde mir merken, dass zu viel Elan einem das Leben kosten kann und werde nie wieder mein Handy im Auto anhaben, wenn ich fahre. Machs gut und grüße meine Großeltern, wenn du sie siehst.“ Damit beendete sie die kurze Ansprache und reichte die Kerze ihrem Vater. Der stand wie versteinert neben ihr.

„Sagen Sie ihr, was Sie ihr noch gern sagen möchten. Sie kann es hören“, hörte er eine Stimme neben sich. Er drehte sich um, sah aber niemanden. War ja klar.

„Sagen Sie ihr, was Sie ihr noch gern sagen möchten. Sie kann es hören.“ Sein Herz stolperte, schien ihm aus der Brust zu springen.

„Dad… Sag einfach was… Egal was… Es ist gut“, sagte seine Tochter ruhig und hakte sich bei ihm ein. Das war zu viel. Alle haben sich gegen ihn verbündet, verstanden sich, ohne sich zu sehen und er…

„Sagen Sie ihr, was Sie ihr gern sagen möchten…“

„Ja, aber…“, stotterte er.

„Hab keine Angst. Es tut gut! Schau in das Licht“, sagte seine Tochter und sah in das Licht.

„Ich, ich würde ihr gern sagen…“, stammelte er.

„Sagen Sie es ihr direkt“, hörte er die Stimme unausweichlich.

„Ich, ich möchte dir sagen, dass es mir leidtut, dass wir das nicht geschafft haben. Ich würde, ich möchte dir sagen, dass es mir leidtut, dass ich zur Liebe nicht fähig war. Verzeih mir, dass ich solch ein Egoist war. Ich konnte es nicht anders. Du hast in mir immer einen anderen gesehen. Dir einen anderen gewünscht. Verzeih mir, dass ich dich einfach hab gehen lassen, ohne richtig mit dir zu reden. Bitte verzeih mir das. Und dass du diese verdammte SMS an mich geschrieben hast und dann gestorben bist, meinetwegen.“ ER kniete nieder, und weinte.

„Verzeih mir das, bitte…“, rief er in die Kerze.

„Dad, du kannst nichts für ihren Tod. Das hat sie falsch gemacht, nicht du. Sie hat immer ihre Nachrichten beim Fahren erledigt. Ich hatte selbst schon dabeigesessen und ein ungutes Gefühl. Da war nicht nur eine haarige Situation gewesen. Ich hatte ihr schon gesagt, dass sie das lassen soll. Sie hatte mich nur angelächelt, als sei ich ein kleines dummes Ding. Dad, du kannst nichts für ihren Tod. Nur sie allein“, sagte seine Tochter einfühlsam, kniete sich zu ihm und reichte ihm ein Taschentuch. Mit seinen verschwommenen Augen blickte er sie an.

„Danke.“

„Wir hatten eine kurze schöne Zeit und ich danke dir dafür. Ich wünsche dir im nächsten Leben einen sportlichen Mann an deiner Seite, der all deinen Ansprüchen genügt. Das tu ich von Herzen, glaub mir. Ich hoffe, es geht dir gut im Himmel. Pass auf dich auf.“

Sie knieten noch eine Weile, dann standen sie auf und setzten sich ins Auto.

Kurzes Schweigen.

„Danke, Miriam, das war gut. Niemals hätte ich das getan, wenn du das nicht forciert hättest", sagte er aufrichtig und atmete tief durch.

„Ich weiß. Danke, dass du mitgefahren bist. Ich weiß, dass es gut ist, Dinge richtig abzuschließen. Als wir damals umgezogen sind und ich keine Abschlussfete machen durfte, da fehlte mir richtig was. Deswegen wollte ich wohl unbedingt eine Abschiedsfeier machen, als ich das Auslandsjahr gemacht habe und das hat gutgetan", erklärte sie.

„Du hast sicher recht. Für mich ist ein Ende ein Ende und das mag ich nicht feiern", sagte er.

„Aber ein Ende ist auch ein Anfang von etwas Neuem", sagte sie lächelnd, als könnte sie seine Gedanken lesen, was sie wohl konnte:

„Mit einem ordentlich abgeschlossenen Ende kann etwas Neues beginnen. Es macht frei. Der Tod ist auch ein Übergang. Wir wissen nicht genau wohin, aber sicher hat sie es dort gut und kann zur Ruhe kommen. Denn das konnte sie im Leben nie. Wer weiß, was dann auf sie wartet. Für die Lebenden geht es auf der Erde weiter. Egal was, es abzurunden mit ein paar Worten in Gedenken, das ist immer gut."

„Ja", stimmte ER zu.

Sie fuhren los zum Einkaufszentrum. Sie erledigten rasch ihre Einkäufe, fuhren wieder nach Hause und richteten das Wohnzimmer gemütlich ein mit ihren Schlafplätzen.

Den nächsten Tag verbrachte Miriam in der Stadt bei ihren Freundinnen. Abends wollten sie sich in einem Fischrestaurant zum Essen treffen.

ER nutzte die Zeit, um die renovierten Zimmer zu begutachten. Er sollte sich noch für eine Farbe für das Schlafzimmer entscheiden und beschloss, es seiner Tochter zu überlassen, jedenfalls die Idee.

Dann fuhr er in die Stadt, in den Park. Amiga freute sich besonders, denn sie liebte ihre Schnüffelstellen und liebte es noch mehr, wenn sie alle Zeit der Welt dafür bekam.

Und er wartete. Auf sie, Frau Augenblick.

Wollte sich vergewissern, dass sie echt war.

Sie kam nicht.

Sonderbar. Zwei Tage in Folge, das gab es noch nie, jedenfalls seit er sie kennengelernt hatte. Er wusste gar nicht, was er denken sollte, bekam keinen Denkanstoß wie gewohnt, wenn sie da war. Er drehte eine Runde. Nichts. Also ging er ins Büro. Da lag eine hippe Broschüre von HippsterPress samt Papiermusterbuch. Er schaute sich ihre Internetseite an. Hatten sich wohl durch ein paar renommierte Vorstandsetagen gevögelt. Egal wie teuer sie waren, sie würden den Druckauftrag kriegen. So war das mit Vitamin B. Dafür musste an den Lohnkosten gefeilt werden. Wehe, wenn er Alessa anfasste…

Kringel. Bleistift abgebrochen.

Jetzt hat sie noch mehr zu erzählen.
Sie weiß so viel und hat auf jede Frage eine Antwort.
So wird aus einer Null das Zeichen für die Unendlichkeit von Geschichten, die ein tausendjähriges Leben in den Wind schreiben kann.

ER wollte sich da nicht hineinsteigern. Nutzte eh nix. Amiga las Zeitung im Garten, Spuren der Eichhörnchen und Kaninchen, äußerst interessant.

Er bewunderte dieses schlichte Gemüt.

Endlich Essenszeit. Er rief Amiga, die prompt kam, Leckerli, brav.

Als er den Transparenzflur zurückging, blieb er mit seinem Jackenärmel an einem Türgriff hängen. Die einzige Tür außer ihren eigenen Bürotüren, die hier noch nicht transparent war. Wohl die Besenkammer, ein Abstellraum der Marketingabteilung, denn nur wenige Zentimeter links und rechts entfernt fing die Transparenz der weiteren Abteilungen von MAIS Gujaland an:

Werbung, IT, Medien, Events und Marketing mit Michaela

Erhard und ihrem prallen Hintern. Gegenüber die Transparenz von Kreation Young mit einer Art Rollcontainertischchen für die Angestellten, die sie sich nach Bedarf hinrollen konnten, wo sie gerade sitzen wollten und mit wem sie gerade zusammenarbeiteten, hipper gesagt: networkten. Natürlich hatte jeder sein eigenes brandaktuelles Tablet. Eine Pflanzeninsel mit Tageslicht in der Mitte. Eine Drink-Insel.

ER lächelte verächtlich, musste aber zugeben, dass es eine interessante Idee war, ein lockeres Arbeitsumfeld zu gestalten. Für die vielen Studenten, die hier im Einsatz waren, war dies sicher motivierend. Allein die Sitzbälle und melkschemelartigen, verstellbaren Bürohocker. Megahip! Und teuer. Alles. Das entstammte der Ära Willi Schnurz.

Nach dem Fischrestaurant gingen sie zum Fluss auf einen Ponton. Windrichtung messen. Tütchen im Tütchen öffnen.

„Dieser Ort hier am Fluss gefällt dir bestimmt. Hier ist es schön und es ist in der Stadt, die du so geliebt hast. Bewegung und Action. Möge für dich alles im Fluss sein und du ein gutes Leben nach dem Leben haben, so es dies geben sollte. Du bist frei!"

Miri ging einen Schritt zurück. Sicher war es. Dieses Tütchen anfassen, die Asche verteilen, das wollte sie nicht. Fand sie gruselig.

Ihr Vater prüfte noch einmal die Windrichtung und ließ den Wind die Asche verwehen. Es sah aus wie eine Prise Pfeffer, mit der er jetzt den Fluss würzte. Zudem wehte die Prise zunächst in die entgegengesetzte Flussrichtung, um dann, auf dem Wasser aufgetroffen, noch einmal zum Abschied an ihnen vorbeizufließen. Eine Welle nahm sie auf und brachte sie irgendwann zum großen Meer, zur vollkommenen Freiheit. ER nickte zufrieden.

Miriam stieß ein „Uuh!" aus und zog ihren Schal über den Mund, obgleich sie megasicher stand. Sie hatte sich am Unfallort mit der Kerze verabschiedet. Dies hier tat sie ausschließlich ihrem Vater zuliebe.

Für ER war es wie eine Befreiung, denn er hatte das erste Mal das Gefühl, seiner Ex etwas recht gemacht zu haben.

SIE öffnete nicht

Am nächsten Tag brachte er Miriam zum Flughafen. ER wollte sie noch bis zu den Kontrollen bringen, aber Amiga veranstaltete ein Höllengeheule und wollte partout nicht in das Gebäude hinein. Miri heulte mit, weil sie die kleine Hundedame so in ihr Herz geschlossen hatte. Sie schwor vor Amiga mit erhobener Hand, dass sie nach dem Studium unbedingt in Milon arbeiten wollte und nicht in der Welt. Prompt hörte Amiga auf zu heulen und führte einen kleinen leicht verrückten Hundetanz auf. Dann atmete Miri tief durch, umarmte ihren Dad und verschwand durch die transparente Drehtür ohne sich zum Winken umzudrehen. Amiga drehte sich um und zog Richtung Auto. ER stand da und schüttelte den Kopf. Wie sollte er Frauen jemals verstehen lernen?

Es ging zur zweiten Therapie-Sitzung. ER klingelte.

SIE öffnete nicht.

Er klingelte ein paar Mal. Keine Regung. Er rief ihr Handy an, ihr Festnetz. Nichts. Er suchte nach ihrem Auto. Auch nichts. Sie wohnte nur zwei Straßen weiter, hatte sie gesagt. Er kramte nach ihrer Visitenkarte. Stand nicht drauf, war klar. Zwei Straßen in welche Richtung?

„Amiga, wo hast du gewohnt, bevor du zu mir gekommen bist? Zeig mir den Weg, okay?“, hatte ER die Blitzidee. Amiga tat gar nichts. Sie saß artig vor der Tür und starrte den Türknopf an. Half aber auch nichts.

Okay, Ausnahme.

Leckerli ohne vorherige Leistung.

Half nicht. Er fühlte sich leicht verhohnepiepelt.

Dann zog er sie nach rechts. Ging gar nicht. Nach links, auch nicht. Blieb nur noch über die Straße. Passte.

Von nun an tapperte die kleine Lady vor ihm her und wies ihm tatsächlich den Weg bis zur Haustür von Dr. Salana Iva Engel. Er klingelte. Wieder keine Regung. Der Anordnung der Klingelknöpfe nach wohnte sie links im ersten Stock dieses Altbaus. Zwar renovierungsbedürftig, aber hübsch. Jugendstil. Er klingelte gegenüber und man öffnete ihm, ihnen.

„Ach, da ist sie ja, die kleine hübsche Amiga!", gurrte ein älterer Herr.

„Entschuldigen Sie, ich wollte zu Frau Dr. Engel. Wir hatten uns verabredet und sie öffnet nicht", erklärte ER.

„Ach, Sie sind der freundliche Herr, der sie übergangsweise aufgenommen hat. Das ist sehr freundlich von Ihnen. Wollen Sie hereinkommen? Darf ich Ihnen einen Schnaps anbieten?", sagte der ältere Herr freundlich.

Jetzt roch ER die Fahne und blickte in glasige freundliche Augen. Amiga war in der Wohnung verschwunden. Mist.

„Oh, nein danke. Wissen Sie vielleicht, wo sie ist? Hat sie Ihnen zufällig etwas gesagt?", fragte ER, obwohl er sich die Antwort schon gegeben hatte.

„Ja, hat sie. Hab ich aber im Moment vergessen. Vielleicht hilft Ihnen ein Schlaps." Die glasigen Augen sahen ihn tief bedauernd an.

„Mir? Schlaps? Ach so, ich verstehe. Schluck Schnaps. Ist klar. Nein danke, für mich nicht. Ich will noch fahren. Hat sie irgendeinen Namen gesagt. Meinen vielleicht. Emil Richter, ER?" ER gab nicht auf und rief nach der Hündin:

„Amiga! Komm sofort wieder raus!"

„ER, nein, nie gehört. Sie war ganz durcheinander. Deswegen bin ich auch ganz durcheinander. Vielleicht irgendwas mit ihrer Mutter, Schwester, Freund. Ach, was weiß ich. Ist mir auch egal. Ich brauche einen Schlaps. Wollen…"

„Nein, danke. Wir fahren wieder nach Hause. Amiga, komm! Vielen Dank. Amiga komm sofort!" ER kramte nach Leckerlis in seiner Jackentasche. Das hörte sie. Zack war sie da.

„Falls Sie sie sehen, sagen Sie ihr bitte, dass wir da waren", meinte ER und ergänzte:

„Nein, sagen Sie ihr einfach, dass Amiga, der Hund, hier war. Schönen Abend."

Mit einem beklemmenden Gefühl fuhr er nach Hause. Was war da jetzt wieder? Hatte das etwas mit ihm zu tun? Mutter, Schwester, Freund, das war nicht er, nein. Freund? Ihr Freund? Hatte sie doch einen Freund? Verdammt.

Wie endlos gut, dass Amiga im Haus war. Neben ihm. Er goss sich einen Schlaps ein, nein, einen Rotwein und setzte sich vor den TV. Serie. Miri, Miriam, hatte ihm gezeigt, wie, was, wo. Nun war er serieninfiziert. Er schlief auf der Couch ein.

Null Uhr. Das Telefon klingelte. SIE.

„Es tut mir leid, dass ich Sie heute versetzt habe. Es kam alles zusammen. Eine Patientin hat sich das Leben genommen. Sie war suizidgefährdet, aber dennoch, es ist arg. Kaum, dass ich den Hörer aufgelegt hatte, kam ein Anruf von der Nachbarin meiner Mutter. Sie sei gestürzt. Also schnell hin, Krankenwagen schon da, Krankenhaus, gewartet, Schulter gebrochen, wird morgen operiert. Kaum, dass ich wieder zu Hause war, rief meine Schwester an, ihr Freund hätte einen Autounfall gehabt. Auch im Krankenhaus, geht ihm aber soweit gut. Kopfschmerzen, weitere Untersuchungen, zur Beobachtung, sicherheitshalber. Ich komme mir vor wie in einem schlechten Film“, erklärte sie.

„Ach, Sie haben gar keinen Freund?“, kam von dem verwirrten ER die erste Reaktion. Völlig unpassend.

„Wie, ich, nein, momentan nicht. Wieso fragen Sie das nach alldem, was ich gerade erzählt habe?“, reagierte sie verärgert.

„So war das nicht gemeint. Ihr Nachbar meinte sowas, es wäre was mit Mutter, Schwester, Freund. Mehr wusste er nicht. Ist ja gut, dass mit Ihnen alles gut ist. Es ist mit Ihnen doch alles gut? Ich hatte mir schon Sorgen gemacht“, plapperte ER.

„Gut, naja, gut ist etwas anderes. Okay, mir ist nichts passiert, aber um mich herum, gar nicht gut. Ich wollte Ihnen das nur sagen. Ich melde mich, wegen eines neuen Termins“, sagte sie mit einer hörbaren Enttäuschung in der Stimme.

„Ja, wie? Sie melden sich? Aber wann? Mir geht es nicht gut.“ Zu spät. Gesagt ist gesagt.

„Danke für Ihr Verständnis. Auf Wiedersehn, ER.“ Sie legte auf.

„Verdammt!“

ER hasste sich gerade mehr denn je. Ihm ginge es nicht gut, das waren also seine einzigen einfühlsamen Worte?

Er war wütend, weil für sie momentan alles andere wichtiger war als er, wo er sie doch brauchte. Ob sie einen Freund hatte oder nicht, das war doch scheißegal, naja, fast.

Er stand auf und schenkte sich doch einen Schlaps ein. Dann stand Amiga ebenso fordernd neben ihm. Er lächelte und gab ihr ein Stückchen Geflügelfleischwurst. Dann wollte sie kurz raus, wieder rein und rollte sich zufrieden auf ihrem Platz ein. Ein mahnendes Auge auf ihn gerichtet.

„Okay, ich geh auch ins Bett. Morgen ist ein neuer Tag. MAIS wartet. Morgen Abend rufe ich sie nochmal an und bieg das wieder hin. Du hilfst mir dabei, okay? Vielleicht treffen wir ja Frau Augenblick im Park. Ich brauche dringend neue Gedanken.“

Dann wechselte er zu Miris Matratze. Die nächste Anschaffung war ein Bett, wenn oben fertig gestrichen war. Beschlossen.

Die Kluft war zurück. ER guckte runter, da schoss eine Eiche empor. Das ging so schnell, dass er nicht rechtzeitig reagieren konnte, um aufzuspringen. Dann stand er vor dem Stamm wie vor einer Mauer, die so breit wie die Kluft war. Rüberkommen völlig unmöglich.

„ER, du glaubst es nicht. Die Präsentation um Ölfe ist abgesagt. Und du wirst genauso wenig glauben, was er fordert…“, empfing Chrischi ihn völlig aufgewühlt.

„Chrischi, das ist doch halb so wild!“, meinte Alessa mit einer abwehrenden Handbewegung. Sie sah wieder äußerst adrett aus, obwohl sie tatsächlich weniger Rot an sich trug. Allein ein Gürtel und ein Haarband.

„Wieso, was fordert er?“, hakte ER nach und ging mit Amiga und dem reparierten Modellflugzeug in sein Büro durch, während er Chrischi und Alessa mit den Augenbrauen ein Zeichen gab, ihm zu folgen.

„Also, was?“ ER nickte Chrischi zu.

„*Sie* soll ihm die Unterlagen bringen. Alessa. Allein“, erklärte er.

„Du meinst in die Marketingabteilung, wo er sich immer mal bei Michaela einnistet?“, fragte ER nach, weil er es nicht glauben wollte, was dieser Typ tatsächlich forderte.

„Nein, ÖR. Zu sich nach Hause! Zu ihm persönlich. Nur Alessa“, Chrischi sah ER fast flehend an.

„Nun sei doch nicht solch eine Drama-Queen, Chrischi! Was soll dabei sein? Wie oft war ich schon bei dir und habe dir etwas vorbeigebracht? Oder Studis waren bei mir, die was abgeholt haben. Also, ist doch kein Problem, stimmts ER!“, wehrte Alessa entschieden ab.

ER sah sie an, holte tief Luft und sagte ganz klar und bestimmt:

„Kommt auf ganz und gar keinen Fall in Frage, dass du allein zu ihm fährst! Auf gar keinen Fall, Alessa!“

Chrischi sank erleichtert auf den Stuhl. Alessa war empört:

„Seid ihr alle paranoid? Hunde, die bellen, beißen nicht. Den Spruch kennt ihr doch!“

„Ihr geht zusammen. Keine weitere Diskussion“, bekräftige ER und lenkte das Thema um:

„Die neuen Entwürfe sehen sehr gut aus. Hatte ich mir am Samstag angesehen. Alles drin, was er angesagt hat. Ich muss zugeben, es gefällt mir tatsächlich. Nur das Titelblatt, naja. Ich denke, wenn wir die ersten drei Hefte in seinem Sinne rausbringen, wird er sich zufrieden anderen Opfern zuwenden und wir können die Ausschnitte wieder etwas höher ansetzen. Gibt es schon ein Angebot von HippsterPress?“

„Nein, die haben noch nicht geantwortet“, Chrischi zuckte seine Schultern.

Alessa gab noch nicht auf:

„Das ist doch blöd, wenn wir zu zweit zu ihm gehen. Das ist doch ein gefundenes Fressen für ihn. Er wird sich erst recht lustig über uns machen.“

„Das nehme ich locker in Kauf. Aber ich möchte nicht, dass du mit ihm allein bist, Alessa. Georg Frühling hat es deutlich gesagt. Du hast es auch gehört: Nichts ist es wert, weiter zu gehen. Das war doch eindeutig. Er kennt ihn offensichtlich gut. Ansonsten stimme ich mich gern mit Georg Frühling ab, wenn du eine höhere Anordnung brauchst“, gab ER noch deutlicher zu verstehen.

„Okay. Muss nicht sein“, sagte Alessa und stapfte leicht wütend raus.

„Ich fahre in einer halben Stunde mit ihr“, sagte Chrischi.

„Danke. Es ist besser so. Ich überlege nur noch kurz, ob ich es persönlich übernehmen sollte, allein. In solch ein Spielchen soll er euch nicht reinziehen“, überlegte ER, aber Chrischi meinte:

„Das passt schon. Sonst verprellen wir ihn ganz. Gerade läuft es doch ganz gut. Auch wenn ich mitkomme, hat er doch seine Augenweide…“

„Und du ein Auge auf ihn. Wir versuchen es“, beschloss ER.

Natürlich bereute er diesen Beschluss, kaum, dass sie losgefahren waren.

Kringel.

Dieser Idiot wohnte auch noch im Speckviertel von Milon.

Kringel.

Allein die Fahrt dauerte eine gute halbe Stunde.

Kaninchenhöhlen und Schutz für viel Kleingetier gewährt Eiche unter ihren Wurzeln.
Gefeiert wird, wenn sie nullt.
Die Eichen, sie feiern gemeinsam, ohne sich gegenseitig zu besuchen.
Ihre Wurzeln wissen voneinander.

Michaela Erhard stand leicht überrascht in der Tür:

„Ach, ich dachte, ihr seid schon rüber zum Meeting. Das Angebot von HippsterPress ist gerade eben hineingeflattert. Ich wollte nur fragen, wo die Sitzung stattfindet. Wollte ich euch rüberbringen, damit Alex, ich meine Herr Dr. Schwarzenegger, alles für das neue Heft beisammenhat. Hatten sie versehentlich zu mir geschickt.“

Sie fuchtelte umständlich mit den Zetteln in der Hand.

„Ah, gut. Ich wollte gerade eben bei HippsterPress nachhaken.

Die haben sich ganz schön Zeit gelassen. Können es sich wohl leisten", meinte ER bewusst emotionslos. Er ließ sie zappeln.

Sie stammelte:

„Nein, nein. Brauchst du nicht. Ist ja da. Die haben viel zu tun. Sehr angesagt in Milon. Dann, dann könnt ihr ihm das Angebot gleich vorlegen. Heute ist ja eh nur eine abgespeckte Runde. Wichtige Entscheidungen wurden ja bereits gefällt. Warum seid ihr noch nicht los? Sitzung hat doch schon angefangen? Wo sind denn deine Mitarbeiter?"

Sie drehte sich um und prüfte noch einmal alle Anwesenden im Büro.

„Sind sie allein im Meeting ohne dich?"

„Es gab eine Planänderung. Sie sind zu ihm nach Hause. Wie du sagst. Wichtige Entscheidungen sind bereits gefällt worden, da muss ich nicht mit. Ist natürlich jetzt ärgerlich wegen des fehlenden Angebots. Aber ich schicke es rasch Alessa, dann hat sie es vorliegen."

ER war gemein. Das wusste er. Konnte es nicht lassen. Er fand es ätzend, wie Michaela um diesen Wichtigtuer buhlte.

„Ach. Bei ihm zu Hause. Dann ist ja alles geregelt. Kannst mir ja erzählen, was er gesagt hat, wenn sie zurück sind", antwortete sie gefasst und drehte auf High Heels postwendend um, dass sie fast umgeknickt wäre. Sie konnte sich am Türknauf festhalten, ließ aber die Zettel fallen.

„Oh, wie ungeschickt. Fast vergessen", faselte sie, sammelte die Zettel auf, warf sie ER auf den Tisch und verschwand mit lauten Tippelschritten. Der erhoffte Klaps blieb wohl heute aus.

ER seufzte und sortierte die drei Angebotszettel.

Unglaublich! Das Angebot lag gute 30 Prozent über dem teuersten ihrer eingeholten Angebote. Da wäre ihre Vollversion sogar noch billiger. War irgendwie klar. Er ließ es liegen und schickte es nicht seinen Mitarbeitern. Er wollte es mit Georg Frühling besprechen. Das lag nicht in ihrem Etat, Dompteur hin oder her.

Kringel.

Nein, keine Idee.

Er ging vor zu Maggi und den beiden Studis. Es war gerade eine Lieferung neuer Merchandising-Produkte gekommen. Im neuen CD-Blau und mit neuem Milon-Logo. Konnte man drüber streiten, ob das nötig war. Zeitgemäß war der neue Auftritt, zugegeben. Man wollte schließlich, dass auch die nachwachsenden Bürger sich mit ihrer Stadt identifizieren konnten. Nun, nachdem MAIS Gujaland in der Hauptstadt Fachim einen kompletten Neuanstrich durchsetzen konnte, zogen jetzt die anderen Großstädte mit, ob sie wollten oder nicht. Manchmal war urplötzlich Geld für etwas da, das tags zuvor noch an allen Ecken gefehlt hatte. Nun, dem Inhaber von MAIS, Sitz auf einem anderen Kontinent, gehörte unter anderem noch die größte Kinokette weltweit und der größte Versandhandel weltweit, der zufällig am Rande jener Städte, die von MAIS betreut wurden, ihre Filialen angesiedelt hatten. Dass HippsterPress auch zu diversen Konsortien dazugehörte, verwunderte jetzt keinen mehr. Das hatte Chrischi herausgefunden. Das zum Thema Transparenz und freie Marktwirtschaft. Das steuerte geradezu Richtung Marktdiktatur.

Politiker, ob in Stadt oder Land, waren doch nur noch Marionetten in den Händen jener Drahtzieher. Vor gar nicht langer Zeit hatte sich der Staat von der Kirche losgesagt. Jetzt war Geld der neue Gott. Nein, noch passender, da beides nicht greifbar war: virtuelles Geld war der neue Gott. Die Politik war einmal wieder von der Gnade eines Gottes abhängig und durch die subtilen Machenschaften seiner selbsternannten Vertreter. Arm.

Amiga kam und holte sich eine Runde Streicheleinheiten. Einfach herrlich, dass nur durch ihre bloße Präsenz eine ordentliche Brise Leichtigkeit durch die Büros wehte.

ER öffnete einen Schirm und drehte ihn. Dezent, aber schön. Es passte. Gut, dass sie die Produktion der alten Produkte zurückgefahren hatten. Da gab es nur noch geringe Bestände. Schade drum, egal.

Um Kreation Young mit ihrer Szene.Card stand es da ganz anders, wie jetzt so langsam durchsickerte. Willi Schnurz schien es quasi schnurzegal gewesen zu sein, ob ein CD/CI-Neuauftritt von Milon angestanden hatte oder nicht. Er hatte gnadenlos Massen von Merchandise-Artikeln im alten Design produzieren lassen – endlose Mengen von Klamotten, Streetwear hieß das hier, von Hoodies über Muskelshirts, Girlyshirts bis zu Bikinis, Badeshorts, Caps, Flipflops und Sonnenbrillen. Dazu Schutzhüllen für alle erdenklichen Modelle von Smartphones und Tablets. Große Bestände von Laptoprucksäcken, auch noch im alten Design und mit altem Logo, fanden sie gerade heute Morgen im Lager. Unglaublich. Als hätte er mit eifrigem Vorsatz an dem Ast gesägt, auf dem er gemütlich gesessen hatte.

Nur Gedrucktes hatten sie nicht. Keine Flyer, kein Magazin. Das geschah alles online unter Szene.Milon. Die Szene.Card.Milon gab es als App auf dem Smartphone und im Internet konnte eh alles gelesen und bestellt werden. Social Networking war sowieso Standard. Das Neueste wurde täglich, stündlich, minütlich sofort und in alle Welt verbreitet. Up to date war Pflicht, sonst war es das mit Szene.Milon.

Das Twen-Kultur-Abo würde schon viele ansprechen, aber wohl nicht unter dem Deckmantel des Kultur-Abos Milon. Wäre eher etwas als Erweiterung der Szene.Card. Das roch also nach einer Kooperation. Mit Georg Frühling verspürte ER seit Langem ein Aufflackern von Lust dazu. Willi Schnurz war ja weg. Was eine Person so ausmachen konnte. Dabei sollte es im Geschäftlichen rein um die Sache gehen.

Warum kamen sie nicht? Das dauert vielleicht.

Er kontrollierte also die Qualität der Stock- und Taschenschirme, der Caps und der Lesezeichen, von Sanny und Elle in Gemeinschaftsarbeit entworfen und für gut befunden. Er prüfte die Blautöne und den Druck und Stand der Logos. Das Blau…

„Öi, das geht ja gar nicht! Das ist ja Lila und nicht Blau“, rief Chrischi schon von Weitem. Der hatte Adleraugen, was Farben anging. Er schnappte sich das Muster-Sitzkissen und drückte darauf herum.

„Und es lässt sich gar nicht ordentlich klappen, das Klappsitzkissen. Da mössen die aber nochmal ran, die Jungs. Das Sitzkissen muss ordentlich sein für Open-Ör-Konzerte. Sind die Musterköfferchen auch schon mitgekommen? Die werden der Renner für unsere Kulturreisefreudigen. Ich brauche auch unbedingt eines. Alessa hat extra welche ausgesucht, die leicht zu tragen und zu rollen sind. Pörfekt fürs Handgepäck.“

Chrischi redete wie ein Wasserfall und mit einem überdrehten schwulen Touch. Das machte er immer, wenn er aufgeregt war. Alessa war zielstrebig zu ihrem Platz durchgerauscht und schaltete ihren Rechner an. Kein Wort. Kein Blick.

Augensprache und Chrischi und Alessa kamen mit in ERs Büro.

„Was ist los? Was ist mit dir, Alessa? Ist es nicht gut gelaufen?“, fragte ER frei heraus.

„Es war ganz okay“, meinte Chrischi mit einer Tütü-Handbewegung, um die Stille zu füllen.

ER sah sie fragend an. Die Stille hielt nicht lange an. Alessa schnaubte los:

„Ha! Von wegen okay! Nix war okay! Er hat sich das Heft gar nicht angeguckt. Er hat sich die ganze Zeit darüber lustig gemacht, dass ich nicht allein gekommen bin. Chrischi sei wohl meine Leibgarde, mein Ritter, mein Anstandswauwau.“

„Das haben wir uns doch schon gedacht. Wieso hat er das Heft nicht angesehen? Hat er denn irgendetwas dazu gesagt?“, wollte ER wissen. Alessa ließ sich nicht beruhigen:

„Ha! Das war so ein peinlicher Auftritt! Jetzt hat er etwas, worüber er sich überall lustig machen kann. Auf unsere Kosten. Nur, weil ihr solch eine Paranoia habt. Als sei ich ein kleines Mädchen und könnte mich nicht wehren. Ach ja, meinen großen schwulen Bruder hat er Chrischi auch noch genannt, und Papa. Mein Papa hätte nie solch eine peinliche Nummer abgezogen.“

„Ich meine, er hatte kurz genickt, als du ihm das Heft gereicht hast. Er hatte das Cover angesehen und genickt“, meinte Chrischi mit Tütü-Handbewegung.

„Ja. Und dann hat er es auf den Tisch gepfeffert, weil er dich gesehen hat“, meinte Alessa verächtlich.

„Er hat es nicht gepfeffert. Außerdem habe ich ihm erklärt, dass wir die geschäftlichen Außentouren ömmer zusammen unternehmen. Wir hätten danach noch einen Törmin in der Konzerthalle, um die Konditionen zum Twen-Kultur-Abo auszuhandeln. Das stimmte zwar nicht, aber das hatte ich mir so ausgedacht, damit es selbstverständlich klang“, erklärte sich Chrischi. Wieder mit Tütü-Handbewegungen. Der Arme war völlig aus dem Häuschen.

„Ha! Selbstverständlich! Als würden wir beide immer im Doppelpack… Die Konditionen handelt immer die Leitung aus und nicht wir. Das hat er doch gleich durchschaut und sich einen gefeixt. Das war arm, Chrischi!“, schnaubte sie verächtlich. So hatte ER sie noch nie gesehen.

„Jetzt ist es aber mal gut. Er sät Zwiespalt, wohin er kommt. Das ist seine Strategie. Auf dieses unsaubere Spiel möchte ich nicht einsteigen. Georg Frühling…“

„Ach, ihr seid alle nur neidisch, dass dieser kleine Mann es so weit hinaufgeschafft hat. Er kann sein, wie er will, alle fressen ihm aus der Hand, weil er die Macht hat durch angesehene Freundschaften“, meinte Alessa mit einem Ph-Augenrollen.

„Alessa, da gehe ich überhaupt nicht drauf ein. Schau genau hin. Wir haben gehört, dass er über Leichen geht und Schneisen schlägt, wohin er kommt. Genau das lasse ich nicht zu. Ich schlage vor, wir belassen es dabei. Das nächste Mal gehe ich allein. Es war mein Fehler. Kaum, dass ihr los seid, hatte ich es schon bereut, dass ich nicht allein gegangen bin. Ich ahnte dieses Unheil. Es tut mir sehr leid. Derartige Auseinandersetzungen werdet ihr nicht mehr haben müssen“, sagte ER mehr als unerwartet klar und deutlich.

„Genau so sehe ich es auch“, sprach Georg Frühling, woher auch immer er gerade hinter Alessa aufgetaucht war. Selbst die Bürotür hatte keiner gehört und sie war wieder geschlossen.

„Dieser Mann ist unberechenbar wie ein unerzogenes Kind. Wir sind nur Spielzeuge und attraktive Frauen sind für ihn besonders begehrenswerte Spielzeuge. Ich kenne sein Gebaren aus drei

Städten vor Milon. Er hat mächtige Freunde. Nach außen hin sind es Freunde. Auf dieser Ebene gibt es ausschließlich Nutzfreundschaften, die ebenso schnell enden können wie sie urplötzlich entstehen. Also sind wir achtsam. Besonders mit den Frauen in unserem Betrieb. Michaela Erhard gehört auch zu seinen Opfern. Sie ist schon in seinen Launen gefangen. Ich kann ihr ganz schlecht etwas sagen, weil sie sein Sprachrohr aus MAIS Milon ist. Sobald sie nicht mehr von Nutzen ist, wird er sie fallen lassen."

„Das habe ich mir gedacht, so, wie sie hinter ihm hergurrt. Wie so eine rollige Katze. Die hat sich ja gar nicht mehr unter Kontrolle. Ich schon. Ich habe jeden Atemzug unter Kontrolle. Und wie ihr schon beobachten konntet, habe ich auch ihn damit unter Kontrolle. Diesen Trumpf gebt ihr so schnell aus der Hand. Es ärgert mich, dass ihr zu mir absolut kein Vertrauen habt", beschwerte sich Alessa.

„Sie hat das Angebot von HippsterPress an uns vorbei zu sich umleiten lassen und es zurückgehalten, um es ihm persönlich geben zu können. Daran erkennen wir den Ernst der Lage und dass wir vorsichtig sein müssen. Sie sieht in dir eine starke Konkurrenz. Damit ist nicht zu spaßen", meinte ER ruhig. Georg Frühling nickte. Das hatte er also auch schon mitbekommen, das mit dem Angebot.

„Oh, diese Schlange! Wenn wir das dabeigehabt hätten, wäre es nicht so eine halbe unausgegorene Sache gewesen. Er hat das natürlich gleich bemerkt, dass das Angebot fehlte und Chrischi noch mehr megadiskriminierend verarscht. Es tut mir leid, Chrischi. Er hasst dich und deswegen wollte ich allein hin. Er frisst mir momentan aus den Händen, aber dich haut er mit der Peitsche. Das finde ich kaum auszuhalten. Deswegen wollte ich allein…", seufzte Alessa.

Chrischi legte dankbar seine Hand auf ihre und lächelte.

„Ich glaube, meine sehr verehrten Damen und Herren, wir haben alle unsere Lektion daraus gelernt und werden tunlichst dafür sorgen, dass dieser gefährliche Mensch keinem von uns ein Haar krümmen wird. Ich stehe zu jedem einzelnen aus dem Team

Kreation Matura. Unser Schiff ist noch nicht aus den gefährlichen Gewässern, aber es ist ein starkes Schiff und gemeinsam werden wir es schaffen. Daran glaube ich. Ich bitte nur darum, dass wir ihn weiterhin beobachten, aber nicht mit anderen aus anderen Abteilungen tuscheln. Ich muss nach und nach hineinwachsen in mein Amt und brauche noch etwas Zeit, um alle richtig einschätzen zu können. Nur ihn kenne ich sehr genau. Er ist berechenbar unberechenbar, also gefährlich", Georg Frühling nickte jedem zu und erhielt ein ehrliches anerkennendes Nicken zurück.

„Wegen des Angebots wollte ich noch mit Ihnen sprechen, Herr Frühling. Auch zum Twen-Kultur-Abo habe ich mir Gedanken gemacht", meinte ER.

„Sehr gern. Gern bei mir", zwinkerte er ER zu. Alle lachten erleichtert und die Arbeit ging entspannt weiter. Alessa und Chrischi konnten jetzt über ihren Auftritt beim Dompteur lachen, was beiden guttat.

Im Park traf er endlich Frau Augenblick.

Sie reagierte nicht.

„Moin Frau Augenblick," sagte ER freundlich.

„Ich habe Sie schon vermisst!", sagte er ehrlich.

Sie nickte, aber ohne weitere Reaktion. Das befremdete ihn sofort:

„Geht es Ihnen gut? Habe ich etwas Falsches gesagt?", fragte er.

„Mir geht es gut, danke der Nachfrage", antwortete sie knapp.

ER wartete sehnsüchtig auf ihre weisen Worte. Sie sagte sonst immer irgendetwas Weises, worüber er nachdenken konnte.

„Sie sind heute so anders. Oder… Ist das eine Illusion, dass ich mir das einbilde und in echt ist alles gut", suchte er nach einem Grund.

„Illusion kann man es aus Ihrer Sicht nicht nennen. Aber aus meiner Sicht", sprach sie. Ein Rätsel.

„Aber aus Ihrer Sicht? Bin ich eine Illusion für Sie? Existiere ich für Sie in Wirklichkeit gar nicht?", fragte er leicht irritiert. Sie sagte nichts.

„Waren Sie an der Unfallstelle, als ich mit meiner Tochter auch dort war?“, fragte er nach. Er suchte nach Gewissheit.

„Was glauben Sie?“ Gegenfrage.

Da war sie, die weise Frage. Was glauben Sie?

Er dachte nach:

„Ich glaube, dass Sie dort waren, in meiner Phantasie. Weil Sie mir immer helfen und Halt geben. Und in dem Moment habe ich es wohl sehr gebraucht, Sie in meiner Nähe zu wissen. Deswegen habe ich Sie gesehen. Es war Illusion, aber für mich real und sehr hilfreich. Danke, dass Sie da waren. So konnte ich Mut fassen und mich verabschieden.“

Sie nickte.

„Meine Tochter hatte es aus sich heraus geschafft. Aber ich brauchte jemanden. Ich hätte es nie allein geschafft. Ich bin weit davon entfernt“, meinte er.

„Wenn Sie das sagen“, sagte sie.

„Meine Träume sagen mir das. Ich komme einfach nicht weiter, weder über die Kluft noch von der Eiche herunter. Ich bin total unfähig“, sagte er. Er grub sich immer weiter unter die Erde.

„Schulen Sie luzides Träumen. Das wird Ihnen helfen. Sie können selbst auf Ihre Träume einwirken“, gab sie ihm den lang ersehnten Rat. Er konnte nicht wirklich eine Illusion für sie sein, sonst würde sie ihm doch nicht immer wieder einen Rat zu guten Gedanken geben.

„Das werde ich tun. Luzides Träumen“, sagte er und nickte eifrig. Er wusste nicht, was es war, wollte aber nicht nachfragen. Konnte er ja nachlesen.

Trotzdem. Sie war irgendwie anders zu ihm.

„Sie haben meine zweite Frage nicht beantwortet. Habe ich etwas Falsches gesagt?“, fragte er nach. Ihm war unbehaglich.

Er flehte sie förmlich an:

„Bitte, sagen Sie es mir, damit ich es nie wieder tue!“

„Nun gut. Ich will ehrlich zu Ihnen sein, damit Sie wissen, was Ihre Gedanken anrichten können. Auch, wenn Sie sie einfach so daherreden. Oder sich im Moment ärgern, was im nächsten

Moment für Sie verflogen ist. Doch Worte sind gesagt und wirken, wenn sie nicht neutralisiert werden. Ich bin immun. Ich lebe immer im Jetzt und Ihre Gedanken haben keinerlei Einfluss auf mich. Ich besitze die Kraft von so viel guten Gedanken, die jeden dahingesprochen Fluch mit einem Lächeln abwehren. Aber andere können es nicht“, erklärte sie ruhig und stand auf.

„Wie, was, einen Fluch? Ich habe einen Fluch ausgesprochen? Das wollte ich nicht. Ich schätze Sie über allen Maßen! Glauben Sie mir das! Ich wollte keinen Fluch aussprechen. Wann war es? Wie konnte ich? Verzeihen Sie mir! Bitte!“, sprach er aufgeregt und stand auch auf. Sie war heute gefühlte zwei Köpfe kleiner als ER, aber er fühlte sich wie ein kleiner Bub neben ihr.

„Es geht nicht um mich. Ich sage es Ihnen immer wieder: Achten Sie auf Ihre Gedanken. Sie haben eine größere Kraft als Sie denken. Schulen Sie sich, Ihre zerstörenden Gedanken in gute zu wandeln. Das gute Leben sollte wahr werden und keine Illusion mehr für Sie sein. Das Leben ist es wert und die Welt auch. Auf Wiedersehen“, sagte sie und schlenderte davon mit einem blauen Beutel, ganz im Blauton von Milon.

„Es tut mir leid! Ich arbeite daran. Luzides Träumen. Keine schlechten Gedanken. Bis bald!“, rief er ihr nach. Sie hob ihren Beutel. Sie reagierte. Ein Segen, dass er doch für sie existierte.

Amiga machte sich mit Nasenstupser bemerkbar.

„Ja, wir fahren nach Hause. Du hast Hunger. Danke für deine Geduld. Du bist auch weise.“ Er seufzte und sie fuhren nach Hause.

Er beobachtete, wie Amiga am Futtern war und grübelte. Zudem wollte er SIE anrufen, aber er musste sich sortieren, damit er es nicht wieder versaute. Dabei starrte er auf den harten Türrahmen und ihm schoss es urplötzlich heiß und kalt den Rücken hoch und runter. Er hatte tatsächlich einen Fluch ausgesprochen! Genau hier. Das musste es gewesen sein! Oh, er war ein Ungeheuer! Hier hatte er gestanden, wieder versucht, sich den Schädel einzuschlagen, nur weil Frau Augenblick nicht erschienen war und SIE sich nicht gemeldet hatte. Da hatte er es gesagt:

„Ich wünschte, die würden sich auch mal so allein fühlen. Wären so hilflos. Würden sehen, wie das so ist, wenn man allein mit all diesen Aufgaben klarkommen muss."

Ihm war schwindelig und setzte sich auf das Sofa. Amiga kringelte sich neben ihm gemütlich ein. Er streichelte sie gedankenverloren. Mit Tränen in den Augen.

„Verdammt, verdammt, ver…" Er stoppte.

„Nein, nicht verdammt! Nicht verdammt!"

Er hatte es begriffen. Er durfte sich nicht so gehen lassen.

Er musste sie anrufen. Es war seine Schuld. Dass es ihr nicht gutging. Ihre Mutter, die Patientin, der Freund ihrer Schwester. Er kramte die sieben Kieselsteine aus seiner Tasche und legte sie auf den Couchtisch. Sie wurden immer schwerer.

„Hallo, SIE. Ich. Ich möchte mich bei dir entschuldigen. Für alles, was du gerade durchmachen musst. Meinetwegen", befreite er gleich sein Gewissen, bevor sie eventuell auflegen konnte.

„Dein Ego ist doch nicht so klein, wie du immer tust. Aber immerhin hast du gemerkt, dass bei mir Einiges los ist", antwortete sie mit müder Stimme.

„Ich habe etwas gedacht, weil du dich nicht gemeldet hast und ich mit dir reden wollte. Das war nicht gut. Das tut mir leid", sagte er.

Sie lachte sogar etwas und meinte dann:

„Bezieh es bitte nicht auf dich. Ich habe so viele eigene Baustellen derzeit, dass ich auch bei meinen Patienten etwas kürzertreten muss. Ich wollte sowieso meine Ausrichtung ändern. Ich kann dir derzeit nicht helfen, weil mir Kraft und Zeit fehlen. Bitte wende dich an eine andere erfahrene Kraft. Ich kann dir Adressen geben. Ich hoffe, du verstehst das."

Das traf ihn wie ein Schlag. Er schluckte. Er merkte, wie ihm die Beherrschung langsam aber sicher entglitt. Sie sagte noch:

„Das verstehst du doch, oder? Ich melde mich, wenn ich wieder Land sehe. In meinem jetzigen Zustand bin ich dir keine Hilfe. Ich lege jetzt auf. Ich muss jetzt ins Krankenhaus. In Krankenhäuser."

„Was? Mehr bin ich nicht für dich? Ein Patient? Nur ein Patient? Mehr nicht? Dann sieh zu, wie du allein klarkommst, ohne mich!

Jetzt merkst du endlich mal richtig, wie es mir geht, wenn man so in der Psychokacke drinsteckt und nicht nur abgehoben durch die Psychobrille blicken braucht. Ich schaffe das auch allein, ohne dich …"

SIE hatte aufgelegt.

Verkackt.

Die Nacht war furchtbar. Eichenwipfel. Er fühlte sich erst großartig dort oben und er konnte auch runterkrakseln. Doch dabei bewegte er sich keinen Zentimeter nach unten. Immer, wenn er nach oben blickte, befand er sich noch auf dem obersten Ast an der gleichen Stelle. Er kletterte und kletterte. Vergebens. Kam nicht runter. Endlosschleife. Er schrie in den Wind:

„Warum komme ich nicht runter? Warum?"

„Sie wollen immer noch nicht runter", kam die Antwort.

„Doch, doch! Ich will runter! Ich will!", schrie er die Antwort an.

„Dann gehen Sie doch…"

Der Wecker klingelte.

Er duschte kalt. Das Gefühl der Ohnmacht abduschen. Jegliches Gefühl weggeduscht bei der Kälte. Er beschloss insgeheim, das nächste Mal mit dem Vorsatz von der Eiche runter zu klettern, dass er auch unten ankommen wollte.

Er hatte gelesen, was luzides Träumen war. Klarträumen. Der Träumende war sich seines Traumes bewusst. Er erlebte ihn vollkommen klar und konnte nach eigenem Entschluss darin handeln. Das wollte er trainieren. Das Wie wollte er eigentlich mit ihr besprechen. Das Gefühl kehrte zurück.

Amiga wollte raus. Irgendeine Unruhe beschäftigte ihn. Es war nicht der Traum, nicht SIE, nicht Amiga. Er musste ins Büro.

Er trank keinen Kaff und fuhr gleich los. Er holte sich noch nicht einmal wie jeden Morgen auf dem Weg ein belegtes Brötchen beim Bäcker. Aber im Büro war alles wie immer. In der Transparenz wuselte schon der eine oder die andere. Nichts war abgebrannt oder sonst wie zerstört. Maggi traf mit ihm ein und stellte für Amiga gleich frisches Wasser hin. Wasserschüsselchen standen jetzt an allen Ecken der Büros seit jener Heulboje neulich.

Er überprüfte seine Gedanken und kam auf nichts.

Kringel.

Die Tausendjährige kennt sie alle.
Und alle kennen sie.

Er suchte seine Unterlagen von gestern zusammen. Chrischi rief ein fröhliches Moin zu ihm rein. ER wollte sich jetzt um das Twen-Kultur-Abo kümmern und die Liste ihrer Kooperationspartner, wie Konzerthäuser, Museen, Reiseveranstalter etc., abarbeiten. Es sollte in die Szene.Card integriert werden und zugleich über das Kultur-Abo zu erwerben sein.

Alessa nicht da

Dann stutzte er. Das Angebot war weg. Von HippsterPress. Er ging zu den anderen ins Büro. Zwei Studenten waren am Einpacken der ersten Bestellungen. Er scannte alle Tische ab und ging rüber zu Chrischi. Sie hatten ein großes gemeinsames Büro, das theoretisch durch zwei große Falttüren in drei kleinere Büros eingeteilt werden konnte. Chrischi und Alessa saßen im hinteren Drittel. Die Packstation samt Lager hatten sie ganz nach vorn verlegt und in der Mitte saßen Maggi, bzw. Hanna und drei weitere Studi-Plätze, ganz nach Bedarf. Nur das Büro von ER war extra, konnte aber von hier aus oder vom Gang erreicht werden.

„Chrischi. Hast du das Angebot von HippsterPress gesehen?“, fragte er und blickte zu Alessas Tisch.

„Nein. Keine Ahnung. Das lag zuletzt bei dir drüben.“ Chrischi zuckte seine Schulter.

„Da ist es nicht mehr“, sagte ER und die beiden starrten sich Unheil ahnend in die Augen.

„Alessa ist noch nicht da. Sie ist sonst immer fröh. Sie ist doch unsere Lärche!“, flötete Chrischi aufgeregt. Er fuchtelte mit seiner Tütü-Hand und quietschte fast hysterisch:

„Sag nicht, dass sie allein zu ihm gefahren ist!“

„Weiß irgendjemand, warum Alessa noch nicht im Büro ist? Hat sie gestern noch etwas gesagt?“, fragte ER sachlich ins Büro.

Nein, keiner.

„Dann rufe ich sie mal an. Kann ja immer mal was sein. Vielleicht Kinder krank, oder sie“, sagte ER und ging ins Büro. Chrischi hinterher.

„Nein, Chrischi. Mach deine Arbeit weiter. Ich kümmere mich und sag dir Bescheid, wenn ich sie erwischt habe,“ beruhigte er seinen Mitarbeiter und zog sich zurück.

Keine Chance. Handy nicht. Festnetz nicht. Das hatte es noch nie gegeben. Er wartete fünf Minuten und versuchte erneut. Nichts. Nochmal fünf Minuten. Parallel eine Mail.

Nichts.

Michaela Erhard. Das Sprachrohr. Ab in die Marketingabteilung.

„Aber nein. Mit dem Angebot habe ich nichts zu tun. Das ist eure Sache. Das habe ich dir doch gestern gegeben. Ich habe es nicht mehr. Aber du kannst ihn gleich selbst fragen er wollte jede Minute hier sein…“, flötete Michaela in den höchsten Tönen in den höchsten High Heels.

Schon ertönte seine schräge Stimme an der Tür:

„Hallo Michi-Schnuckelchen! Was hältst du von einer Spritztour mit dem neuen SUV von Wheelstars für unsere Lieblingsabteilung Kreation Matura“, platzte er herein und wedelte mit dem Schlüssel.

„Ach, der Wagen ist schon da?“, fragte ER verwundert.

„Ach, ja, das hatte ich gestern ganz vergessen, euch zu sagen. Sie hatten ihn schon vom Branden gebracht. Kam schneller als geplant“, meinte sie beiläufig.

„Haha, da gibt es noch mehr, das immer schneller als geplant kommt“, lachte dieser geile…

Oh, ER kochte innerlich, musste sich aber zusammenreißen.

„Okay, dann testet den neuen Schlitten. Viel Spaß“, brachte er sachlich heraus.

Die beiden verschwanden mit einem:

„Die Jungfernfahrt ist doch immer die heißeste Fahrt!“

ER hätte kotzen können. Nur, wo waren Alessa und das Angebot?

Er gab Chrischi ein Zeichen. Es bestand umgehender Handlungsbedarf. Er spürte das. Ins Büro sagte er:

„Wir sind für eine Stunde in der Konzerthalle wegen des Twen-Kultur-Abos. Wenn Alessa sich meldet, soll sie sich unbedingt bei uns melden.“

Sie fuhren zu Alessa nach Hause. Ihr Auto stand vor der Tür. Sie wohnte in einem kleinen Zweifamilienhaus im Osten der Stadt. ERs Handy klingelte. Es war Maggi. Alessa hätte eine Mail an sie geschrieben, dass sie wegen Magen-Darm-Infektes zu Hause bleiben würde. Die Kinder hätten sie angesteckt und alle müssten jetzt zu Hause das Bett hüten.

Chrischi und er sahen sich an und zum Haus. Also war sie da. Aber die Räder ihrer beiden Kinder waren nicht da. Sie fuhren immer mit dem Rad zur Schule und die Räder standen ansonsten immer angeschlossen unter der Überdachung.

„Okay, wir klingeln trotzdem. Wenn wir schon mal hier sind. Vielleicht haben sie die Räder der Kinder in die Garage gestellt“, meinte ER.

„Hast du jemals in deren Garage geguckt? Da passen die Räder nicht mal oben quer rein“, meinte Chrischi und fuchtelte.

Beiden kreisten die Gedanken im Kopf, während sie klingelten. Natürlich öffnete niemand.

ER versuchte es mit parallelem Anrufen. Sie hörten das Handy oben, dann das Festnetz unten. Sie horchten angestrengt ins Haus.

„Alessa! Wir sind es. Chrischi und ich. Kannst du uns kurz öffnen? Bitte“, rief ER.

„Alessa! Wir wissen, dass du da bist. Was ist los mit dir? Können wir dir helfen? Mach bötte auf!“, schrie, quietschte Chrischi und trommelte gegen die Tür.

„Was ist geschehen, höbsche Kollegin. Wör wissen, dass das Angebot weg ist und dass du es hast und dass…“ Sie hörten die Treppe.

„Mir geht es nicht gut. Es ist ansteckend. Geht wieder“, sagte sie von innen.

„Die Kinder sind gar nicht krank. Ihre Räder sind weg. Also: Was ist mit dir“, sagte ER.

„Mach doch auf. Wör machen uns solche Sorgen um dich!“, quietschte Chrischi und trommelte noch einmal. ER hielt seine Hände fest, um ihn etwas zu beruhigen.

„Bitte geht“, sagte eine dünne Stimme.

„Lass uns sofort rein oder wir holen…“

Sie öffnete die Tür einen Spalt. ER drückte die Tür auf und da sahen sie das Häuflein Elend.

Chrischi schoss sofort zu ihr und wollte sie in den Arm nehmen. Sie versteifte komplett und wehrte ab. Sie gingen ins Wohnzimmer und setzten sich. ER holte ein Glas Wasser und reichte es ihr, weil er das aus den Serien so kannte.

„Was ist geschehen? Warst du bei ihm?“, fragte ER und sah ihr direkt in die Augen.

Sie zögerte. Dann nickte sie.

„Ich dachte, es sei doch gut für uns. Ich bin doch unser Trumpf“, sagte sie, während sie auf den Tisch starrte und anfing, vor und zurück zu wippen. Dabei presste sie ihre Oberschenkel fest zusammen.

„Was… hat… er… dir… angetan?“ ER ballte seine Hände zu Fäusten.

„Ich habe mich überschätzt. Ich habe ihn provoziert. Aber ich dachte nicht,… dass…“ Sie wippte vor und zurück.

„Er hat dich gegen deinen Willen genommen. Ist es so?“, fragte Chrischi.

Sie wippte vor und zurück. Chrischi griff nach ihrer Hand und hielt sie fest.

„Verdammt!“, rief ER, dann besann er sich rasch und setzte sich neben sie. Dezent legte er auch seinen Arm intuitiv um sie.

„Jetzt bist du hier. Hier bist du sicher. Du brauchst hier nicht weg, solange du es brauchst. Du zeigst ihn an, dieses Schwein!“, sagte Chrischi einfühlsam. Ihm lief eine kleine Träne die Wange runter.

ER dachte an die Spritztour, auf der dieses Schwein gerade mit Michaela unterwegs war.

„Ich fahre zu ihm und schneide ihm seinen verfluchten Schwanz ab! Ja, verflucht soll er sein!“, rief er laut. Genau, seine Gedanken sollten das veranlassen.

„Nein, nein. Das will ich alles nicht. Ich will nicht, dass alles umsonst war. Ich brauche noch einen Tag, dann geht es mir wieder besser. Unser Projekt steht über Allem. Ich habe es dafür gemacht und dachte nicht… Es tut mir leid“, sagte sie und wippte.

„Schatzelchen. Nein, sag doch sowas nicht. Er ist ein Monster. Aber du zeigst ihn an und dann ist Schluss damit. Und wenn sie unsere Abteilung schließen, mir doch egal, stimmts, Chöf!“, sagte Chrischi und weinte. Sie wippte.

„Du musst zu einer Stelle, wo sie dir helfen können. Es gibt für Frauen Anlaufstellen. Wir fahren dich gleich hin“, sagte ER.

„Nein, nein! Ich brauche nur einen Tag. Es soll niemand wissen. Keine Anzeige. Nicht mein Mann. Schon gar nicht meine Kinder. Niemand im Büro. Was denken dann alle von mir? Ich habe es selbst provoziert. Alle haben gesehen, wie ich im Büro herumstolziert bin. Ich war mir so sicher. So dumm und naiv. Aber… Es tut mir leid… Ein Tag noch… Bitte geht jetzt…“, sagte sie starrend und wippend. ER nahm ihre eiskalte verkrampfte Hand und sagte:

„Überleg es dir. Wenn du es jetzt nicht willst, ist okay. Schmerzlich, aber okay. Du entscheidest. Aber sobald du bereit dazu bist, dann stehen wir das zusammen durch, egal ob sie uns alle rausschmeißen. Genauso, wie Chrischi gesagt hat. So ein Schwein werden wir nicht davonkommen lassen. Niemals! Georg…“

„Nein. Niemand soll es wissen. Auch nicht Georg Frühling. Niemand. Ich will keine Schatten auf MAIS Milon und unser Kultur-Abo werfen. Auf keinen Fall! Versprecht mir das!“, sagte sie flehend zum Tisch.

„Ja. Ist okay. Nur eines nicht. Wir suchen eine Anlaufstelle und bringen dich hin. Jetzt sofort. Wir warten und bringen dich wieder nach Hause. Das ist wichtig. Alles andere ist deine Entscheidung. Wie wir gesagt haben“, sagte ER. „Okay?“

Sie nickte und hielt kurz ruhig.

ER signalisierte Chrischi mit den Augen, dass er sie weiter im Arm halten sollte, während er selbst nach einer Adresse forschte.

ER schickte eine SMS an SIE:

„Hast du eine Anlaufstelle für Frauen, die vergewaltigt wurden? Ein Notfall in der Firma. Es geht nicht um mich. Danke.“

Während er das Internet öffnete, um selbst nach Adressen zu suchen, kam schon eine kommentarlose Antwort. Zwei Adressen. Eine davon war nur fünf Minuten von hier entfernt. Sie brachten sie hin, warteten eine dreiviertel Stunde und brachten sie wieder zurück. Sie hatte verweinte Augen. Das war gut.

„Danke. Ich habe morgen wieder einen Termin. Danke. Ich muss duschen“, sagte Alessa und verschwand in ihrem Haus.

Auf der Rückfahrt zu MAIS sagte ER:

„Wir werden dafür sorgen, dass dieser externe Scheißkerl noch in diesem Jahr verschwunden ist. Wir müssen irgendetwas herausfinden, um ihn ein für alle Mal loszuwerden.“

Chrischi nickte:

„So ein Kerl hat zu 1.000 Prozent Dreck am Stecken, sonst wäre er nicht so unglaublich arrogant, selbstherrlich, fies und brutal.“

Er schnaubte sich die Nase.

„Die arme Alessa. Es muss so furchtbar für sie gewesen sein. Solch eine arglose zarte Frau…“

ER hätte am liebsten mitgeheult. Nein, nicht geheult, geschrien.

„Wir müssen erstmal runterkommen. Wenn ich diesen Scheißkerl jetzt sehe, wie er von seiner Spritztour – das war sein Ausdruck heute Morgen – mit Michaela wiederkommt, dann schlage ich ihn auf der Stelle zusammen“, sagte ER und sie hielten an einem kleinen Café an.

„Hat er das gesagt? Mit unserem SUV von Wheelstars? Es ist so eklig, so abstoßend und so traurig. Wir müssen etwas finden und werden ihn aus der Stadt jagen“, sagte Chrischi gefasst.

„Am besten hinter Gitter, dass er keiner Seele mehr etwas zuleide tun kann“, sagte ER.

Im Büro schniefte Chrischi immer mal wieder, weil er an Alessa denken musste. Er sagte den anderen, es sei wegen seiner Oma, der es nicht gutging. Sie war tatsächlich schon satte 96, aber fit wie ein Turnschuh.

Plötzlich hörte ER ihn kommen. Rasch rief er Chrischi zu sich, sagte Hanna, sie seien nicht im Haus und verschwanden im Garten. Sie standen an der Kellertreppe und warteten. Sie waren beide nicht imstande, diesem Widerling jetzt in die Augen zu sehen. Kurze Zeit später kam Hanna zur Gartentür.

„Er hat nur den Schlüssel gebracht. Musste gleich weiter zu einem Meeting, irgendwas von der Stadt. Sei einwandfrei der Wagen und auf allen Straßenlagen eingeweiht. Parkt direkt vor dem Haus. Sieht klasse aus, der SUV. Macht bestimmt Spaß, ihn zu fahren. Der gibt was her“, schwärmte Hanna.

„Okay, danke Hanna“, meinte ER. Da tauchte Georg Frühling hinter Hanna auf. War klar.

Er wartete ab bis sie wieder im Büro waren und Hanna die Tür hinter sich schloss.

„Es gibt wenig Gründe, warum man sich versteckt, um einer Person aus dem Weg zu gehen. Es kann sich nur um einen momentan nicht zu bewältigenden Grund handeln, denn Sie beide können ansonsten mit den schwierigsten Situationen äußerst professionell umgehen“, spielte der Leiter von MAIS Gujaland ihnen den Ball zu.

ER räusperte sich und sagte dann ganz klar:

„Es handelt sich tatsächlich um einen schwierigen Grund als Ursache unseres Verhaltens. Es ist jedoch etwas, zudem wir uns zum Schweigen verpflichtet haben. Sobald es möglich ist, werden wir Sie als Ersten in Kenntnis setzen. Unsere Arbeit bleibt davon unberührt. Wir kommen sehr gut voran. Das Auto ist da. Am Wochenende starten wir mit den ersten Ständen mit Auto, MMM und neuen Merchandise-Artikeln.“

Georg Frühling antwortete nicht gleich. Sein Lächeln schien eingefroren. Dann sagte er:

„Letzteres klingt gut. Zu dem anderen möchte ich Ihnen folgendes sagen: Ich kann nur etwas unternehmen, wenn Sie mir Ihr Vertrauen schenken. Glauben Sie mir, ich habe Dinge erlebt, bei denen ich auch brauchte, um mich zu sammeln. Und sammeln heißt hier sammeln, bis genug Argumente vorhanden sind. Es ist ganz wichtig, nicht emotional zu reagieren, sich nicht provozieren zu lassen. Das Spiel mitspielen, beobachten und dann, wenn der Moment gekommen ist, zuschlagen. Ab jetzt gibt es aber kein Bauernopfer mehr. Schon gar kein freiwilliges!“

„Ja, verstanden. Vielen Dank für Ihr Verständnis“, sagte ER ohne die Miene zu verziehen.

„Auf HippsterPress habe ich einen Juristen angesetzt, der prüft, ob wir über MAIS an die Verträge gebunden sind, oder ob dies zu seinen Spielchen gehört. Vorher sagen wir nichts. Ich bekomme in zwei Tagen Nachricht. Meine Position erlaubt stärkere Schritte. Das dürfen Sie gern nutzen, wenn die Argumente eindeutig sind. Ich habe im SUV – keine Sorge, kaum als solches zu erkennen – und am Schal von Frau Erhard solch ein Argument gefunden. Schauen Sie selbst nach, dann wissen Sie, was ich meine. Noch wurde Frau Erhard nicht fallengelassen. Noch braucht er sie. Aber nicht mehr lange. Dann haben wir ein Argument mehr auf unserer Seite. So schlimm das ist, aber derzeit sind mir die Hände ohne Beweise und Aussagen gebunden und ich kann nichts für Sie und ihre Kollegin tun. Eine Bitte, jene Spur im Auto auf gar keinen Fall reinigen, so abstoßend wir das finden. Es ist wirklich kaum zu sehen, nur, wenn man danach sucht. Aber wir brauchen es vielleicht noch. Angenehmer für uns, die davon wissen, ist es, wenn wir Schondecken pseudomäßig über alle Sitze legen. Ich glaube, im Lager befinden sich noch blaue mit altem Logo, die wir nutzen können. Bleiben Sie bitte berechnend kalt, was diese Sache angeht, und sagen Sie es auf keinen Fall weiter“, sagte Georg Frühling und ging.

„Lasst uns pünktlich Feierabend machen heute. Dann lassen wir das sacken und morgen reden wir, okay, Chrischi?“, sagte ER.

„Und morgen müssen wir uns um das Auto kömmern, wegen Wochenende“, seufzte Chrischi.

1. Stunde

ER ging mit Amiga in den Park und setzte sich auf die Bank, obgleich es heute richtig kalt war. Er hatte einen Wollmantel über, das ging. Es tat ihm einfach gut, hier zu sitzen und auf den kleinen Tümpel mit drei Enten zu starren. Amiga ging Hundezeitung lesen und war äußerst beschäftigt. Nach einiger Zeit stand Frau Augenblick vor ihm. Dabei bemerkte er, dass sie fast so groß war, wie er im Sitzen. Sie blickte ihm eindringlich in die Augen, als würde sie etwas suchen.

„Moin Frau Augenblick", sagte ER freundlich und leicht unbehaglich. Er sah wieder nur sein Spiegelbild in ihren Augen. Dennoch, er war froh, dass sie heute gekommen war.

„Ich sehe das erste Mal, dass Ihre Gedanken sich nicht um sich selbst drehen. Auch das ist nicht immer einfach", sagte sie freundlich. Ihre Stimme klang milder als sonst.

„Ja. Das ist eigentlich noch schwerer, weil ich es noch weniger in der Hand habe, etwas zu ändern. Es gibt schlimme Leute und die sind immun gegen alles. Die gehen über Leichen. Und da sind andere, die sind Seelen von Menschen, solch guten Seelen, denen geschehen Dinge, die ich mir nicht vorstellen mag. Ich könnte schreien, weil ich es nicht ändern kann. Ich hänge fest, aber auf andere Weise. Und so überlege ich, was ich tun kann für meine Kollegin und für meine Mitarbeiter. Mein *Ich* zählt jetzt nicht mehr. Es zählt das *sie*!", sagte er.

Sie lächelte:

„Ihr Ich zählt umso mehr. Nur nicht Ihr Ego. Das ist ein Unterschied. Sie waren im Ego gefangen. Dadurch konnten Sie Ihr wahres Ich nie wirklich sehen, in Ihrer guten Seele. Aber jetzt. Sie sind auf dem Weg."

„Es fühlt sich nicht so an und ich mag auch nicht an mich denken", sagte er traurig. Sie ging nicht darauf ein und sprach, während sie sich langsam zum Weg drehte:

„Für heute Abend habe ich eine einfache Frage: Was wünschen Sie sich in diesem Moment?"

Ganz spontan antwortete er:

„Ich wünsche mir, dass ich in einer Gesellschaft leben kann, die gesund und glücklich ist. Mit einfachen, guten Regeln, an die alle sich halten. Wo jeder zufrieden seine Arbeit erledigen kann, einfach so, weil es Spaß macht, seine Talente mit einbringen zu können. Und ich wünsche mir zudem, in einem möglichst autarken System zu leben, frei und ohne ungewollte Abhängigkeiten."

„Wünsche positiv umleiten! Das klingt gut!", sagte sie, schon ein paar Schritte weiter, und hielt einen knallbunten Leinenbeutel mit einem Peace-Zeichen hoch. Er musste unweigerlich lächeln.

Geheime Mission

Er träumte, dass er auf einer Esche saß und einen Brief in der Hand hielt. Dieser Brief beinhaltete die Lösung, auf die er gewartet hatte. Ein Rabe setzte sich neben ihn und fragte ihn nach dem Brief. ER wusste in dem Moment, dass er den Brief diesem Raben geben musste und überreichte ihn dem großen weisen Vogel. Der Rabe verschwand in einer Tür. Die war aber auf der anderen Seite. Also nahm er Anlauf und sprang. Und fiel.

„Neiiiin!", schrie er und wachte schweißgebadet auf. Es war zwei Uhr nachts. Er stand kurz auf, wechselte sein Shirt, trank was und legte sich wieder hin. Amiga legte sich zu seinen Füßen.

Er träumte weiter. Er sprang noch einmal. Noch einmal. Er wurde immer wieder zurückgetragen.

„Ich brauche eine Treppe, die näher dran ist, auf die ich springen und damit drüben hochgehen kann", sagte er zu sich. Er sprang und landete tatsächlich auf der untersten Stufe einer breiten Steintreppe, die er hochging und stand vor der Tür.

Es war die Tür vom Büro. Die Tür von der Besenkammer. Er erkannte den Türgriff, an dem er neulich hängengeblieben war. Die Tür stand auf und Licht war irgendwo am Ende zu sehen. Er ging hinein, eine Treppe runter, rechts herum, eine Treppe wieder hoch, links, rechts, hoch, runter, bis er vor einem ultramodernen Schreibtisch stand, hinter dem ein älterer Mann in einem feinen weißen Anzug mit Stehkragen und weißem Hut saß. Der alte feine Herr zog seinen Hut zum Gruße, als ER eintrat:

„Guten Tag. Darf ich mich Ihnen vorstellen? Pförtner, mein Name und meine Berufung. Schön, dass Sie endlich zu uns gefunden haben, ER."

Pförtner stand auf und sprach weiter:

„Die Mission kann starten. Die weiteren Details werden wir Ihnen nach und nach kundgeben. Machen Sie sich erst einmal mit dem Ort des Geschehens vertraut. Es wird eine Geschichte, die Geschichte schreiben wird. Die Mission ist noch geheim. Wer oder was hinter dem Plan steht, wird sich Ihnen zu einem späteren Zeitpunkt erschließen. Sie sollen vollkommen unbefangen sein und ausschließlich Kraft Ihrer Gedanken die Mission gestalten. Sie werden jetzt über einen geheimen Weg zu besagtem Ort gebracht."

Der alte feine Herr stützte sich auf einen Gehstock mit Winkelgriff in Form eines Vogelkopfes aus massivem Messing. Er nickte einer Person hinter ER zu, die ER die Augen verband und ihn führte. Sie gingen lange gefühlte Schlangenlinien und es roch erdig. Schließlich fuhren sie in einem Aufzug nach oben.

Das laute teppichklopferartige Geräusch der Rotorblätter eines Hubschraubers empfing sie im Wind irgendwo oben. Jemand half ihm beim Einsteigen und sich Anschnallen. Der Hubschrauber hob ab und sie flogen eine Weile, ER immer noch mit verbundenen Augen. Sie landeten.

Als ihm endlich das Tuch abgenommen wurde, befanden sie sich auf einem Berg über der Baumgrenze auf einer Wiese. Noch nie da gewesen.

Er war allein mit dem Piloten.

„Übrigens: Ich bin der Skipper und heiße schlicht und einfach Skipper. Willkommen an Bord!", sagte Skipper aus einem gepflegten vollbärtigen Gesicht mit strahlend blauen Augen. Er gab ihm ein Zeichen auszusteigen, und das letzte Stück zu Fuß zum Gipfel hochzugehen. ER ging bis zu einem Felsplateau, schritt nach vorn bis zur Kante und war sprachlos. Eine atemberaubende Landschaft tat sich vor ihm auf. Von diesem offensichtlich ganz besonderen Punkt konnte er weit über das Land blicken. Bestes klares Aussichtswetter. Den Wind nahm er gar nicht wahr, so sehr war er von dieser Aussicht beeindruckt. Der Fels fiel gute 20 Meter in die Tiefe hinab. Es zog ihn nicht hinunter, im Gegenteil. Hier oben fühlte er sich frei. So frei wie noch nie! Das war sein neuer auserkorener Lieblingsplatz, wo auch immer er sich befand.

Er sah sich alles genau an. Dem Sonnenstand nach stand er wohl im Norden des Landes. Die Sonne schien, ein, zwei Quellwölkchen, klare Luft. In Blickrichtung erspähte er einen glitzernden Fluss, der wohl aus diesem Gebirge entsprang, sich weit durch ein Tal durch die Mitte des sichtbaren Landes schlängelte, immer mal hinter Hügeln oder Felsen verschwand, wieder glitzernd auftauchte, um in weiter Entfernung unter der schemenhaften Kuppel eines Berges in einem diffusen Horizontnebel endgültig abzutauchen. Der Berg stand weit hinter der Erdkrümmung und war daher wohl recht hoch. Er schätzte die Höhe seines Berges auf etwa 2.000 Meter.

Skipper reichte ihm ein Fernglas. Er ging ein paar Schritte weiter nach rechts, um mehr zu entdecken. Doch der weitere Flusslauf blieb im diffusen Horizont verschwunden.

Nun richtete er sein Augenmerk auf die verschiedensten markanten Bergspitzen, die von diesem herausragenden Punkt zu sehen waren. Im Westen die gewaltige Caldera eines Urzeitvulkans von der Größe eines eigenen Landes. Weit dahinter erhob sich die Spitze eines wohl noch höheren und mit Eis bedeckten Berges aus einem recht zackigen Gebirge. Noch weiter dahinter erschien ein nahezu gerader waagerechter, roter Strich, etwa auf Höhe des Kuppelberges und lag genauso wie dieser über jener Nebelschicht am Horizont. Sah eigentümlich aus. ER vermutete einen riesigen Koloss eines roten Tafelberges, konnte es aber kaum erkennen. Vielleicht waren es auch nur irgendwelche Lichtspiegelungen in der Erdatmosphäre.

Links neben dem Kuppelberg sah er noch mehr solch eigenwillig geformte Bergkuppen aus Wolken herausragen, die eng beieinanderstanden, wohl eine Art Gebirge. Mehr konnte er nicht erkennen, denn sie lagen weit hinter zackigen Berg- oder Felsspitzen, die, bedeckt von Eis und Schnee, wiederum hinter einem schwarzen Vulkangebirge herausragten.

Welch interessante Kontraste!

Feuer und Eis, rund, flach und zackig, hoch und weit, Berge, aus unterschiedlichen Felsen geformt, und unzählige Hügel. Sehr viel Grün im Westen, aber auch bis zum Vulkangebirge im Osten und entlang des silbernen Flusses.

Welch eine Vielfalt allein an Bergen!

Er drehte sich um. Da war die Sicht verhüllt, Nebel, Wolken.

Die geheime Mission.

Es war fantastisch!

Er war dabei!

Es konnte gleich losgehen.

Am liebsten würde er einen Rundflug machen, um sich einen genaueren Eindruck seiner geheimen Mission zu verschaffen.

„Nun gut. Bevor wir zurückfliegen zeige ich Ihnen das Land von oben", rief ihm Skipper zu.

Perfekt, das passte.

Sie flogen über dieses atemberaubende Land. Unbefleckte Natur von Horizont zu Horizont und darüber hinaus. Grenzenlose Weite und Vielfalt. Ein neuer Kontinent! Kein Mensch weit und breit. ER kam sich vor wie ein Entdecker und dies war sein eigenes neu entdecktes Stück Erde. Genau, so wollte er es nennen:

Neue Erde. GAIA NOVA!

Eine Mission brauchte einen Namen.

Gaia Nova lag unter ihnen, so rein wie ein neues, unbeschriebenes Blatt.

Sie flogen in westlicher Richtung.

Das zumeist waldreiche Gebirge ging bald in eine weite liebliche bewaldete Hügellandschaft über, die Grünen Hügel, und schließlich in eine ausgedehnte verspielte Landschaft mit Wiesen und Wäldern. Diese endete an den Felsen jenes erloschenen Urzeitvulkans. Seine

Caldera, also sein Vulkankessel, hatte einen Durchmesser von geschätzten 20 Kilometern und war Richtung Landesmitte, also zum Mittelfluss hin, geöffnet. Er war wohl vor Jahrtausenden eingebrochen, wodurch nach und nach ein neuer Gebirgszug und eine Schlucht entstanden waren, deren Flüsschen allesamt in den Mittelfluss mündeten.

Dieser zentrale riesige Fluss, zu dem offensichtlich die meisten glitzernden Flüsschen der umliegenden Berge führten, brauchte auch einen Namen. Der Fluss erinnerte ihn sofort an eine Schlange, die sich behände und weich um all die Berge und Unwegsamkeiten schlängelte, um den besten aller Wege zu finden.

Während sie die riesige Caldera überflogen, war für einen kurzen Moment der Blick frei zur anderen Seite des Mittelflusses. Dort befand sich das große Vulkangebirge. Von dort speiste ein recht großer, sehr dunkel wirkender Fluss, der Schwarze Fluss, jenen Mittelfluss ohne Namen.

Er suchte nach Schlangennamen. Serpenta, aus dem Lateinischen, Natrix für Wassernattern, klang zu hart, hm, Boa, Python, Vipera, hm. Vielleicht Namen von Schlangengottheiten wie Mehen, Ananta-Shesha, Pythea, die weissagenden Priesterinnen, oder Äskulap. Die Midgardschlange. Die Regenbogenschlange, die sogar vier Namen besaß für jede Himmelsrichtung. Alles zu kompliziert.

Hinter der Caldera erstreckte sich eine weite leicht hügelige mediterrane Landschaft bis zu einem zackigen Gebirgszug, aus dem wohl der höchste Berg dieser Region herausragte. Dessen Spitze hatte er auch schon von seinem Aussichtsberg aus gesehen.

Schnee lag auf dem Gipfel des höchsten Berges dieses kargen Gebirges, der weit über den anderen herausragte wie ein Riese unter Zwergen. Der Höchste. Er erblickte gerade noch auf der anderen Seite ein riesiges Schneefeld am Fuße eines riesigen Gebirges, das nur aus Eis und Schnee zu bestehen schien. Waren dort sogar Gletscher? Er würde es auf dem Rückflug der Rundreise genauer sehen können.

Bei näherem Hinsehen sahen die hiesigen zackigen Berge um den Höchsten aus wie Falten aus Felsen. Also das Faltengebirge.

Auch aus diesen unzählig hohen Falten sah er viele kleine Bäche sich herausschlängeln, die sich zu größeren zusammentaten, um in den Mittelfluss zu münden.

Der Flussname fehlte noch.

Naga, Schlangenwesen aus einer alten Mythologie. Etwas abgewandelt Nagila konnte der Mittelfluss heißen, denn er hatte eindeutig etwas Weibliches an sich. Nagila war gut.

Sie überflogen gerade einen wunderschönen Wasserfall in den Ausläufern des Faltengebirges und gingen wieder etwas runter mit der Höhe. Ziemlich runter. Druckausgleich ohne Ende. Vor ihnen die Weiten einer Wüste. Kleine Palmenoasen. Sand, Sand und noch mehr Sand bis zum Horizont. Kein Baum, kein Strauch, nichts als ein Meer aus Sand. Sandwellen. Dünen. Gelber Sand, goldener Sand, roter Sand.

Die Sonne bratzte gnadenlos. Ihm wurde sehr warm und er zog seine Jacke aus. Sie drehten noch weiter nach rechts ab.

Die Wüste ging dort in eine Art Savanne über, offenes Grasland mit typisch einzelnstehenden Bäumen. Trockensavanne. Vor ihnen tat sich tatsächlich ein gewaltiger roter Tafelberg auf, jene wage dünne Linie, die er von seinem Aussichtsberg aus über dem Horizontnebel vermutet hatte. Überaus mächtig! Der Pilot flog viele Kilometer entlang dieses Kolosses Richtung Meer. Westmeer, schlicht, einfach und ergreifend, denn es war ein Meer im Westen.

Sie flogen über dem Meer entlang eines schmalen Strandes am endlos langen Rücken des massiven Tafelberges aus rotem Sandstein. ER blickte zum Horizont, was ihm eine kurze Atempause von diesen gigantischen Eindrücken verschaffte.

Doch gleich schon stockte ihm der Atem, denn der Helikopter drehte spontan links ab und steuerte direkt auf eine Schlucht zu. Der Tafelberg war gespalten und eine tiefe Schlucht trennte die beiden massiven Teile, die wohl einst eins waren. Die Schlucht schien kaum breiter als die Rotorblätter. Es war schlagartig dunkel und Panik stieg in ihm auf. Er sah rasch nach oben zum Himmel, zu den Kanten der Schlucht. Zum gefühlt unerreichbaren Himmel. Das altbekannte lähmende Gefühl stieg in ihm auf.

Nein, er durfte sich dieses Bild nicht zerstören lassen! Er war nicht allein. Er wurde von einem erfahrenen Piloten geflogen. Der hatte die Schlucht sicher schon hundertmal und mehr durchflogen. Skipper war ein absoluter Profi!

Er wurde etwas ruhiger, guckte den lächelnden Piloten von der Seite an. Dem machte es sichtlich Spaß. Er zog den Hubschrauber etwas höher. Vor ihnen wurde es arg eng. Höher, noch höher, bis sie hoch durch die Schlucht hinaufschossen und über ihr hinwegsausten.

Oh, welch eine befreiende weite Hochebene tat sich hier oben auf! Aber nur kurz, dann tauchte er wieder ab in die Schlucht…

Schweißgebadet wachte ER auf. Amiga leckte sein Gesicht. Ihre Art, ihn zu beruhigen.

„So ein Mist! Welch ein Traum! Amiga, du glaubst es nicht. Ich wünschte, ich könnte dich eines Tages dorthin mitnehmen. Ein Hundeparadies: Bäume zum Zeitunglesen ohne Ende. Ich weiß gar nicht, ob da Hunde leben. Ob es überhaupt andere Tiere gibt? Das ist mir gar nicht aufgefallen. Naja, ich war auch so gefangen von diesen Landschaften. Hubschrauber wäre auch nichts für dich gewesen, glaube ich. Diese Schluchten, diese Klüfte, die machen mich fertig. Ich schaffe es einfach nicht. Ich werde Frau Augenblick fragen. Ich wünschte, ich könnte SIE von diesem Traum erzählen. Von der geheimen Mission. Ich warte ein paar Tage. Ich frage Frau Augenblick."

Der Wecker klingelte prompt.

„Dann wollen wir mal den Tag beginnen."

Auch wenn ein leicht beklemmendes Gefühl in ihm schlummerte, so war er doch recht motiviert, den Tag überhaupt zu beginnen. Das kam in den letzten Jahren sehr selten vor. Aber die Besenkammer – er war neugierig und wollte sich vergewissern, ob dort eventuell ein versteckter geheimer Gang irgendwo in Pförtners Büro führte. Konnte ja sein.

ER schlenderte also mit Amiga den Transparenz-Flur entlang und wollte gerade neugierig die Tür der Besenkammer öffnen, da kamen ihm Transparenz-Kollegen entgegen, die Amiga begrüßten.

„Was willst du denn in der Kammer, ER? Da ist doch nix", meinte ein Aushilfs-Studi von Kreation Young.

„Wir brauchen Druckerpapier. Ich dachte, hier könnte noch was sein", faselte er ertappt.

„Ach was, ÖR. Das ist doch die Besenkammer vom Gebäudemönögemönt. Ich zeig dir unsere Papörquelle", lachte Chrischi von hinten. Ein Ö-Rekordwort.

„Alles klar, danke", meinte ER. Er war etwas enttäuscht. Es war ein Traum. Seine geheime Mission. Aus der er sich dummerweise wieder herauskatapultiert hatte.

„So ein Mist!", fluchte er bei dem Gedanken vor sich hin.

„ÖR? Das Druckerpapier? Das kann dich doch nicht so aufregen? Oder… Ist es was anderes?", fragte Chrischi und blickte ihn leicht verschwörerisch von der Seite an. Der hatte einen siebten Sinn! ER seufzte.

Da bekam Chrischi erst recht große Augen und meinte einfühlsam:

„Was ist denn los, Chöf? Kannst mir ruhig erzählen. Dann gehts dir besser."

„Vielleicht kann ich es dir bald sagen. Jetzt leider noch nicht. Außerdem die Sache mit Alessa. Die geht mir nicht aus dem Kopf. Lasst uns gleich mal in mein Büro. Anschließend kümmern wir uns um dieses besudelte Auto. Es tut mir echt leid, weil du das so klasse für uns ergattert hast", redete sich ER heraus.

„Wir machen das Beste daraus. Geschöft ist Geschöft", meinte Chrischi traurig.

Zwei Blumensträuße

„Maggi, kannst du einen hübschen bunten Blumenstrauß für Alessa veranlassen? Die arme hat es richtig erwischt, samt ihren Kindern. Sie wird den Rest der Woche nicht kommen", meinte ER zu Maggi. Machte sie gern. In ERs Büro meinte ER zu Chrischi:

„Keiner darf etwas davon erfahren. Es sei denn, sie sagt es selbst. Okay?"

„Öhrensache, Chöf", meinte Chrischi und spitzte die Ohren.

„Ich hatte heute einen sehr interessanten und wirklich guten Traum, auch wenn ich mich zum Schluss wieder rauskatapultiert habe. Ich muss noch mehr trainieren. Irgendwie hat dieser Traum mir Auftrieb gegeben, dass ich etwas ändern will. Wir werden mit viel Sorgfalt und Achtsamkeit diesen externen Berater eliminieren, ohne dabei unser Kultur-in-Milon-Projekt zu gefährden. Das muss einfach möglich sein. Alessa werde ich schreiben, dass sie diese Woche noch zu Hause bleiben soll. Den Peiniger während der Arbeit zu ertragen ist für uns schon unerträglich. Wie ist das erst für sie? Zudem hatte sie von einem heftigen Magen-Darm-Infekt geschrieben. Der braucht ein paar Tage, egal, was sie sagt.

Vielleicht können wir im Laufe der nächsten Tage schon irgendetwas finden. Wir werden das Internet durchstöbern. Außerdem habe ich Kontakt zu den Kultur-Abos in Hostadt, Fröningen und der Hauptstadt. Die hatten alle schon ihre Umstellungen und ich kann ja einfach fragen, ob sie uns noch einen Tipp geben können. HippsterPress, auch ein Thema…"

„Komisch ist doch, dass Georg Fröhling diesen Typen angeblich schon lange kennt. Er hat zudem angedeutet, dass er sein geföhrliches Spiel schon von drei Städten vor Milon kennt. Er hätte Dinge erlebt, wo auch er brauchte, um sich zu sammeln. Von Argumenten sammeln, sprach er. Das Spöl mitspölen, beobachten und dann, wenn der Moment gekommen ist, zuschlagen. Also hat er ihn auf dem Kieker. Aber derzeit seien ihm die Hände ohne weitere Beweise und Aussagen gebunden. Welche Rolle spielt er hier? Wenn er ihn schon so gut kennt, dann hätte er doch schon längst etwas gegen ihn unternöhmen können", überlegte Chrischi.

„Ja, das stimmt schon. Vielleicht hat dieser Typ mit seinen diffusen Beziehungen auch Georg Frühling mit irgendetwas in der Hand. Vielleicht hat Georg Frühling ein dunkles Geheimnis. Dubios", überlegte ER und kraulte seinen nicht vorhandenen Bart.

„Mir ist öhrlich gesagt auch aufgefallen, dass der Berater ihn immer mit sonderbaren Schweinsäuglein ansieht. Mal grinst er dabei kurz, einerseits öberheblich und fast mit Schadenfreude und manchmal auch eher wie gehetzt. Georg Fröhling ist schwer einzuschätzen. Er benimmt sich uns gegenüber sehr rötterlich, warum auch immer.

Diesem Nichtsnutz von Berater sind wir scheißegal, außer Alessa… Nur, wenn man einen Nutzen bringt, hat man für diesen Dreckskerl eine Daseinsberöchtigung. Dabei hat er selbst nicht die geringste Daseinsberöchtigung." Chrischi rann wieder eine Träne die Wangen runter. Er war sehr nah am Wasser gebaut.

Die Tür wurde aufgerissen. Dr. Schwarzenegger stapfte ins Büro mit einer leicht panisch wedelnden Maggi hinter sich.

„Ist okay, Maggi. Wir waren eh fertig mit der Besprechung. Du checkst das nochmal mit dem Farbton und dem Sitzkissen. Wir brauchen in jedem Fall einen Dummy für die Merchandising-Seite im nächsten Heft. Und bring die neuen Sachen zu Micha. Danke, Chrischi", sagte ER und gab Chrischi eine Augenbraue nach draußen.

„Sparen Sie sich den Weg, das übernehme ich. Die drei Merchandisings stimme ich mit Michi ab. Sie ist ja unsere Merchandising-Maus. Das Angebot von HippsterPress ist in Ordnung und von MAIS besiegelt. Sie müssen zusehen, wie Sie das ausgleichen. Sind eh zu viele Aushilfszeiten im Wirtschaftsplan.

Außerdem brauchen wir noch ein Highlight im Namen. Kultur-in-Milon ist zum Kotzen langweilig", brüllte er ER entgegen. Seine Schweinsäuglein suchten den Raum ab. Dann schielte er wieder durch die offene Tür zum Büro.

„Ist ihre entzückende Mitarbeiterin gar nicht da? Sie soll den neuen Namen finden. Sie ist die Hellste im ganzen Team. Ich plane Großes mit ihr. Sie ist vollkommen unterfordert in diesem Staubloch. Sie ist eine perfekte Head of!"

„Sie hat einen Magen-Darm-Virus", brachte ER gerade so heraus.

„Ach. Vorgestern war sie noch so putzmunter. Hoffentlich hat sie mich nicht angesteckt“, meinte er kurz mit ernster Miene und fügte hinzu:

„Ich werde ihr ein paar Blumen zukommen lassen. Das gehört sich für eine Premium-Mitarbeiterin.“ Damit drehte er sich um und verschwand.

ER hatte seine Fingernägel tief in seine Hände gepresst. Jetzt spürte er den Schmerz.

Da stand Micha prompt in der Tür:

„Ich brauche die Adresse von Alessa. Für Blumen. Sie ist anscheinend krank. Das hat es hier noch nie gegeben, Blumen, wenn man krank ist. Aber Alex weiß eben, was sich gehört“, sagte sie bemüht freundlich in einem leicht spitzen Tonfall. Sie war innerlich kurz vorm Explodieren.

„Wir haben ihr auch schon Blumen zukommen lassen“, sagte ER betont relaxt und wies ihr den Weg zu Maggi.

Dann überlegte er krampfhaft, wie sie den 2. Blumenstrauß abfangen konnten. Dieses Arschloch hatte definitiv etwas für Alessa übrig. Sie nutzte ihm ja zu nichts etwas, nicht so, wie Micha. Er wollte sie zu einer Head of… Unglaublich! Was hatte der für eine gestörte Wahrnehmung und Selbstüberschätzung und überhaupt! Er hatte nicht einmal gemerkt, dass er sie vergewaltigt hatte, sie gegen ihren Willen… Sie musste überzeugend mitgespielt haben. Was Angst alles so antreiben konnte. Oh, wie ätzend war dieses Spiel!

Er gab Chrischi die Anweisung, zu Alessas Haus zu fahren und den von Dr. Schwarzenegger bestellten Blumenstrauß abzufangen, im Sinne von, wollte ihn doch persönlich überreichen, Missverständnis im Büro oder so.

Schon stand Micha wieder in der Tür:

„Hast du zufällig meinen Schal gesehen, ER? Im Auto vielleicht? War überhaupt jemand von euch, seit ich gestern mit Herrn Dr. Schwarzenegger die…“ Hüstel. „…Testfahrt unternommen habe, im Auto?“

„Schal, nein, keiner war im Auto. Wieso?“, fragte ER etwas überrumpelt. Es spielte sich sofort ein Film vor seinem geistigen Auge ab und schüttelte sich kurz.

„Na, ich habe ihn verloren und dachte vielleicht… Kannst du mir den Schlüssel geben? Der Wagen steht ja vor der Tür“, meinte sie leicht irritiert und hielt die Hand hin.

Geistesgegenwärtig meinte ER:

„Ich komme eben mit. Ich wollte eh den Kofferraum ausmessen.“

Er schnappte sich den Zollstock und sein Handy und sie gingen zum Auto.

Sie suchte umständlich den Beifahrersitz, dann schließlich intensivst den Fahrersitz ab.

„Hattest du ihn gestern zu eurer Spritztour an, ja?“, fragte ER unschuldigst.

„Ja, da bin ich sicher. Es war mir plötzlich so warm und da habe ich ihn abgenommen und ihn irgendwie zur Seite geschmissen“, sagte sie halb unter dem Fahrersitz verschwindend.

ER hatte sein Handy auf Aufnahme aus dem Kofferraum.

„Haha, das kann ich mir bei euch beiden heißen Turteltäubchen gut vorstellen. Er fährt ja voll auf dich ab, Micha“, köderte er sie.

„Ja, meinst du? Naja, nicht, dass ich auf ihn… Naja, nett ist er schon“, kicherte sie wie ein kleines Mädchen.

„Ich könnte mir vorstellen, dass da mehr für dich drin ist. Hättest du verdient. So eine Wertschätzung ist schon mal fällig bei deiner Quali. Bei seiner Erfahrung mit Leuten weiß er ja genau, wer was kann und wer nicht“, er köderte weiter.

„Danke, ER. Sag es nicht weiter, aber er hat mir eine Position als CCO, Chief Creative Officer bei MAIS in der Hauptstadt in Aussicht gestellt. Da wäre ich ganz in seiner Nähe. Er hat ja dort seinen Hauptwohnsitz. Hier wohnt er nur für den Übergang“, meinte sie und verschwand hinter dem Fahrersitz.

„Ja, das hat Alessa auch gesagt“, meinte ER. Sie schoss nach oben, dass ER rasch das Handy nach unten hielt.

„Alessa! Das hat er ihr gesagt? Sie soll sich bloß nichts einbilden!“, meinte sie schnippisch, doch ER lenkte sofort ein:

„Nun, er ist kein Kostverächter, das sieht man an dir, Micha.

Schließlich hat er mit dir unser Kultur-Mobil eingeweiht, stimmts?"
Micha kicherte:
„Kann man so sagen." Dann hielt sie kurz inne und meinte fast entschuldigend:
„Er hat das ja auch so laut herumposaunt, dass ich es gar nicht leugnen kann. Ich hoffe, das ist okay für euch, ich meine, ihr fahrt mit dem Auto, in dem ich mit ihm, du weißt schon, was er sagte. Aber es sieht alles gut aus. Alles gut."
„Geht doch klar, Micha, gönn ich euch doch. Bei uns geht es nur um den Fortbestand unserer Abteilung. Noch ist der Wirtschaftsplan nicht endgültig besiegelt. Es sieht zwar gut aus, dennoch werden wir hingehalten wegen der Umgestaltung des Heftes und jetzt soll noch ein neuer Name her. Es wäre uns durchaus eine Hilfe, wenn du mehr auf ihn einwirken könntest. Je schneller du und damit er unser Ding unterstützt, desto schneller könnt ihr zusammen in die Hauptstadt. Du verstehst, was ich meine. Wäre für uns alle eine Win-Win-Situation."
Gute Strategie. ER sah ihr direkt in die Augen. In ihre hoffnungslos naiven, megaüberschminkten Augen.
„Ja. Klar, ER. Ich schau, was ich tun kann. Und sag es nicht weiter. Wenn es spruchreif ist, dann werde ich es allen erzählen. Aber nichts verraten, von wegen meiner speziellen Beziehungen zu Alex", sagte sie etwas unsicher.
„Keine Sorge, ist doch klar. Ich drücke dir die Daumen und wenn irgendetwas sein sollte, meine Tür steht für dich offen", meinte ER sogar ehrlich.
„Der Schal ist wohl doch im Büro", sprach sie vor sich hin.
ER drückte den Aus-Knopf.

Das Abfangen des Blumenstraußes war fast geglückt. Chrischi hatte den Strauß schon in der Hand und der Lieferwagen war gerade abgefahren, da kam Alessa ausgerechnet in diesem Moment nach draußen, um den Müll auszuleeren. Sie war überrascht, innerhalb von einer halben Stunde zwei Blumensträuße zu bekommen.
„Das war ein Mössverständnis in der Firma. Auftrag ging

zweimal raus. Da ich für meinen Schatzi noch einen Strauß für unseren Jahrestag holen wollte, passte das perfekt. Also habe ich den zweiten abgefangen," erklärte sich Chrischi sehr überzeugend. Fast.

„Sind das rote Rosen? Ihr wolltet mir rote Rosen schenken? Der bunte Strauß ist schon wunderhübsch. Ihr seid ja süß", sagte sie.

Dumm gelaufen. Das Papier war hochgeweht. Nicht richtig festgeklebt.

Zack, schnappte sie sich den Strauß und roch an den Rosen.

Sie lugte zwischen die Blumen und griff sich die Karte, kaum, dass Chrischi reagieren konnte. Zu spät. Sie erstarrte.

„Danke für die gute Zusammenarbeit und Ihren herausragenden persönlichen Einsatz. Werden Sie bald wieder gesund. Ihr Dr. Alexander Sch…

„Ihr Dr… Scheißkerl!", rief sie angewidert, stopfte die Karte zwischen die Rosen und schmiss sie in die Tonne.

„Deswegen wollte ich sie abfangen. Tut mir leid. Es ist mir missglöckt. Aber, Liebes, die Blumen nehme ich mit und vernichte sie an einem anderen Ort. Nöchts von ihm soll dich hier an ihn erinnern. Dein zu Hause ist tabu. Ich geh jetzt wieder. Tut mir leid. Muss zuröck. Pass auf dich auf, Liebes, bitte", meinte Chrischi und ging zum Auto. Da kam ein Fahrrad klingelnd die Auffahrt hoch.

„Hallo Chrischi. Willst du dich bei Mama anstecken? Sie hat gefährliche Monsterbakterien in sich", rief ihr 9-jähriger Sohn.

„Komm rein Marko und erzähl nicht solch einen Unfug. Schau mal, welch schöne Blumen ich von meinen liebsten Kollegen bekommen habe. Tschüss Chrischi. Und sag allen Danke. Bin bald wieder fit!", rief sie und verschwand im Haus.

Sie funktionierte. Das lenkte ab.

Monsterbakterien. So konnte man das auch nennen.

Mittags ging ER mit Amiga in den Park. Frau Augenblick saß schon auf ihrem Iso-Sitzkissen auf der Bank und empfing ihn mit einem Lächeln aus den Tiefen des Universums hinter den Schemen der Bäume im Park.

„Hallo Frau Augenblick. Ich bin so froh, dass ich Sie jetzt schon hier antreffe. Ich muss Ihnen unbedingt etwas erzählen“, sprach er während er sich neben sie setzte. Er band seinen Schal enger. Es wehte ein scharfer 6 Grad kalter Wind. Amiga ging auf Schnupperrunde. Sie war überall so schnell zu Hause.

„Ich bin schon ganz gespannt“, sagte sie fast fröhlich.

Dann erzählte ihr ER von seinem Traum, alles, bis ins kleinste Detail. Sie hörte zu und nickte immer mal wieder.

„Was glauben Sie, was das alles zu bedeuten hat?“, beendete sie seine Schilderung. Das war genau das, was er eigentlich fragen wollte.

„Das weiß ich nicht. Deswegen wollte ich Sie sehen. Es ist etwas vollkommen Neues. Ich bin aufgeregt und habe richtig Lust, weiter davon zu träumen. Trotzdem habe ich ein komisches Gefühl“, meinte ER.

„Hatten Sie das Gefühl im Traum?“

„Nein, nur jetzt, danach“, überlegte er.

„Na dann freuen Sie sich. Sie haben sich entschieden, tief im Innern. Deswegen eröffnet sich Ihnen eine neue Welt. Sie haben sich von Ihrem alten Leben verabschiedet und den ersten Schritt in Ihr neues Leben gesetzt. Sie haben Mut gefasst, etwas zu ändern und sich Ihren Schattenseiten gestellt. Dies ist der Beginn einer neuen Reise“, sagte sie und stand auf.

„Was soll ich tun?“, fragte er völlig verunsichert.

„Trainieren Sie weiter. Wir freuen uns über Ihre Entscheidung. Auf Wiedersehen!“, sagte sie schon in Gehrichtung gewandt, mit einem Beutel wedelnd, bedruckt mit einer Landkarte und einem Fluss, der von Nord nach Süd das Land durchfloss. War das Gaia Nova? War das die Nagila? Und wer waren *wir*?

ER war extrem ungeduldig in der Firma. Wollte nach Hause und schlafen und träumen.

Alessa hatte sich vehement gesträubt, nicht zu kommen, gab aber dann nach. Kaum, dass sie aufgelegt hatte, kam auch schon ihre Idee für einen neuen Namen:

Einfach ein + dranhängen. Plus wäre naturgemäß ein positives

Zeichen. Hier hieße es Milon Kultur+, was assoziieren sollte, dass es sich um ihre anspruchsvollen Mitglieder handelte, die eben ein bisschen mehr Infos und Sonderkontingente für kulturelle Highlights in der Stadt erhielten.

Das + könnte gleich komplett das Matura ihrer Kreation-Abteilung ersetzen, das wirklich verstaubt klang – also Kreation+.

Und zu guter Letzt könnte ein + auch beim Szene.Abo+ anzeigen, dass auch hier zusätzlich zu den gewohnten hippen Events in Milon noch eine Auswahl anspruchsvollerer Highlights käme, zu denen das junge Publikum nun auch ermäßigten Zutritt haben könnte.

Das + wäre ein durchaus modernes Zeichen und demonstrierte, dass sie sich am Puls der Zeit befänden.

Mit dem Plus am Puls der Zeit! Das klang nach Zeitgeist pur. Volltreffer.

Das war Alessa. Perfekt.

„Eingetötet", jubelte Chrischi, als er das hörte.

ER war abends so aufgekratzt, dass er um drei Uhr nachts noch wach lag. Endlich schlief er ein.

Traumlos.

Der pure Alptraum, ohne Traum.

Außer, dass Dr. Schwarzenegger Alessa wegen der genialen +-Idee lobpreiste, dass es schon wehtat, und schon wieder einen Strauß Blumen für sie anordnete, war nichts weiter im Büro vorgefallen. Die Blumen konnte ER gerade noch über ihre Abteilung in Auftrag geben lassen, kurz bevor Micha aufgetaucht war. Das Ekelpaket erzählte ihr natürlich brühwarm, welch geniale Idee von Alessa kam und die natürlich sofort auch bei Kreativ Young umgesetzt werden sollte.

Wie gut, dass sie bisher nur die Musterdrucke für ihre Merchandisings erhalten hatten. Die Logo-Änderung war also kein Problem. Musste nur noch abgestimmt werden, wo und wie das + seinen Platz bekommen sollte. Auch Georg Frühling war begeistert.

Er kündigte zudem für nächste Woche Mitarbeitergespräche an. Auch mit den Studis und Praktikanten. Das hatte es noch nie gegeben. Innovativ. Und sehr strategisch.

Hunderunde im Park. Frau Augenblick tauchte nur kurz aus dem Nichts neben ihm auf und meinte:

„Das Schöne ist, Sie werden endlich auch meine Schwestern kennenlernen."

„Sie haben Schwestern?", fragte er eine dumme Frage.

„Ja, genau zwei", lachte sie und zog an ihm vorbei. Sie joggte, war äußerst sportlich gekleidet. Er war fasziniert über ihre ungewohnte Erscheinung und ihren leichten Laufstil. Er kombinierte. Wir, das sind also ihre zwei Schwestern. Er stand am Wegesrand, weil Amiga eine Stelle genauer untersuchen wollte und sie angeleint war.

„Können Sie mir sagen, was das Ziel ist?", rief er. Auch eine komische Frage. Sie setzte quasi voraus, dass sie die geheime Mission kannte.

Sie zeigte schlicht auf ein Mädchen, das gerade mit Amiga spielte. Amiga fremdelte überhaupt nicht, wie sonst anfangs bei den meisten Menschen.

Frau Augenblick stoppte kurz, drehte sich zu ihm um und sagte lächelnd:

„Sehen Sie sie genau an!"

Dann winkte sie dem Mädchen zu, lächelte und sagte ihm:

„Auf Wiedersehn!"

ER starrte das Mädchen irritiert an. Er kannte sie gar nicht. Mit solch einem Ziel konnte er so gar nichts anfangen.

Weg war Frau Augenblick.

Weg war auch das Mädchen. Hatten die beiden nicht gerade das gleiche bunte Blumenmuster auf Rucksack und Jacke gehabt? Rätselhaft. Er kraulte seinen nicht vorhandenen Bart.

Pförtner

Endlich. Die Extrarunden an der frischen Luft hatten geholfen. Er schlief sofort ein und tauchte gleich ab.

Pförtner zog seinen Hut und begrüßte ihn freundlich.

ER erhielt von ihm Einweisungen, wie er sich in Gaia Nova bewegen konnte. Es klang einfach. Er wäre vollkommen frei. Skipper würde ihn immer dorthin führen, vorerst mit verbundenen Augen. Natürlich wäre Skipper auch für seine sichere Rückreise verantwortlich. Er wäre überhaupt für jegliche Formen von Fortbewegungsmitteln sein Ansprechpartner.

„Wir gehen davon aus, dass Sie Ihren Körper lieben und auch wieder dorthin zurück möchten", lachte der feine Alte aus zehntausend Falten um seine Augen. Er trug einen weißen Circle Beard, also einen Schnurrbart, der in einen Goatee überging, bei ihm sogar in einen längeren Kinnziegenbart. Seine ganze Erscheinung hatte etwas sehr Altes, Weises.

„Ja. Natürlich. Lieben, naja, weiß ich nicht so. Aber in meinen Körper möchte ich zurück. Selbstverständlich!", faselte ER leicht irritiert.

„Der Rahmen ist damit gesetzt. Das Thema der Mission lautet: Erneuerung. Lernen Sie das Land kennen. Alles ist in Bewegung. Sind Sie bereit, Ihre Reise anzutreten?", fragte Pförtner lächelnd.

Er lächelte eigentlich immer.

„Ja. Ich bin bereit. Was soll ich tun?", fragte ER. Er hätte tausend Fragen und mehr.

„Sie setzen einen Schritt vor den anderen. So gelangen Sie von einer Stunde zur anderen. Zwölf Stunden sind es, bis etwas Neues entstehen kann. Zwölf Stunden dauert die Reise durch die Nacht, bis ein neuer Tag erwacht. Die Länge der Stunden entscheiden Sie. Den Zeitpunkt des Stundenwechsels bestimmen Sie. Den Weg legen Sie fest. Das Ziel werden Sie finden", sagte Pförtner.

Zwölf Stunden?

Alles rätselhaft. ER nickte wie ferngesteuert.

Pförtner sprach fast festlich:

„1. Stunde: *Zu kennen die Seele, die gern reist.* Willkommen, ER."

Der Goatee lachte mit zehntausend Falten, dass die Augen zu kleinen dünnen Sicheln wurden. Er sprach wohl gern in sonderbaren Rätseln.

„Fliegen wir heute nach Gaia Nova?", fragte ER.

„Sie werden bereits erwartet", sagte Pförtner, zog abermals seinen Hut und gab ein Zeichen, dass ER die Augen verbunden bekam.

Erdiger Geruch, Aufzug, Gruß des Skippers, das Rattern des Hubschraubers, Abflug.

„Sie können die Augenbinde abnehmen", sagte Skipper.

Die Sonne schien und sie überflogen den Tafelberg. Direkt auf die Schlucht zu.

ER wachte auf. Die Schlucht! Er war fix und fertig. Er trank einen Schluck Wasser. Amiga lag auf einem kleinen Kissen auf dem Boden neben ihm. Sie passte gerade so darauf. Eine Pfote lag auf der Matratze.

„So ein Mist. Ich will keine Angst mehr haben vor dieser bescheuerten Schlucht. Skipper ist bei mir. Ich bin nicht allein und kann auch nicht fallen, weil ich in einem Hubschrauber sitze. Es ist völlig anders als die Träume vorher. Ich will ihm vertrauen, denn er kennt sich aus in diesem Land. Er kann mich über alle Unwegsamkeit hinweg führen. Ansonsten hätten sie ihn sicher nicht für mich ausgewählt. Die Mission kann nur mit erfahrenen Leuten gelingen…"

Er schlief wieder ein und hörte das Knattern der Rotorblätter. Und Skippers Lachen.

„Sie können die Augenbinde nun wirklich abnehmen!"

Wieder flogen sie über dem Tafelberg dahin, auf die Schlucht zu.

„Wäre es okay, wenn wir nicht in die Schlucht fliegen? Lieber darüber hinweg. Da wäre ich Ihnen sehr dankbar", sagte ER.

„Klar doch. Kein Problem. Kriegen wir hin. Das wird Ihnen bald nichts mehr ausmachen. Schritt für Schritt. Aber Duzen ist angesagt. Ich bin Skipper und ein Skipper *fährt* ein *Boot*, egal wie es aussieht und wo es fährt, auf Wasser, der Erde oder in der Luft", lachte Skipper.

„Danke, Skipper", lachte ER erleichtert. Er war wieder angekommen.

Sie flogen mit dem Hubschrauber, nein, sie *fuhren* mit dem *Boot, Hubschrauber-Boot.* Auf der Seite des Hubschraubers stand BOOT und daneben das Logo einer Barke. Alles klar. Er erinnerte sich an die Bergleute, die im Berg auch jede Art der Fortbewegung *fahren* nannten.

Der Canyon war atemberaubend schön. Canyon klingt weniger dramatisch wie Schlucht. Der lange Canyon war doch ein angenehmerer neuer Name. Mal sehen, ob der Trick funktionierte.

Ein Fluss schlängelte sich tief unter ihnen durch den über einen Zeitraum von fünf Millionen Jahren ausgewaschenen Sandstein. Der Canyon verzweigte sich zum großen Mittelfluss hin, so dass vier große Arme des Canyonflusses etwas weiter südlich in die Nagila mündeten.

Mit einem Mal wurde es ohrenbetäubend laut. Vor ihnen tat sich jener riesige Buckelberg auf, dessen Kuppel er von seinem Aussichtsberg aus vage erahnt hatte. Der Hubschrauber, das Boot, drehte rechts ab, unter ihnen eine mächtige tosende Kraft. Die Nagila. Sie verengte sich an dieser Stelle erheblich. Das Wasser quetschte sich mit Hochdruck durch dieses Nadelöhr und schoss mit Wucht einen kleinen Wasserfall hinunter, dass man ihn kaum erkennen konnte.

Es sah aus wie ein internes Wettrennen des Wassers. Die Sicht war für Sekunden versperrt. Doch schon gleich, nur wenige Meter weiter, war das Gewässer so ruhig und weit, als wäre nichts geschehen. An dieser Stelle mündete auch der Tafelbergfluss in aller Seelenruhe mit besagten vier Armen über ein ausgedehntes Canyon-Delta in die Nagila.

ER war begeistert.

Die Begeisterung steigerte sich noch mehr, als sie jetzt über einen schier endlosen Regenwald mit seinen herausragenden Baumriesen fuhren. Regenwald bis zum Horizont.

Skipper deutete zu einem der Urwaldriesen und meinte:

„Der hat an die 80 Meter. Bis zu 300 Jahre alt. Höchstleistung. Mit fünf Stockwerken unterschiedlicher Charakteristika von Tier- und Pflanzenwelt. Ich habe mal gelesen, dass sich sogar alle fünf Meter neue Lebensgemeinschaften befinden können. Ein El Dorado für Biologen!“

ER strahlte Skipper an und nickte:

„Aye, aye. Wie recht du hast!“

Wie genial war das denn? Skipper kannte sich richtig gut aus. Er konnte bestimmt noch viel von ihm lernen.

Das Hubschrauber-Boot war quasi hinter der Mündung des Canyonflusses gen Südwesten gedriftet und glitt nun sanft über das grüne weite Baum-Meer. Ein glitzernder Streifen war irgendwo am Horizont zu erkennen. Das war wohl das südliche Ende von Gaia Nova.

„Das Südmeer“, meinte ER, als sie nach einer ganzen Weile dort angelangt waren.

„So ist es“, stimmte Skipper zu und steuerte das Boot gen Osten.

Sie überfuhren das unvorstellbar große Flussdelta der Nagila mit vielen kleinen vorgelagerten grünen Inselchen. Er blickte auf der anderen Flussseite in ein ebensolches Meer von Bäumen, Mangroven, die dann wieder in Regenwald übergingen.

ER fragte sich gerade, was sich da Sonderbares unter ihnen im Flussdelta abspielte, da hatte Skipper sofort eine Erklärung parat.

„Das Süßwasser der Nagila trifft hier auf das Salzwasser des Meeres. Das Wasser der Nagila ist so kräftig, dass es das Salzwasser mehrere hundert Kilometer weit ins Meer drücken kann. Es ist stark angereichert mit organischem Material, aber auch Spuren von Metallen. Unter diesem trüben Wasser vermutet man kein Korallenriff. Da ist aber eins. Ein Traum!“

Ja, ein Traum!

Wunderschön!

Sie drehten wieder ab gen Norden. Über den ausgedehnten Regenwald auf der Ostseite der Nagila zu den Buckelbergen. Ein weiteres Meer, dieses Mal mit hohen Wellen von riesigen bewaldeten

Buckelbergen. Wie die wohl entstanden waren?

Da folgte schon die Antwort:

„Turmkarst. Unzählige steilwandige bewaldete Karsttürme ragen aus der Ebene heraus. Typisch für eine feuchttropische und tropische Karstlandschaft. Im Gegensatz dazu gibt es die außertropische Karstlandschaft mit seinem Faltengebirge, das wir nach der Riesencaldera überflogen hatten. Du erinnerst dich sicher an den höchsten schneebedeckten Gipfel. Der einzige Schnee dieses Faltengebirges, dafür der höchste Berg von Gaia Nova.

Ein Buckelberg ist quasi ein Turmwald.

Wenn man bedenkt, dass das hier alles vor Millionen Jahren unterhalb des Meeresspiegels lag, wo sich eine bis vier Kilometer dicke Kalkschicht gebildet hatte."

„Ich nenne alle Buckelberge zusammen hier Turmwald-Labyrinth. Sieht doch so aus. Kann man sich doch auf ewig verirren, wenn man dort unten ist. Sehen alle gleich aus. In jeder Richtung. Unfassbar groß dieses Gebirge", meinte ER zufrieden. Er freute sich wie ein kleines Kind, dass er allem einen Namen geben konnte. War auch besser für die Orientierung. Falls er mal wieder hierherkam.

Sie fuhren entlang der südlichen buckeligen Ausläufer gen Osten.

„Diesen See wollte ich dir doch noch zeigen: der See mit 37 Inseln."

Skipper entwickelte sich zum Reiseleiter. Genau das liebte er, mit möglichst vielen interessanten Details bitte sehr!

ER startete das Zählen der kleineren und größeren Inseln in diesem riesigen See und verzählte sich prompt. Schon hob das Boot wieder an und tauchte ein ins Labyrinth des Turmwaldes. Diese Berge sahen wahrhaftig aus wie nicht von dieser Welt. Oder als hätten Kinder sie einfach so in die Landschaft gemalt. Rund. Grün. Rund. Grün. Alle komplett umhüllt von grünstem Wald, durchzogen von vielen wasserreichen Flüssen und Seen. Nach kurzer Zeit hatte ER tatsächlich komplett die Orientierung verloren. Nicht einmal der Himmel konnte eine Richtung ansagen; der trug gerade ein Einheitsgrau. Es sah wahrhaftig in allen Richtungen gleich aus.

ER befand sich in einem absoluten Grünflash.

Langsam veränderte sich die Landschaft als sie aus dem Turmwald-Labyrinth herausfuhren. Eine schier endlos weite Ebene tat sich auf.

„Endloser Permafrost rechts. Links die Steinriesen, dahinter die Sümpfe, dahinter die Nagila“, war der Kommentar von Skipper.

Es wurde schlagartig kühl und ER zog sich eine dicke Thermojacke über, samt Thermodecke.

Eigentümlich und im vollen Kontrast zu dieser Szene der kurze Blick durch einen riesigen Felsspalt Richtung Westhorizont, wo sich die rötliche Wüste von der anderen Flussseite schwach abzeichnete. Dann schaute er wieder hinunter.

„Witzig, ein gefrorener See mit Schnee und rundum gefrorener Boden ohne Schnee“, bemerkte ER.

„Schnee?“, lachte Skipper und zwinkerte ihm zu. „Salz!“

„Oh, ein Salzsee. Erst denken, dann reden“, lachte ER.

„Gerade mal 10 cm tief. Hat den höchsten Salzgehalt der Erde. Friert selten zu. Erst ab minus 50 Grad. Handelt sich um Calciumchlorid. Gutes Trockenmittel, aber auch für Salzgurken, als Geschmacksverstärker und Stabilisator zu verwenden.“

Skipper wurde immer detaillierter.

„Das klingt vielversprechend. Trotzdem sieht das hier nach Endzeit aus. Wie auf dem Mars“, bemerkte ER, dem unwohl bei dem Gedanken war.

„Ja, man vermutet, dass es auch auf dem Mars flüssiges und salziges Wasser gegeben hatte.“

Nach den endlosen Weiten gelangten sie zu einem mächtigen Eisgebirge und überflogen einen langen und breiten Gletscher. Weiß, wohin das Auge reichte. Starke Sonnenbrillen wurden aufgesetzt. Hier und da lugte Felsgestein hervor, doch das meiste der Landschaft war von Eis und Schnee umhüllt. Geröllpisten, wohl von abgegangenen Lawinen. Die Sonne zeigte sich wieder. Silbern glitzerten die kleinen Bächlein.

Und silbern glänzte der Mondsee. Es konnte nur der Mondsee

sein, bei dieser deutlich sichelartigen Form.

„Der höchstgelegene See, der tiefste und der kälteste. Konstante 2 Grad. Gute 550 Meter tief. Nicht erschrecken! Wir fahren jetzt über seine massive Innensichelfelskante. Dahinter geht es steilst bergab, aber keine Schlucht, sondern die weite Ebene zur Nagila tut sich gleich hier vor uns auf. Sieh dir diese gewaltige Felswand an. Ist das nicht spektakulär?“ Skipper freute sich richtig über ERs nahezu kindliches Staunen.

„Es ist einfach unglaublich, was die Natur alles formen kann und was sich über Jahrmillionen alles entwickelt hat. Jede Landschaft hat ihren Reiz, ihre Faszination. Ich bin überglücklich, dass ich das alles sehen darf.

Wie krass ist das denn! Sieht aus wie ein von der Natur geformter mächtiger Staudamm“, rief ER laut aus, als sie auf die Kante zufuhren. Er freute sich wie ein kleiner Junge zu Weihnachten über all die schönen Überraschungen.

Sie machten einen Schlenker über jenen Natur-Staudamm, der tatsächlich vom hochgelegenen Mondsee bis zur Nagila steil abfiel. ERs Magen hob sich, beruhigte sich aber gleich wieder. Skipper lenkte das Boot langsam runter und über das ultrabreite Flussufer, das ein einziges großes Geröllfeld war. Nicht das kleinste Pflänzchen war von hier oben zu sehen. Sie überflogen auch das an dieser Stelle sehr breite Flussbett der Nagila bis zum anderen Ufer mit den vielen Felsinseln der Ausläufer des Faltengebirges. Den Fluss mit einer Fähre zu überqueren würde hier wohl eine bis zwei Stunden dauern.

Skipper schwenkte wieder zurück zum Ostufer der Nagila. Er zog das Boot behände über ein paar hohe Felsengebilde, die nördlich an das Steinfeld grenzten, da tat sich erneut ein riesiges weites Schneefeld auf, das sich quasi vom Eisgebirge gen Norden hin erstreckte.

Welch ein Kontrast wartete da in nördlicher Ferne? Das schier grenzenlose Weiß schien dort direkt an schwarzbraune Vulkankegel zu prallen. Tatsächlich. Je näher sie kamen, desto mehr verschob sich der Weißanteil zugunsten der schwarzen Erde, schwarzen

Hügeln, schwarzen Bergen.

„Feuer und Eis ganz nah beieinander. Das Vulkangebirge nennen wir Feuergebirge. Der südliche Teil ist schon seit 20.000 Jahren erloschen. Doch im Norden brodelt es noch. Der letzte Ausbruch war vor 9.000 Jahren. Schöne fruchtbare Oasen haben sich mittlerweile gebildet. Unter den Lavafeldern befinden sich unzählige Hohlräume. Ähnlich dem Faltengebirge mit seinen Karsthöhlen. Die entstanden durch Wasser und chemische Prozesse, diese hier durch Feuer. Mutter Erde hat hier feinsten Nährboden für Pflanzen aus ihrem Innern emporbefördert. Zudem enthält die ausgeworfene Asche wichtige Pflanzennährstoffe. Daher sind vulkanische Böden besonders fruchtbar“, erklärte Reiseleiter Skipper.

„Ja, die Vulkanhänge eignen sich perfekt für den Anbau von Wein und Zitrusfrüchten. Oder Oliven und Feigen. Bis auf 1.000 Meter kann man hier gut anbauen. Ich glaube, sogar Apfel- und Kirschbäume könnten dort oben noch wachsen. Ach nein, die sind besser auf der anderen Seite der Nagila vor der Caldera aufgehoben. Dort drüben ist ebenso bestes Anbaugebiet. Olivenbäume sind dort bereits weit verbreitet, wenn ich mich recht entsinne“, rief ER begeistert.

Unter ihnen stieg gelber Schwefeldampf aus einem kleineren Schlot auf. Rechts waren noch zwei weitere. Ja, das schien noch nicht das Ende zu sein.

„Die Feueraktivität aus dem Erdinnern hat sich eindeutig nach Norden verlagert. Hier würde ich nicht siedeln wollen“, bemerkte ER und zog sich seinen Schal vor die Nase. Skipper machte sich über ihn lustig. Das bisschen Schwefel… Da meinte er plötzlich:

„Oh, ich habe die bezaubernden Fjorde ganz vergessen. Nun, nach dem Motto, das Schönste zum Schluss, drehe ich noch einen kleinen Schlenker weiter nach Osten.“

Ein kleiner Schlenker war erfahrungsgemäß bei Skipper eher ein großer, längerer, und das, obwohl er längere Strecken stets mit einer Art Turbo-Zeitraffer überflog. Egal. Die Landschaft von oben zu betrachten, war überall in Gaia Nova eine Erholung. Skipper lenkte das Boot nach rechts und sie fuhren quasi hinter dem aktiven Teil des Feuergebirges über schwarzbraunrote Lavaerde und knallgrüne Kiefern wieder in die Richtung eines Meeres. Das Ostmeer. Somit handelte es sich bei dem Land Gaia Nova entweder um eine Halbinsel oder Insel. Nach Norden hatte er ja nicht blicken können, da Wolken und Nebel wie eine Mauer die Sicht verhüllt hatten.

In jedem Fall konnte man Gaia Nova als Kontinent bezeichnen. So groß, so vielfältig, verbunden und geteilt gleichermaßen durch die Nord-Süd-Achse des großen, langen Flusses Nagila.

Natürlich war auch der feine Sandstrand am Ostmeer schwarz und die Kieselsteine leuchteten richtig hell wie Sterne am Nachthimmel. Sie fuhren also die Ostküste wieder gen Süden, bis quasi im Rücken des Eisgebirges schließlich die Fjorde begannen. Ein schmaler Meeresarm nach dem anderen mit extrem steil abfallenden Felswänden grub sich ins Innere des Landes.

Skipper flog zunächst entlang der Meeresküste. Genau fünf Fjorde zählte ER:

„Wie eine Hand ragen die Fjorde ins Land."

„Prima, so lautet ihr Name: die Hand-Fjorde. Wir fliegen jetzt in den längsten Fjord Zeigefinger und von dort wieder rüber über den Schnee zum Feuergebirge. Von dort geht es bald zum Ausgang unserer Rundreise zurück", kündigte Skipper an.

„Was ist Vollkommenheit?", fragte eine ältere Frauenstimme hinter ihm, dass ER sich derbe erschrak. Er wusste gar nicht, dass hier außer ihnen beiden noch ein weiterer Passagier im Hubschrauber-Boot saß. ER drehte sich abrupt um und blickte in die dunklen Augen einer sehr alten Frau. Wie hatte er das nicht mitbekommen können, dass sie an Bord war und wieso hatte sie die ganze Reise über nichts gesprochen?

„Oh, ja, entschuldigen Sie. Ich wusste nicht, dass Sie… Hier… Ja, die Frage. Vollkommenheit… Hm… Das alles hier ist Vollkommenheit!", sagte ER spontan, als er die mächtigen Felsen zu beiden Seiten der türkisen Fjordschlucht hinaufsah. Der Hubschrauber passte an manchen Stellen gerade so durch. Skipper wusste, was er tat. Darauf vertraute er.

„Glauben Sie es oder wissen Sie es?", fragten die tiefen dunklen Augen. Ja, das waren eindeutig Fjordaugen.

„Ich sehe es und denke, dass es vollkommen ist. Aber im gleichen Moment spüre ich eine Angst, dass sich all dies wie überall sonst auf der Erde verändern könnte. Die Natur ist so perfekt und intakt. So friedlich und voller Schönheit. Ein Paradies! Welch eine Vielfalt und dabei habe ich noch gar nicht die Pflanzen- und Tierwelt im Einzelnen gesehen. Allein dieser Anblick lässt ein vollkommenes Leben für alle vermuten. Alles wird seinen Platz haben, ganz nach seiner Umgebung. Das ist das wahre Paradies! Genau so stelle ich mir das Goldene Zeitalter vor. Vollkommen", sagte ER vollkommen erfüllt.

„Genau das wollte ich Ihnen zeigen. Genau das. Jede Zelle Ihres Körpers trägt nun diese Schönheit des Goldenen Zeitalters in sich. Die Schönheit dieses Paradieses", sagte sie und blickte zufrieden lächelnd aus dem Fenster.

ER sah wieder nach vorn. Sie waren am Ende des Zeigefinger-Fjords angekommen und steuerten geradewegs auf eine graue Felswand zu, die vor ihnen hoch hinausragte. In gefühlt letzter Sekunde riss Skipper das Boot nach oben…

Der Wecker klingelte.

„Das war knapp!"

Damit begann ER den Tag. Er blickte in verständnislose Augen und lächelte.

„Amiga, das Land, das ich im Traum sehe, ist im wahrsten Sinne traumhaft schön! Ich wünschte, dieses Paradies das gäbe es in echt und ich könnte dir das zeigen und Frau Augenblick, Alessa und Chrischi, Maggi und Hanna… Und SIE. Eigentlich auch Hans von MMM, das täte ihm einfach nur gut. Okay, Georg Frühling, vielleicht, ach, was rede ich da. Ich würde meinen Traum so gern teilen, aber es ist *meine* geheime Mission. Noch", überlegte ER während er die Futterschale auffüllte.

Georg Frühling erwartete ER schon in dessen Büro und saß am

neuen Besprechungstisch.

„Guten Morgen, ER. Das will ich doch gleich bei Ihnen loswerden. Mein eingeschalteter Anwalt hat keinerlei Vertragswerke auskundschaften können, die unser Projekt von Milon Kultur+ zwingt, den Druckauftrag an HippsterPress zu erteilen. Also sind wir frei. Sie suchen sich die Druckerei aus, die Ihnen in Sachen Preis-Leistung am besten zusagt und in das Budget passt. Das gilt natürlich für sämtliche Druckaufträge von MAIS für Milon und natürlich auch für Milon selbst." Er schien sich richtig zu freuen, dass er diese frohe Botschaft endlich loswerden konnte.

„Das ist doch perfekt! Danke für die rasche Info. Ah, Moin Chrischi! Kannst du uns eben die Angebote von den Druckereien rüberreichen?", ordnete ER dem leicht verdutzten Chrischi an. Der lächelte, weil er den Braten roch.

Chrischi breitete die drei Angebote nebeneinander aus. Georg Frühling war aber noch nicht ganz bei der Sache. Da war noch etwas:

„Interessant ist, dass es Knebelverträge mit allen anderen MAIS-Unternehmen gibt, zentral von MAIS-Hauptstadt geregelt. Wer auch immer von Milon hat sich offensichtlich bravourös gegen die Entmündigung stellen können. Hut ab! Ich habe morgen einen Termin mit Kurt Müller vom Kulturmarketing Milon, denn wir wollen die Kulturlandschaft der Metropolregion Milon ausweiten und noch mehr touristische Anreize anbieten. Dann gibt es noch das Projekt Gujaland-Städte-Zirkel nächste Woche, das auch für Kultur+ interessant wäre. Termin gebe ich Ihnen noch durch." So, fertig.

Georg Frühling war schon so einer. Wenn er entspannt war, so wie jetzt, konnte man ihm quasi seine Gedanken im Gesicht ablesen. Ansonsten war seine Mimik im Freundlichkeitsmodus eingefroren.

„Hochönteressant! Da wösste man gern, was sich da hinter verschlossenen Tören abgespielt hat", meinte Chrischi mit funkelnden Augen. Er war wohl die neugierigste Person, die ER kannte.

Sie entschieden sich für eine Druckerei, die auf ERs Heimweg und preislich in der Mitte lag. Deutlich günstiger als HippsterPress. Dann löste sich die Spontanbesprechung auf.

Kringel.

Für einen Augenblick steht der Wind um alle Eichen der Welt still.
Die Stille ehrt ihr Lebenswerk.

Es klopfte. An der Terrassentür. Amiga wuffte zwei Mal und wedelte dann ganz aufgeregt mit ihrem kompletten Hinterkörper, als ER die Tür öffnete.

„Sie haben mein Flugzeug ja schon repariert! Toll! Danke", kam Benjamin Hirse ohne Umschweife zur Sache und ins Büro. Er nahm das reparierte Flugzeug hoch und stellte dafür ein völlig demoliertes Fernsteuerauto samt Fernsteuerung an dessen Platz.

„Ich wusste, dass Sie das können. Das habe ich Ihnen angesehen."

Dabei blickte er ER verschwörerisch in die Augen und fügte direkt und ohne Umschweife hinzu:

„Dann können Sie meinen Monstertruck bestimmt auch wieder fahrtauglich zaubern, stimmts?" ER war gebauchpinselt und überrumpelt. Der Junge hatte etwas an sich, dem er nicht widersprechen mochte.

„Mein Vater ist nie da und wenn, dann hat er keine Zeit. Und meine Mutter hatte schon mal einen repariert. Der hatte aber danach eine ganz andere Farbe mit dummen Streifen. Funktionierte zwar, war aber extrem uncool", erklärte er sehr ernst, um die Dringlichkeit zu untermauern.

„Na gut. Ausnahmsweise. Bin ja ansonsten keine Werkstatt. Kann aber dauern. Habe da noch eine geheime Mission…" ER ärgerte sich, kaum, dass er es gesagt hatte. Dieser Lümmel!

„Das ist ja sowas von cool! Das will ich auch mal sein. Ge-heim-a-gent!", schwärmte Benjamin.

„Nein, nein. Ich bin kein Geheimagent! Wir arbeiten für die Stadt", versuchte ER eine Erklärung.

Schwups, war Benjamin aus der Terrassentür und rief:

„Das ist ja noch cooler, ein Geheimagent von unserer Stadt! Und *der* repariert *meine* Fernsteuerteile. Da sind bestimmt jetzt Abhörsender eingebaut. Ich erzähle es gleich meinem Freund." Und zack, war er über den hohen Zaun geklettert. Das Flugzeug hatte er gekonnt rüber segeln lassen, immerhin. Da rief ihn schon seine Mutter mit einem langgezogenen i.

Solche Gerüchte mochte ER nun gar nicht, aber es schmeichelte tatsächlich. Benjiii hatte es drauf.

Kringel.

Die Stille öffnet ein Tor, das Tor zu neuem Leben.
Als erstes bewegt sich Eichhörnchen mit den spitzen Ohren. Es sammelt ihre Früchte ein, unentwegt.
Es vergräbt, versteckt und pflanzt damit den Samen für einen neuen Baum.

Da kam ER die blendende Idee. Er könnte es durchaus erzählen, seinen Traum, aber eben nicht, dass es sich um eine geheime Mission handelte, sondern einfach nur die Schönheit der Landschaft schildern. Dass er das Paradies gesehen hatte. Das Land seiner Träume aus seinen Träumen. Das unberührte Goldene Zeitalter.

Gesagt, getan, verschwörerische Augenbraue zu Chrischi, Pasta-Mittagstisch.

Doch zuvor ein Selfie von beiden für Alessa mit einem: „Wir denken an dich!" abgeschickt.

Herzsmileys kamen prompt zurück.

Träume, das war nämlich etwas für Chrischi. Er erzählte ständig von seinen Träumen, wo ER gefühlt sein Leben lang traumlos geschlafen hatte. Bis jetzt. Chrischi liebte Traumreiche. Man konnte ihm ansehen, dass er sofort in einen Film abtauchte. Er war begeistert und wollte eigentlich gar nicht mehr raus aus dem neuen Film. Die Spaghetti aß er wie ferngesteuert.

„Wieso meinst du unberührtes Zeitalter? Ihr seid doch nur geflogen. Da hast du ja nicht sehen können, ob es besiedelt war", überlegte er zum Schluss.

„Das stimmt. Aber wenn es besiedelt war, dann müssen die

Menschen so angepasst gewesen sein, dass man sie von oben nicht hat erkennen können. Jedenfalls hatten sie keinerlei sichtbaren Spuren hinterlassen“, erklärte ER plausibel.

„Ja. Das paradösische Goldene Zeitalter ist einfach allerhöchstes Lövel für die Erde. So schön, es zu sehen, diese Vielfalt. Da wäre ich görn dabei“, schwärmte Chrischi.

„Ich kann ja mal versuchen, ob ich dich beim nächsten Träumen mitnehmen kann. Ich trainiere das luzide Träumen. Es funktioniert schon ganz gut. Ich habe ja das ganze Wochenende Zeit“, lachte ER.

Das Wochenende kam. Keine Träume. ER fuhr daher Sonntag in die Stadt, um Frau Augenblick zu erwischen. Was natürlich vollkommener Blödsinn war, denn sie konnte ihm ja keine Träume zaubern. Aber vielleicht gab es da eine Technik… Sie war nicht da. Er fühlte sich wie ein Süchtiger, der seine Droge nicht bekommen hatte. Die richtige hatte er in der Tasche, interessierte ihn aber nicht mehr.

Das hatte er am Freitagabend probiert. Die Träume waren ausgeblieben.

Zu Hause fiel er enttäuscht und ermattet auf das Sofa, schlief ein und endlich zeigte sich die Traumwelt wieder.

Vulkanausbruch

Er stand vor Höhlen. Vor Felsenhöhlen. Vier Felsenhöhlen, die er von hier aus erkennen konnte. Ein Eingang war mannshoch, in die anderen konnte man nur gebückt hinein oder musste kriechen. Er kannte diese Art Fels. Karst, hatte Skipper gesagt. Er ging ein Stück zurück, um weiter hinaufsehen zu können und tatsächlich. Der Schneezipfel des Höchsten lugte hinter vielen Zacken hervor. Er befand sich also im Faltengebirge.

ER blickte sich um, um nach dem Hubschrauber zu sehen. Sah

ihn nicht. Doch was sah er da in der Ferne?

Einen Vulkanausbruch!

Ein gigantischer Urzeitvulkan spie Feuer meterweit in den Himmel. Es musste sich um die Stelle der großen Caldera handeln, wenn er sich recht entsann. Es kam ihm so vor, als wäre er zeitlich zurück gesprungen bis zum exakten Zeitpunkt dieses monströsen Vulkanausbruchs. Er war live dabei und beobachtete das Geschehen aus sicherer Entfernung. Sogar der Boden unter ihm bebte. Ein gewaltiges Feuerwerk nach dem anderen schoss am Horizont gen Himmel. Lavaflüsse in alle Richtungen. Atemberaubend.

Mit dem nächsten Ausbruch wurde die komplette Seite des Vulkans zur Nagila hin unter ohrenbetäubendem Donner und Beben gesprengt. Die ganze Welt schien zu bersten.

Die Geburtsstunde der Caldera!

Feuer, Steine, Rauch, Glut flogen hunderte von Metern hoch in eine riesige Rauchwolke, die die Sonne verhüllte. Ein Inferno!

Ein erhabener Augenblick!

ER fühlte ein wenig Ascheregen auf seiner Haut. Wie gut, dass der Wind von Osten kam und die großen Aschewolken dieses Urgiganten über das Meer weggeblasen wurden, sonst lägen große Landstriche in Gaia Nova über Jahre unter einer zwanzig Meter hohen Ascheschicht tot und begraben.

Wo war Skipper?

„Hier hoch, ER, hier hoch!“, rief Skipper aus einer mannshohen Höhle von weiter oben. Behände kletterte ER die Felsen hoch.

„Musst ja nicht im Ascheregen stehen“, meinte Skipper.

„Von hier kann man noch viel besser sehen!“, staunte ER.

„Allererste Reihe“, lachte Skipper.

Ein unvorstellbares Zischen von der Westseite der Caldera erfüllte gerade das Land. Der Lavafluss tauchte ins Meer ein. Urgewalten trafen aufeinander. Rauch und Gischt gaben ein lautes Konzert, das vom Horizont bis hierher schallte.

Ein kleines Zischen hingegen kam von der Ostseite, als ein langer Lavafluss das Wasser der Nagila berührte und zum Stillstand kam. Nur weiter oben kam neue Glut hinzu, türmte sich auf, brach nach außen weg. Neue kurze Lavaflüsse formten sich hier und da bis alles sich langsam beruhigte und schließlich erlosch.

Welch ein Zeitsprung. Ein mächtiger Vulkanausbruch im Zeitraffer. Die Explosion des Jahrhunderts, des Jahrtausends, war vorbei. Die große Caldera war vor seinen Augen geboren.

Die Erde bebte noch nach.

„Wir müssen aus der Höhle raus“, sagte Skipper. „Sofort! Schnell!“

Schon sprang er hinaus und ER hinter ihm her. Sie standen jetzt etwas entfernt von den Felsen am Rand des Faltengebirges. Die Erde bebte wieder. Sie blickten zur Caldera rüber. Der große Lavafluss schien verschluckt zu werden, dafür türmte sich Felsgestein auf entlang des dahinterliegenden jungen Lavaflussbettes. Jetzt entsprach die Form der Riesencaldera mitsamt ihren weiten Ausläufern annähernd dem Bild seiner Erinnerung.

„Möchtest du einer Beerdigungszeremonie beiwohnen?“, fragte Skipper wie selbstverständlich.

„Was? Jetzt? Ich?“ ER war irritiert. Das wollte er eigentlich nicht.

„Wir könnten sie begleiten. Es ist sehr interessant. Sie gehen zu einer besonderen Höhle auf der Westseite des Höchsten mit dem offenen Blick zur untergehenden Sonne über dem Meer. So können die Seelen bei Sonnenuntergang sicher mit der Sonne ins Reich der Toten reisen.“

Damit wachte er auf.

Im Büro wurde ihre Fröhlichkeit am Montagmorgen sogleich im Keim erstickt. Dr. Schwarzenegger flippte völlig aus. Er platzte mit einem puterroten Kopf in sein Büro und schrie, dass sich seine Stimme überschlug:

„Wie können Sie es wagen? Sie lächerlicher Haufen! Sich gegen meine Empfehlung eine andere Druckerei auszuwählen? Der Druckauftrag muss umgehend storniert werden. Umgehend!“

„Wir sind laut Herrn Frühling nicht verpflichtet…“, startete ER eine Erklärung und stand auf. So wirkte er immerhin größer.

„Nicht verpflichtet? Das wird Konsequenzen haben! Das hätte

es sofort, wäre da nicht ihr rettender Engel“, dabei schielte er mit seinen klitzekleinen Schweinsäuglein zu den Schreibtischen von Alessa und Chrischi rüber.

„Oh, sie ist immer noch nicht da? Hat sie meine Blumen nicht bekommen?“ Er schien aus dem Konzept. Welch ein Zusammenhang?

„Sie kommt später und hat einen Außeneinsatz“, meinte ER vorsorglich. Dachte er.

„Außeneinsatz? Mit dem SUV-Schlitten? Ich werde sie fahren. Ehrensache“, sprach er, drehte sich um und verschwand. Fort war der Montagmorgenspuk.

ER griff sofort zum Telefon:

„Hallo Alessa. Wie gut, dass du noch zu Hause bist. Ich bitte dich, heute im Homeoffice zu arbeiten. Er lungert hier herum und lauert auf dich. Wenn er dir zu nahekommt, ich schwöre dir, ich kann dann für nichts garantieren. Ich glaube tatsächlich, dass er nicht begriffen hat, was er dir angetan hat. Er fühlt sich zu dir hingezogen, das merkt man richtig. Anders als zu Micha. Trotzdem. Ich kann nur etwas tun, wenn du es möchtest, du weißt, über Georg Früh…“

„Nein, ER, das brauchst du nicht. Ich schaffe das. Geschäft ist Geschäft. Ich komme gleich“, antwortete sie ganz ruhig.

„Besser erst morgen, glaube mir. Es gibt gerade Probleme mit ihm, weil wir HippsterPress rausgekickt haben. Milon ist die einzige Stadt, die keinen Knebelvertrag hat. Wir wissen nicht warum. Und er wird uns heute die Hölle heiß machen mit seinem kranken Ego. Da wäre es nicht klug, wenn du hier bist. Sicherer wäre es für alle. Okay? Ich halte dich auf dem Laufenden. Homeoffice. Ich schicke einen ITler vorbei. Der soll dir alles einrichten, unser Warenwirtschaftsprogramm, Zugänge, Datensicherheit und so. Wollte ich eh schon mal testen. Testen wir jetzt bei dir. Passt doch. Ist die Zukunft“, sagte ER deutlich.

„Zukunft, naja. Ist okay. Ich teste, auch wenn ich noch keinen Menschen kenne, der von zu Hause arbeitet, außer Selbstständige. Morgen früh bin ich wieder im Büro. Egal, wie die Stimmung ist.

Ich komme damit klar. Bin ja gut vorbereitet und habe starke Ritter an meiner Seite“, sagte sie fast lächelnd.

„Eine für alle und alle für eine!“, rundete ER das Gespräch ab.

Er war erleichtert, dass sie für heute eingewilligt hatte.

Welch skurrile Situation: Eine Führungskraft, die nicht wollte, dass Mitarbeiter zur Arbeit kamen. Ein ITler kam gerade wie bestellt. Wollte eigentlich nur ein Kabel austauschen. Der stöhnte zwar erst wegen der spontanen Zusatzarbeit mit Außeneinsatz. Da er aber nur eine Straße weiter als Alessa wohnte, ließ er sich rasch überreden mit einem:

„Das kann dauern, solch eine Neueinrichtung. Da fahre ich am besten gleich hin, nachdem ich in der Marketing den Drucker installiert habe.“

Klar, durfte das dauern.

Gerade erinnerte sich ER an seinen Traum und wollte Chrischi zu sich rufen. Er musste über sich grinsen, dass er, obwohl die Kacke quasi am Dampfen war, dennoch die Seelenruhe besaß, an seine Träume zu denken. Sie gaben ihm Kraft in dieser Welt, wo man sich um so viel unnützen, abstoßenden Kram kümmern musste. Diese Träume momentan waren eine Wohltat; einfach schön, zu schön. Er konnte sich nur nicht gegen eine Ahnung…

„Sie haben Angst, dass alles verloren geht“, sagte jene Frau, die alte Frau, die bei ihm im Hubschrauber plötzlich hinter ihm gesessen und gefragt hatte, was Vollkommenheit sei. Sie saß auf einem der neuen Besprechungsstühle!

„Ja. Sehr sogar. Das Goldene Zeitalter. Über hunderttausende von Jahren unberührt und schön. Ohne den Menschen, diese nutzlosen Menschen“, seufzte ER vor sich hin.

„Sie haben gesehen, dass Menschen dort lebten, die Sie zuerst von oben nicht gesehen haben. Vollkommen integriert. Der Mensch war einmal ein Teil des Goldenen Zeitalters. Sehen Sie näher hin“, sagte die alte Frau mit den tiefen Fjordaugen.

Da wurde seine Bürotür auf- und er aus dem Tagtraum gerissen:

„Von wegen, es gibt keine Verträge zwischen MAIS und HippsterPress! Hier! Heute noch muss der Auftrag an sie raus. Sonst werde ich meine Meinung über den Fortbestand von Milon Kultur+ ändern!“, schrie der Choleriker und pfefferte die Vertragsunterlagen auf ERs Tisch.

„Herr Dr. Schwarzenegger!“, ertönte Georg Frühlings Stimme von der Tür. Sein Gesichtsausdruck war eisig. Der Berater schoss herum, doch bevor er wieder losschreien konnte, sagte Georg Frühling mit einer mäßigenden Handbewegung:

„Herr Dr. Schwarzenegger. Am Freitag hatte ich ein Gespräch mit dem Vorstand von MAIS in unserer Hauptstadt. Es liegen von MAIS Milon keine Kooperationsverträge außer mit der Stadt Milon vor. Gerade eben hatte ich ein persönliches Gespräch mit unserem geschätzten Oberbürgermeister von Milon. Er bestätigte die Unabhängigkeit der Stadt in dieser Beziehung. Sie scheinen also nicht über den aktuellsten Stand der Dinge informiert zu sein. Daher sehe ich über Ihre Drohungen und abfälligen Äußerungen gegenüber meinen Mitarbeitern ein letztes Mal hinweg. Einer sachlichen Zusammenarbeit und dem Unter-nehmen MAIS dienenden Zweck stehen wir nicht im Weg.“

Eisesstille.

„Sie, *SIE*, sie alle werden sich wundern, wer hier die Fäden in der Hand hält. Das, das, das letzte Wort ist noch nicht gesprochen“, stotterte, schnaubte der Möchtegern-Dompteur und verließ das Büro. Er schnaubte den ganzen transparenten Flur entlang unverständliche Worte.

„Wir können zwar nichts dagegen unternehmen, dass er als Berater vom Vorstand MAIS Hauptstadt auch hier in Milon eingesetzt wird, aber es gibt Grenzen. Der Druckauftrag läuft wie besprochen. Milon sieht derzeit keinen Anlass, ihre Entscheidungsfreiheit zugunsten eventueller finanziell lukrativer Vorschläge von MAIS Hauptstadt aufzugeben. Dies gilt für alle Anfragen an externe Dienstleister. Danke“, sagte Georg Frühling und nickte in die kleine Runde. Mit einem kleinen Funkeln in den Augen.

Chrischi, Maggi und zwei Studis gingen erleichtert wieder an ihre

Arbeitsplätze.

Georg Frühling schloss ERs Bürotür und sprach:

„Wie geht es Alessa Schimmelreiter?“

„Sie sagt, es gehe ihr gut, aber sie spricht nicht darüber. Ist auch okay. Als er so unkontrolliert hier hereingeplatzt war und nach ihr gierte, habe ich für sie Homeoffice angeordnet. Wollte ich sowieso mal ausprobieren. Ein ITler ist unterwegs, um alles einzurichten und zu testen.

Ich hatte Dr. Schwarzenegger gesagt, sie hätte einen Außeneinsatz heute, da wollte er sofort mit ihr und dem SUV zum Außeneinsatz. Das geht gar nicht…“, erklärte ER ehrlich und schüttelte sich angewidert.

„Das ist eine missliche Situation. Ich vertraue Ihnen, ER. Es geht um Frau Schimmelreiter und es geht um mehr. Ich wünschte sehr, ich könnte sofort alles zusammenbringen, um ihn ein für alle Mal aus der Stadt zu jagen“, sagte Georg Frühling, dessen Initialen ja auch seiner Position entsprachen und daher fortan als GF benannt werden konnte. Er holte tief Luft, schien etwas sagen zu wollen, ließ aber doch davon ab und erklärte:

„Jetzt ist noch nicht die Zeit, dass ich Ihnen das erzähle. Ich will Sie nicht mit mehr belasten, als Sie hier zu tragen haben. Aber wenn die Zeit reif ist, und ich bin sicher, sie wird es sehr bald sein, dann werden Sie mehr erfahren.

Ich schlage vor, wir beide führen heute Nachmittag das erste Mitarbeitergespräch. Im MAIS Terminkalender haben Sie keinen Eintrag. Passt Ihnen das? Gleich morgen früh möchte ich mit Frau Schimmelreiter fortfahren. Meine große Hoffnung ist, dass ich genug Vertrauen zu ihr aufbauen kann, dass sie mir mehr erzählt. Ich werde ihr sagen, dass sie nicht die Einzige ist. Und durch ihre Hilfe könnten wir mehr erreichen. Ich akzeptiere aber, wenn sie Zeit braucht. Ich weiß, das braucht Zeit.“

Dabei starrte er auf den Platz, auf dem vor Kurzem noch jene Alte mit den Fjordaugen gesessen hatte. Was wusste er? …Dass sie nicht die Einzige ist? Von was? Es war in jedem Fall etwas, das ihm sehr naheging.

ER war prompt in Kampfesstimmung, dass er gar nicht dazu kam, sich über sich selbst zu wundern:

„Wir schaffen das, das weiß ich! Wir werden unsere Kontakte diskret aushorchen. Wissen Sie zufällig, wo er vorher war und wie er zu diesen Berater-Jobs gekommen ist? War er schon immer Berater? Welche Beziehungen haben da wohl eine Rolle gespielt?

Wir haben nur herausgefunden, dass MAIS *worldwide*, deren Hauptsitz sich in Neoton, Kappland, befindet, gerne undurchsichtige Konsortien mit Städten rund um den Globus bildet, mit Dienstleistern wie Druckereien und Eventservices. Sie betonen in allen Sprachen die höchsten Standards in Technik und Equipment für Bühne, Licht, Beschallung oder Video. Sie bieten die neuesten LED-Systeme und ganze Flotten von LED-Trucks, Containern und Anhängern, samt Rigging, Kinetik, alles auf allerhöchstem Sicherheitsstandard, mit besten Software-Lösungen und -Anwendungen, natürlich alles mit bestqualifizierten Experten. Dazu Fullservice mit Catering, Künstlern, Hostessen und Sicherheitsleuten. Äußerst professionell und der Zeit einen Tick voraus. Wenn diese nicht direkt MAIS eingegliedert wurden, so sind es diverse Dienstleisterketten, die immer wieder auftauchen. Und ich bin sicher, auch wenn es andere Namen sind, dann hängen sie auf irgendeine Art und Weise da doch mit drin.

Dass HippsterPress auch zu diversen Konsortien, von MAIS aus gesteuert, dazugehört, verwundert jetzt keinen mehr. Irgendwie muss er zu dieser Verbindung mit MAIS gekommen sein."

„Ich weiß nur, dass er mit dem Vorstand von MAIS Gujaland in unserer Hauptstadt Fachim bester Freund auf dem Golfplatz ist. Vor Milon war er in Schwebel und Borg, ganz im Norden Gujalands, in Hostadt und zum Schluss in Fröningen. In anderen Städten weiß ich es nicht genau. Noch nicht. Im Internet steht, dass er vorher im Ausland gewesen ist, aber man findet nicht ein einziges Foto von ihm. Ich gehe dem weiter nach. Ich warte noch auf Anrufe, die weitere Aufschlüsse liefern können. Er ist außerordentlich clever. Ich hoffe sehr auf das Gespräch mit Frau Schimmelreiter."

„Wir setzen alle Hebel in Bewegung", nickte ER seinem Vorgesetzten aufmunternd zu.

Als er draußen war, fiel ER ein sonderbares Muster an sich auf. Wenn jemand traurig war, deprimiert, frustriert, wie auch immer, da war er derjenige, der gut einen anderen aufbauen konnte. Waren die Menschen um ihn herum in guter Laune, dann zog es ihn runter. Auch das zu denken, zog ihn runter.

Sein Traum war sein Rettungsanker, das war klar…

Kringel.

Eichhörnchen ist ein Gärtner.
Ein Gärtner der Eichen, Kastanien, Nüsse, Buchen und der Erde.
Der Winter kann kommen, sagt Eichhörnchen.
Schneeflocken bedecken den Boden und Eichhörnchen pustet sie hinfort, damit der Weg zu seinen Vorräten frei bleibt.

Es klopfte.

An der Terrassentür. Benjiii.

„Hallo Herr Geheimagent…", begrüßten ER die wachen, strahlenden blauen Augen.

„Du kannst mich Emil nennen", antwortete ER. Die Augen strahlten noch mehr:

„Herr Geheimagent Emil. Cool! Jetzt kenne ich den Namen von einem richtigen Geheimagenten!"

„Ich bin kein Geheimagent", meinte ER leicht genervt.

„Doch, du hast doch gesagt, du arbeitest an einer geheimen Mission für unsere Stadt. Das macht dich zu einem Geheimagenten", nickte Benji. Das war sonnenklar, für ihn.

„Wir organisieren Konzerte für die Stadt, klassische Konzerte. Da ist nichts geheim…", startete ER einen Erklärungsversuch.

„Ist das dein Geheimagenten-Cappy?", fragte Benji und war Schwups im Raum. Amiga wachte auf und war sofort gut Freund mit Benji. Schwups hatte sie das Cappy auf und ließ sich damit auch noch fotografieren.

„Benji, deine Mutter sucht dich bestimmt. Ich muss arbeiten“, meinte ER und wünschte sich…

„Benjiiii!“, schallte es durch den Garten.

„Siehst du, deine Mutter…“

„Kann ich die behalten?“ Dabei setzte er die Cappy auf.

„Ja, meinetwegen. Es ist noch das falsche Blau, egal.“ ER zuckte seine Schultern. Dieser Junge war der genialste Überrumpler, den er kannte. Nicht einmal Miri, Miriam, naja, die auch.

„Ich bin hier! Ich habe ein Cappy von einem Gehei…“

ER unterbrach ihn sofort:

„Wenn du das hier im Garten herausbrüllst, dann war es das mit geheim und ich darf woanders arbeiten.“

Stopp. Sehr große Augen. Ernstes Nicken. Flüsterton:

„Entschuldigung, Herr Geheimagent Emil. Ich werde keinem etwas sagen. Nicht einmal Cem.“ Dabei hob er eine beschwörende Hand.

„Sehr gut. Ich sehe, du verstehst“, meinte ER und hob auch die beschwörende Hand.

„Nun komm schon Benjiiii. Entschuldigen Sie, mein Sohn…“, rief eine ziemlich bunt gekleidete junge Frau mit wirr hochgesteckten Haaren vom Zaun. Sie hatte etwas von Frau Augenblick. Die war nur älter.

„Das Cappy ist ein Geschenk. Das brauchen sie nicht mehr, weil es das falsche Blau ist“, erklärte der Junge sachlich.

„Stimmt. Milon hat doch jetzt ein dunkleres Blau“, stimmte seine Mutter dem zu und hob ihre Hand dankend in Richtung ER. Er lächelte.

„Du sollst auch nicht immer über den Zaun klettern“, hörte er sie schimpfen.

„Wenn da keine Tür drin ist! Dafür kann ich doch nichts!“, kam die empörte Antwort und beide verschwanden.

Frau Augenblick war irgendwie nicht mehr anzutreffen. Hoffentlich morgen. Er hatte so viele Fragen.

Das Mitarbeitergespräch war sehr sachlich, dennoch sehr

angenehm. GF erzählte ER von weiteren Überlegungen, das Reiseangebot für Milon Kultur+ deutlich zu erweitern. Sie könnten sich auf seine Kontakte berufen. Der Berater hätte ihm noch ins Büro gerufen, dass sämtliche Merchandising-Produkte mit netten Damen aufgenommen werden sollten. Mit Fokus auf ihren ‚Balkon'. Das würde das Heft deutlich aufpeppen. Er hätte da ein Fotostudio an der Hand. Schon waren sie beim unliebsamen Berater-Thema.

Abends war ER erschöpft. Amiga auch. Okay, sie war eher tiefenentspannt in einer Art Dauerurlaub. Toll, wenn man das Leben so sehen konnte. Dieser Berater raubte einem den letzten Nerv. Er wollte sich eine anzünden, hielt aber inne. Wenn jetzt die Träume ausblieben, würde ihn das mehr fertigmachen als seine Stimmung jetzt. Also goss er sich einen Schlaps ein, so nannte er jetzt jede Sorte von Alk, nahm einen Schluck und schlief auf dem Sofa ein.

2. Stunde

Clan des Waldvolkes

ER öffnete die Tür der Besenkammer. Pförtner verbeugte sich höflich wie immer und tockte zweimal mit seinem Gehstock. Dieser hatte heute einen elfenbeinfarbenen Griff mit zwei Schlangenköpfen. Pförtner begrüßte ihn direkt mit den Worten:

„Willkommen zur 2. Stunde.

Zu kennen die Schärfe des Verstandes!

Ich gebe Skipper ein Messer mit. Es dient allein Ihrem Schutz. Es wird Sie stets im rechten Moment an Ihren scharfen Verstand erinnern. Es gilt, die Schattenseiten zu überwinden. Feinde und Prüfungen lauern überall auf dieser Reise."

Pförtner nickte ihm lächelnd zu und überreichte Skipper ein Messer. Eine Art kleiner Dolch. Könnte auch ein Brieföffner sein. Das Material war glänzend schwarz.

Im Hubschrauber, Boot, fragte er Skipper:

„Wo sind die Menschen von Gaia Nova? Ich habe bei unserem ersten Rundflug keine Spuren von Menschen gesehen. Auch im Faltengebirge nicht, obgleich dort welche in den Höhlen gelebt hatten. Du hattest sie gesehen. Meinst du, ich kann sie auch einmal sehen, oder leben sie nur im Verborgenen?"

Skipper lachte:

„Wenn du jetzt ganz rasch die Augenbinde abnimmst, kannst du sehen, wie sie dort unten eine neue Wildfalle bauen. Etwas weiter rechts zerlegen gerade ein Mann und eine Frau ein Reh mit ihren Feuersteinmessern. Sie gehören zum Clan des Waldvolkes, sind also eh kaum aus der Luft zu erkennen. Sie leben weit verstreut in oder an den Wäldern des Nordgebirges. Sie haben ein gutes Leben: Wild, Honig, Beeren, Pilze, Nüsse, Wurzeln, Kräuter, frisch oder getrocknet für die Wintermonate. Dazu Getreide. Sieh dort: Ein mit einem Prügelzaun eingehegter Garten. Achtung Wildschweine, klar. Siehst du diese roten Flecken? Das ist Mohn. Und diese lila Flecken? Das sind die Blüten des Leins."

Skipper fuhr niedriger, weil er merkte, dass schon ein riesen Fettfleck von ERs Stirn an der Scheibe der Cockpittür war. ER war ganz angetan:

„Ach, die Fasern sind für Leinstoffe, die Samen zum Essen oder zum Pressen für bestes Leinöl. Kenn ich. Das wird derzeit hochgepriesen, weil es nicht nur ein guter Energielieferant ist, sondern auch dem Körper hilft, fettlösliche Vitamine aufzunehmen. Sehr gut, insbesondere für den Winter. Man muss ja auch an den Winter denken, bei allem, was man anbaut, sammelt, pflückt oder fängt und erlegt, wenn man so draußen in der Natur lebt. Da heißt es immer vorsorgen und zwar für alle. Was bauen sie noch an? Das könnten Erbsen sein, die am Prügelzaun ranken. Man kann den Zaun kaum mehr erkennen. Wächst dort Raps?“

„Das Rankende sind Erbsen, genau. Auch bestens zur Vorratshaltung geeignet. Das gelb Blühende sieht dem Raps ähnlich, stimmt. Genauer gesagt sind es Rübsen, eine Elternart des Rapses.“

„Rübsen, klingt niedlich. Brauchen sie nicht eine etwas größere Fläche von Getreide für ihren Clan? Wie groß mag er sein?“, meinte ER.

„Dieser Clan des Waldvolkes besteht aus zwölf Mitgliedern. Sieh, dort ist das Feld, das du gesucht hast. Etwa zwei Fußballfelder groß mit Emmer und Einkorn, die beide vom wilden Weizen abstammen.“

„Welch eine Arbeit! Alles im Leben dreht sich um die Existenz. Jeden Tag von neuem. Bewundernswert!“, meinte ER anerkennend. Er war ein Stadtmensch. Und es war etwas anderes, über diese erdverbundene Lebensweise zu lesen oder im Fernsehen zu verfolgen, als es leibhaftig zu sehen.

Skipper fuhr relativ tief und langsam, damit sie sich alles gut ansehen konnten, und erklärte dabei:

„Der Wald schenkt ihnen bestes Material für ihre Waldhütten zum Schutz vor Wind und Wetter. Sie errichten sie aus Astwerk und bedecken sie mit geschabten Tierfellen. Die beiden dort schichten Astwerk mit breiten Rinden und Moos geschickt übereinander, damit es nicht hineinregnet. Eine gute Technik. Natürlich mit Feuerstelle. Bett ganz schlicht: Tannenzweige, Fell drauf, alle ganz eng aneinander gekuschelt, mit Fellen zugedeckt. Die Ältesten haben, wenn es möglich ist, ihr eigenes Bett."

„Mit welchem Werkzeug arbeiten sie?", überlegte ER.

„Mit einfachstem Werkzeug aus Feuerstein wie die beiden, die das Reh zerlegt haben."

ER überlegte, ob sie kurz landen könnten, um sie sich näher anzusehen.

„Ist nicht so prickelnd, die Idee. Ohne Geschenke beziehungsweise Tauschartikel wäre es einfach unpassend", meinte Skipper.

„Ich sollte beim nächsten Rundflug ein paar Geschenke im Boot deponieren. Für alle Fälle. Vielleicht treffen wir ja noch andere Clans an. Gaia Nova ist so verschieden in seiner Landschaft; da gibt es bestimmt noch andere Clans, die sich perfekt an ihre Umgebung angepasst haben. Am Meer wohnt bestimmt ein Clan der Fischer", sagte ER euphorisch.

„Durchaus. Die Clans des Meervolkes leben rund um Gaia Nova."

„Und dort, wo es klimatechnisch möglich ist, trocknen sie den Fisch direkt am Meer auf Gestellen im Salzwind zu Stockfisch. Der stinkt zwar ordentlich, wenn er aber 36 Stunden in Wasser eingelegt wird, ist der Geruch weg", erklärte ER dieses Mal.

„So ist es. Beste Nahrung. 1 kg Stockfisch bringt so viel Vitamin B, Kalzium und Eisen wie 5 kg Frischfisch und hält sich bis zu vier Jahre. Eignet sich also auch bestens zum Transport über längere Strecken. Also auch bestes Tauschmittel."

ER lächelte zufrieden. Das klang alles bestens.

„Wo siedelten wohl die allerersten Menschen in Gaia Nova?", überlegte ER und ließ seinen Blick über die Landschaft gleiten.

Sie nahmen etwa die gleiche Route wie beim letzten Rundflug und überflogen die ausgedehnte Ebene der Grünen Hügel. Schon geriet ER wieder ins Schwärmen und plante Plantagen von Obstbäumen, so perfekt sei diese Erde samt bester Sonnenlagen.

Skipper drehte ab Richtung eines Flusslaufs und ER entdeckte am Ufer eine kleine Siedlung mit Pfahlbauten, von denen manche sogar weiß bemalt waren. Am Fluss waren ein Einbaum und ein Floß festgemacht.

„Das ist der genialste Ort. Ich glaube, hier gefällt es mir am besten. Sauberstes Wasser, Fisch, Wald mitsamt seiner Nahrung und Baumaterial in der Nähe. Zum Anbau perfekte Lage am Wasser. Es juckt einem richtig in den Fingern, hier ein ausgedehntes Bewässerungssystem anzulegen. Zudem können sie perfekt mit dem Waldvolk tauschen. Und dem Meervolk. Praktisch wäre da eine Marktsiedlung in der Mitte des Landes. Mit Brunnen natürlich. Perfekt."

Skipper lächelte und nickte:

„So ist es. Perfekt. Alles ist möglich."

Sie überflogen den Rand der Caldera.

„Dass wir das haben beobachten können, wie die Caldera entstanden ist! Das war ein bewegender Augenblick", schwärmte ER.

„Ja, im wahrsten Sinne des Wortes", lachte Skipper. Er war eine Frohnatur.

Hirtenvolk

„Das Land der Oliven – hier ist es. Ah, dort hinten ist wohl das Hirtenvolk. Sieh nur, sie treiben Schafe und Ziegen. In dieser gemäßigten Zone eignet sich die weite Gras- und Krautlandschaft perfekt dazu, sie in eine fruchtbare Bewässerungsfeldwirtschaft zu wandeln. Welch sagenhafte Erträge es einbringen würde. Viele Menschen könnten davon ernährt werden."

ER sann so vor sich hin während sie über die weite Ebene fuhren.

„Was meinst du, wie lange hat der Mensch so in der Natur gelebt, dass man ihn von oben kaum sehen konnte, also er vollkommen in die Natur integriert war?"

„Die älteste Hütte unseres Kontinents ist etwa 600.000 Jahre alt. Altsteinzeit. Es handelte sich um Unterkünfte, die zeltartig und kurzfristiger Natur waren. Die Menschen waren Jäger und Sammler und zogen oft als Nomaden mit den Viehherden. Demnach mussten ihre Unterkünfte flexibel sein. Dazu dienten Äste, Stangen, Mammutzähne und Felle. Oder es gab Hüttengruben und natürlich Höhlen und Halbhöhlen, wo Felsüberhänge als Unterstand genutzt wurden", Skipper lachte. Er konnte ER mittlerweile im Gesicht ablesen, was er dachte. Und das sogar, ohne ihn dabei anzusehen, denn er musste ja das Boot lenken.

„Ja, ja, wir werden vieles noch sehen können auf unserer heutigen Tour", meinte er.

„Oh, genauso hatte ich mir das vorgestellt!", freute sich ER.

Skipper nickte.

„Das ist doch unglaublich, Skipper. Menschen lebten über solch einen langen Zeitraum fast unbemerkt. Weißt du, wann sie hier sesshaft wurden? Sorry, dass ich so frage. Ich könnte es ja zu Hause im Internet nachlesen, aber ich habe das Gefühl, dass du das wandelnde Internet an meiner Seite bist", meinte ER und sah Skipper an wie ein Bub. Der musste umso mehr lachen, dass sein Gesicht nunmehr nur aus Bart und Lachfalten bestand.

„Seit etwa 135.000 Jahren konnte der Mensch selbst Feuer machen und hatte sehr gute Werkzeuge aus Knochen und Stein. Seit…"

ER unterbrach ihn und deutete am Faltengebirge vorbei Richtung Westen. Aus irgendeinem Grund wollte er die Höhlenbewohner im Faltengebirge nicht sehen. Also umsteuerte Skipper geschickt das große Gebirge.

Unter ihnen tat sich ein breites Steppengebiet mit einer Wisent Herde von geschätzten 2.000 Tieren auf. Dieses ausgedehnte Steppental teilte das Faltengebirge in Nord-Süd-Richtung zu einer breiten Westpassage.

Steppenvolk

Die Neugier trieb ER dazu, doch auf die gen Westen gewandte Rückseite eines Berges zu sehen und tatsächlich. Er erspähte drei kleine Höhleneingänge und schluckte. Fand er befremdlich.

Sie erblickten ein kleines Dorf mit Tipis des Steppenvolkes.

„Sie sehen in allem ihre Verwandten:

Die zweibeinigen, die vierbeinigen, die geflügelten, die einbeinigen, die vielbeinigen Verwandten. Dazu zählen sie die lebenden Menschen, die Ahnen, die Nachfahren, sämtliche Tiere, Pflanzen und Bäume, Felsen, Flüsse, Gebirge, Täler und die Winde. Einfach alles ist miteinander verwandt, verbunden, alles ist Eins. Und damit ist jeder für alles verantwortlich, was er tut, seinen Mitmenschen und der ganzen Erde gegenüber. Alles hat Auswirkungen auf etwas anderes, durch die Verbundenheit zu einem Ganzen."

„Ja, das ist ein sehr wichtiger Gedanke, den sich jeder verinnerlichen sollte. So will ich bei mir anfangen. Das ist nicht einfach", seufzte ER.

Auf einem Hügel abseits des Dorfes loderte ein Feuer.

„Eine Feuerbestattung. In einem anderen Dorf des Steppenvolkes ist es üblich, die Toten in Lederhäute eingehüllt auf ein Holzgestell zu legen, mit Beigaben. Später, wenn nur noch die Knochen übrig sind, werden diese in einem Beinhaus beigesetzt", erklärte Skipper. Er sah ER kurz an und zog eine Augenbraue hoch:

„Du hast Probleme mit den Bestattungen, stimmts? Mit dem Tod? In dieser und der vergangenen Zeit ist der Mensch direkt in den Kreislauf der Natur, des Lebens eingebunden gewesen. Daher haben sich die Clans viele Gedanken auch über die Jenseitswelt gemacht. Gedanken über den Kreislauf der Natur und den Kreislauf des menschlichen Lebens. Viele unterschiedliche Gedanken gibt es und je nach Idee bestatten sie ihre Toten. Das Hauptziel dabei ist, dass sie ein angenehmeres Leben in der Jenseitswelt führen können als das existenziell meist sehr schwierige hier auf der Erde. Oder dass sie es erhalten können, wenn es zu Lebzeiten gut gewesen war. Oft bekamen sie Essen und Wasser als Grabbeigaben, aber auch praktische Utensilien, Werkzeuge und Schmuck."

„Wenn das mal so einfach wäre. Ich weiß nicht, was ich glauben soll. Ewige Hölle und Himmel finde ich absurd. Das Geschäft mit der Angst vor dem Tod, wie es Religionen so handhaben, um ihre Gläubigen gefügig zu halten, finde ich böse. Ich entsinne mich, dass später meist nur die ranghöchsten Mitglieder Grabbeigaben erhielten, damit es ihnen an nichts mangelte und sie in der Jenseitswelt ihren Herrscherstatus behielten. Also sollte die Herrschaft in der Jenseitswelt gleich nahtlos weitergehen. Das glaube ich einfach nicht! Das ist nur, damit die Herrschenden ihre Macht hier wie dort untermauern konnten. Höchstens als guter Herrscher wäre es gerecht und auch sicher gut für andere Leben in der Jenseitswelt. Ich denke, das hat, wenn, dann nur etwas mit dem möglichst guten Leben sich selbst und anderen gegenüber in diesem Leben zu tun. Wenn es denn ein anderes Leben in der Jenseitswelt gibt. Oder wenn man sogar in einem neuen Körper wiedergeboren wird. Interessante Möglichkeiten. Wer weiß das schon? Blöd finde ich jedenfalls, wenn einfach so alles zu Ende sein soll. Wenn ich daran denke, …"

ER wachte auf. Er setzte sich hin und fluchte über sich selbst. Amiga gab einen Wuff von sich, dass er nickte.

„Das darf einfach nicht wahr sein, Amiga. Ich will auf keinen Fall der Depri im Traum sein. Dort will ich frei sein von diesen Gedanken, die einem einfach alles madig machen. So kann man das Schöne gar nicht mehr sehen. So geht es mir in dieser Welt und es kostet so viel Kraft, mich davon abzulenken. Aber im Traum, da will ich einen freien Kopf… Oh, da liegt ja ein Messer… Hier im Wohnzimmer? Wann habe ich das denn…"

Er lachte plötzlich:

„Ich verstehe den Wink mit dem Zaunmesser. Pförtner hat Skipper das Messer gegeben, um mich stets im rechten Moment an meinen scharfen Verstand zu erinnern. Einfach nur hinsehen, da liegen die Botschaften quasi auf dem Tisch serviert. Danke!"

Er stand auf, trank was und legte sich wieder hin. Auch Amiga rollte sich wieder ein.

„Danke, Amiga.“

Tiefer Hundeseufzer.

Entspannt kehrte er in den Traum zurück.

Volk der Nagila

„Das wird dir bestimmt gefallen, ER. Der Clan, der hier am Faltengebirge vorn auf der Seite des Flusses lebt, glaubt an die Wiedergeburt. Sie nennen sich Volk der Nagila.

Sie ernähren sich nur vegetarisch. Insbesondere verehren sie die Nagila als die lebensspendende Ader des Landes. Am Fluss verbrennen sie ihre Toten und übergeben die Asche seinem Wasser. Die Seele sucht sich einen neuen Körper. Je nachdem, wie sie in diesem Leben gelebt haben, können sie in einem Wurm, Ameise, Tiger, Vogel und Co. oder in einem Menschen wiedergeboren werden. Sie nennen es Kreislauf des Lernens. Sie lehren Gewaltlosigkeit. Es geht um das menschliche Verhalten anderen Lebewesen gegenüber, das Töten oder Verletzen untersagt, außer es ist unumgänglich, wie eine Ameise, die auf dem Weg läuft, und die man versehentlich platttritt. Also essen sie kein Fleisch. Ein anderes Mal wirst du sie kennenlernen, wenn du magst. Sehr liebe Menschen.

Überdies sind alle hier derzeit lebenden Menschen in Gaia Nova liebe Menschen, die auf unterschiedlichste Art sehr spirituell sind oder zumindest spirituelle Meister wie Schamanen oder Druiden haben, die die Verbindung zu den unterschiedlichen Ebenen der anderen Welten halten. Sie alle, jeder einzelne, verehren die Erde als eine große lebenspendende Kraft. Wenn einmal nicht genug für sie zu Essen da ist oder Unwetter Hab und Gut vernichten, dann geschieht das, weil der Mensch irgendetwas nicht im Einklang mit der Natur getan hat. Manche sehen in den Naturgewalten Gottheiten oder einfach Wesen, mit denen besondere Menschen kommunizieren können. Alles hängt zusammen, ist miteinander verknüpft. Ein großer Geist verbindet alles. Diese tiefe Hingabe und Spiritualität und der Glaube, dass alles in der Natur beseelt ist, durchfließt viele Gedanken und Glaubensrichtungen. Auch die Ehrung der Erde als *Mutter Erde*, ein großer, Leben spendender Körper und damit weiblichem Wesen. Diese Idee zieht sich seit Tausenden von Jahren durch viele Kulturen unserer Erde, was man anhand von kleinen Mutterfiguren als kulturelle Gegenstände erkennen kann. Nachweislich 40.000 Jahre, aber man vermutet sogar 400.000 Jahre bei gefundenen Figurinen."

„Es ist beschämend. Über welch einen langen Zeitraum der Mensch auf eine wertschätzende Art mit der Natur und damit auf gesunde Weise zusammenleben konnte! Integriert war. Genau das ist es, die wahre Integration in die Natur! Und nicht umgekehrt. Was ist von dem mehrere hunderttausend Jahre währenden Respekt der Erde gegenüber übriggeblieben? Dem intakten Leben von Menschen in der Natur, dass alle Lebewesen gut leben können? Wie sieht es überall aus auf der Erde? Außer hier. Ich befürchte, diesen heilen Flecken Erde werden sie bestimmt auch noch finden und ihn restlos zerstören. Es ist so furchtbar…", kommentierte ER und starrte aus dem Fenster.

Skipper hielt das kleine schwarz glänzende Messer hoch. ER nickte und sammelte sich wieder.

Sie ließen die Westpassage samt Faltengebirge hinter sich.

In der Ferne überragte schon das gigantische Massiv des Roten Tafelberges die endlosen Sanddünen einer Wüste. Wie eine breite Mauer zeigte es das Ende der Wüste in weiter Ferne am flirrenden Horizont an. Wäre man unten in der Wüste, würde man tagelang nichts anderes sehen als Sand am Horizont. ER riss sich sämtliche Jacken und Schals vom Leib. Selbst hier oben war es stickig und heiß.

Skipper flog im Zickzack, also wieder Richtung Osten zur Nagila, um dann über einer Oase, zu der ein Kamel-Trampelpfad führte, mitten in der Wüste wieder zu wenden. Auch an diesem extremen Ort lebten Menschen mit einfachsten Mitteln, seit Jahrtausenden.

Das monotone Motorengeräusch ließ ihn wegdämmern und er hätte beinahe den Übergang in die Steppe Richtung Meer am Westende des Tafelberges verpasst. Skipper ließ das Hubschrauber-Boot kurz absacken und fing es sofort wieder auf. Zack war ER hellwach und blickte Skipper grollend an.

Diesem lachenden Bart konnte er sowieso nicht lange böse sein, zudem lenkte die Natur sofort ab. Sie sahen Jäger auf der Jagd nach Antilopen. Sammler mit Körben, manche mit Kindern auf dem Rücken. Sie winkten ihnen zu, was ER irritierte, weil er dachte, sie seien für alle unsichtbar. Die Rotorblätter waren hier eigentlich nicht zu hören. Skipper winkte zurück, als würden sie sich kennen. Sie steuerten weiter Richtung Westmeer, das sich über den Horizont erstreckte. Kein weiteres Land in Sicht. Nur ein paar vorgelagerte Inseln.

„Um zu deiner Frage zurückzukehren, seit etwa 13.000 Jahren gibt es Bauernkulturen, also sesshafte Menschen. Zu erkennen an festeren Unterkünften. Den Pfostenbau an der Nagila hast du eben gesehen. In Waldgebieten finden wir Holzbauten, Steinbauten im Gebirge und Lehmbauten in der heißen Zone dieses Landes. Wir haben sie in der Oase nicht sehen können, so getarnt wirken sie von oben.

Sieh nur, auch hier sind Lehmbauten, mit Stroh gedeckt. Eine Technik, die sich seit Jahrtausenden bewährt hat. Übrigens, hier kamen die ersten Menschen von Gaia Nova an Land. Sie erzählen noch heute von ihren Urahnen, vom großen Boot mit zwölf Menschen, vier Frauen, vier Männern und vier Kindern, zwei Jungen und zwei Mädchen. Sie seien die Vorvorfahren von allen hier im Land Gaia Nova."

„Ach!", krächzte ER.

Skipper landete am Strand.

ER dehnte sich nach dem langen Sitzen. Schön, am Meer.

Landfinder

Er folgte Skipper zu einem breiten vorgelagerten Felsen, der ins Wasser hineinreichte. Wellen prallten dagegen und die Gischt spritzte hoch hinaus. Der Felsen war so groß, dass sie nicht nass wurden. Er hatte die Form eines riesigen Schiffbugs, der ins Meer ragte.

„Hier ist der Ort, an dem dieses Boot ihrer Urahnen, es hieß Landfinder, von jenen ersten Frauen und Männern gemeinsam an Land gezogen wurde. Hier sei das Land ihrer Bestimmung gewesen und daher sei das Boot an dieser Stelle zu Stein geworden. Die Geschichte erzählt, dass sie auserwählt waren, um nach neuem Land zu suchen und dort zu siedeln. Der Schamane ihres Landes hätte eine Vision gehabt, dass dort eines Tages, in damals noch sehr ferner Zukunft, große schlimme Veränderungen ihre Heimat verwüsten würden. Ein starkes Erdbeben sei ein kleineres Übel gegenüber den fremden Menschen. Sie würden mit großen Schiffen kommen, die Krankheiten als Geschenk mitbringen und Tiere, die ihre eigenen Vorräte auffressen würden. Diese Menschen würden anders aussehen und hätten Zauberwaffen, die einen töten würden, ohne einen zu berühren. Sie würden sie gefangen halten, sie in enge Kleidung stecken, die Haare schneiden, ihnen andere Namen geben, eine andere Sprache aufzwingen und Götter, die die Welt noch nie gesehen hat. Das alles würde noch nicht das Schlimmste sein. Das Allerschlimmste sei, dass sie ihre Frauen stehlen würden, damit sie andersfarbige Kinder gebären. Sie würden die Frauen schlagen, wenn sie nicht gehorchten. Sie würden sie einsperren und nur für ihr persönliches Vergnügen oder zur Arbeit herausholen. Zu essen bekämen sie kaum etwas und viele würden qualvoll sterben. Ihr Land würden sie besiedeln und besudeln. Ohne Respekt vor dem, was Mutter Erde schenkt. Die Kinder ihres Landes würden sie aus ihren Familien, das ja meist nur noch die Väter waren, weil sie die Frauen gestohlen hatten, zerren und in Heime stecken, damit sie vollkommen andere Dinge lernten, die sie in ihrer Heimat gar nicht gebrauchen konnten. Die Kinder würden so langsam aber sicher ihre Bräuche und sich selbst vergessen. Die Männer wären auch nicht mehr imstande, sich um ihre Kinder zu kümmern, weil ihre Sinne durch ein Drachenwasser verwirrt werden würden. Sie täten dann alles für dieses Drachenwasser, um mehr davon zu bekommen. So würde auch der letzte Mann seine Frau, die er lange versteckt halten würde, gegen eine Flasche Drachenwasser eintauschen."

ER flossen die Tränen vor Wut und Ohnmacht.

„Das ist die Vision, ER, die ihr Schamane gesehen hatte. Das ist eine gräuliche Tatsache. Aber es ist noch nicht soweit. Hier bewahren sie ihr heiliges Gut, Mutter Erde und ihr heiliges Gut, ihre geistige Welt, die ihr den Plan der Natur immer wieder aufs Neue verrät. Danach richten sie ihr gemeinsames Leben aus. Überall in Gaia Nova. Jede Landschaft hat ihren eigenen Plan, um ihre Schönheit zu bewahren. Sie alle leben nach diesem jeweilig zugehörigen Plan und ehren die Schönheit von Mutter Erde auf ihre eigene Weise.

Damit ehren sie auch die Vielfalt dieser Erde."

„Ja, das tröstet. Es tut meiner Seele so unermesslich gut, all dies zu sehen. Wenn Frauen und Männer am gleichen Strang ziehen. Es geht nicht um den Einzelnen, es geht um die Gemeinschaft. Dass Kinder in Liebe aufwachsen und in Liebe für die Schönheit der Natur. Dass alle satt sind, frisches Wasser haben und nicht frieren. So einfach habe ich es noch nie gesehen, aber so ist es hier. Genau das braucht der Rest der Erde.

Ein selbstbestimmtes Leben, das allein der Natur untergeordnet ist. Frauen gehören seit hunderttausenden von Jahren ins Zentrum des gemeinschaftlichen Lebens", meinte ER, setzte sich auf den Felsen und blickte über das Meer zum endlosen Horizont.

„Das ist richtig. Die meisten Clans werden hier von einer Clanältesten angeleitet. Ein Clanältester wird an ihre Seite gewählt. Frauen bleiben meist im Clan ihrer Mütter. Sie feiern mit anderen Clans gemeinsame Feste, wo Männer sich neue Clans suchen. Es wird immer auf eine gute Verteilung in Gaia Nova geachtet, dass alle ihr Auskommen haben und gut leben können. Sie tauschen viel untereinander, was übrig ist oder was gebraucht wird. Es gibt Clans, die leben zurückgezogener, das macht der Charakter der Landschaft. Wir werden sie noch sehen, denke ich.

Es herrscht allgemein Frieden unter den Clans und innerhalb der Clans. Es gibt natürlich Streit, doch dafür gibt es Ältestenräte, die helfen. Die Waffen werden nur zur Tierjagd eingesetzt."

„Wiederspricht das nicht dem Kodex, dass man keinem Lebewesen etwas zu Leide tun darf?", fragte ER nach.

„Das wird unterschiedlich gehandhabt. Nur der Clan, der an der Nagila siedelt, am Fuße des Faltengebirges, die sich Volk der Nagila nennen, ernährt sich vegetarisch. Alle anderen essen auch hin und wieder Fleisch oder Fisch. Allein das Rentiervolk und das Eisvolk ernähren sich fast ausschließlich von Fleisch beziehungsweise Meerestieren.

Was sie aber vereint, ist die tiefe Dankbarkeit dem Tier gegenüber, das sie am Leben hält. Es sind geübte Jäger, die genau wissen, welches Tier das schwächste ist, das bereit ist, zu gehen. Sie danken jedem einzelnen Tier. Die Fischer danken dem Geist des Meeres, der ihnen von seinen Kindern zum Leben etwas abgibt. Oder sie danken dem Geist des Flusses. Wenn die Menschen kein Jagdglück haben, dann, weil kein Tier bereit ist. Also müssen sie warten. Das akzeptieren sie, auch, wenn sie hungern müssen. Sie haben mit den Jahren gelernt, Vorräte anzulegen, um schwierigere Zeiten und den Winter gut zu überdauern. So konnten sich die Menschen langsam vermehren.

Wir fliegen weiter. Wir sind jetzt beim Roten Berg. So nennen sie diesen Tafelberg, den massemächtigsten Berg von Gaia Nova, so groß wie ein Land. Hier im Norden dieses gewaltigen Felsmassivs lebt das Volk des Roten Berges."

Generationenkunstwerk

Sie flogen vom Strand an den gewaltigen Felswänden des Roten Berges entlang über weites Grasland wieder Richtung Landesmitte, also zur Nagila. Hasen und Kaninchen rannten nach allen Seiten und schlugen Haken, als sie über ihnen daher fuhren. ER musste unweigerlich lachen. Sie sahen ein Rudel Wildhunde auf den Felsen am Fuße des Roten Berges. Und einen weißen Wildhund, der ganz oben stand und alles überwachte. Er bellte kurz hintereinander, was in ein lang-gezogenes Heulen überging. Wie erhaben!

Eukalyptusbäume. ER roch sie bis in ihr Boot. Dann hörte ER einen sonderbaren Ton:

„Horch, Skipper. Welches Tier das wohl ist?"

Doch schon antwortete er sich selbst:

„Oh, peinlich. Klar, kenne ich das. Das Didgeridoo-Tier. Ah! Dort oben sitzt er. Wie genial! Dort oben zu sitzen, über diese Weite zu sehen und dabei Didgeridoo zu spielen. Was will man mehr", schwärmte ER.

„Wusstest du, dass das Didgeridoo traditionell aus einem Teil eines Eukalyptusstammes besteht, der von Termiten ausgehöhlt wurde? Es gibt sie auch aus Bambus…"

ER unterbrach ihn:

„Sieh dir das an! Ist das nicht unglaublich, diese Kunst? Wie haben sie das nur bewerkstelligt? Ich meine, sie kommen doch gar nicht überall hin, um das an den Felsen zu malen. Die Schlange ist von weitem zu sehen. Sie ist riesig! Bewundernswert!"

Über eine große Fläche der Felswand war eine Schlange gemalt. In einer unvorstellbaren Länge. In schwarz, weiß, ocker, braun und rot. Riesengroß!

„Weißt du was? Die Schlange hat die Form der Nagila! Sieh dir diesen Teil an, den können wir hier gerade gut sehen. Exakt. Sie müssen auf allen Bergen gestanden haben, um den ganzen Fluss zu erfassen. Dazu kommt die künstlerische Leistung, diesen fast maßstabsgetreu und aus… Ich fasse es nicht. Kannst du näher ranfahren, bitte?" ER klebte förmlich an der Scheibe des Hubschraubers.

„Die Schlange besteht aus Punkten! Skipper, stell dir vor, aus Punkten! Millionen und Abermillionen! Wie lange, bitte schön, haben sie daran gearbeitet? Das ist doch ein Projekt für Generationen! Und wenn es endlich fertig ist, kann man von vorn wieder mit dem Übermalen beginnen, wenn die Farben durch Wind und Wetter verblasst sind. Ich glaube es nicht!“

„Ja. Du hast es erfasst. Ein Generationenwerk, ein ewiges Kunstwerk. Es symbolisiert ihre tiefe Verbundenheit mit diesem Land und ihre Vorstellung von allem Sein. Sie sagen, dass alles schon existiert, in der Traumzeit und dass sie quasi einen Teil dieses Traums leben. Dass alle Wege schon vor Jahrtausenden geformt wurden. Sie haben Lieder, die ihnen beim Suchen von Kräutern, von Nahrung, von Wasser helfen. Seit sie hier siedeln. Sie kannten diese Lieder von Anfang an. Schamanen bekommen diese Lieder aus der Traumzeit gesungen, wenn sich Wege ändern, weil Pflanzen oder Tiere an anderen Stellen zu finden sind. Die Lieder werden von Generation zu Generation mündlich weitergegeben. Der Rote Berg ist ihnen heilig. Sie besteigen ihn nur zu bestimmten Ritualen, an geheimen Aufgängen. Allein die Schamanen und die von ihnen ausgewählten Personen dürfen diese Wege gehen, die sich durch Gesang offenbaren.“

„Oh. Eigentlich wollte ich gern oben kurz rasten, um einen schönen Blick über das weite Tal und zu den anderen Bergen zu haben. Es muss sich sehr erhaben anfühlen, auf dieser Hochebene zu stehen. Doch ich sehe ein, dass wir das unterlassen.“

„Der Berg ist in zwei Teile geteilt. Das Volk des Roten Berges lebt hier am Rand des weit verzweigten Canyons und besteigt nur den Nordteil. Der Teil im Süden wird vom Baumvolk in Ehren gehalten. Sie leben dort im Regenwald zwischen dem Roten Berg und dem Südmeer. Wir dürfen dicht über dem Tafelberg fahren. Das ist kein Problem für die Clans.“

Geräuschlos glitten sie über dem roten Felsen des Massivs aus Buntsandstein. Eine steinkarge Landschaft wie auf dem Mars. Auf die Schlucht zu. Skipper nickte ER zu, im Sinne von ‚Keine Sorge, ich husche da nicht hinein‘. ER entspannte sich aber erst, als sie darüber hinweg waren. Er starrte derweil auf das Messer, das an einem Steuerknüppel baumelte. Es half.

„Übrigens sagen sie, dass Mutter Erde nicht mehr mit ansehen konnte, wie die Menschen sich abmühten, um über riesige Umwege von der Nagila um den gewaltigen Berg herum bis zur anderen Seite ans Meer zu gelangen. Diese Schlucht existierte nämlich nicht von Anbeginn. Der Rote Berg war lange Zeit ein einziges großes Felsmassiv. Sie teilte also den Berg in der Mitte, damit die Menschen bequemen Fußes von der Nagila bis zum Meer durchmarschieren konnten. Dauert natürlich trotzdem viele Tage. Jedenfalls hat sie dazu noch kleine Quellen aktiviert, deren durstlöschendes Wasser den Wanderer auf seinem Weg durch die Schlucht die ganze Zeit begleitet. Die Hauptquelle entspringt nämlich ganz im Westen des Canyons, kurz bevor es hinter dem Roten Berg in die Savanne und zum Meer übergeht. Trotzdem suchte sich das Wasser den mühsameren Weg durch den schmalen Canyon bis zur Nagila. Nur zu Sonnenhöchststand fällt für wenige Minuten Licht bis zum Fluss.“

„Wie bescheiden. Kommt mit so wenig Licht aus und fließt fröhlich vor sich hin, egal, was kommt.“

„Genau. Diesen Fluss nennen sie daher liebevoll: der Bescheidene Fluss. Folglich ist dies der Canyon des Bescheidenen Flusses.“

„Eines Tages möchte ich diesen Weg zu Fuß gehen. Mal sehen“, überlegte ER.

Skipper grinste:

„Nun weißt du, dass diese Schlucht einen Eingang und einen Ausgang hat. Also kein Problem.“

ER lachte:

„Sie hat sogar viele Ausgänge, wenn ich an das verzweigte Canyondelta zur Nagila denke. Also gar kein Problem. Brauch mich nur zu entscheiden.“

Versteckt unter Regenwald und Mangroven

Schon folgte der krasse Gegensatz vom wuchtigen, alles dominierenden, blanken roten endlosen Felsmassiv zu einem grünen weithin ausgedehnten Blätterdach mit herausragenden Baumriesen.

„Ist klar, dass wir das Baumvolk nicht sehen können. Sie sind perfekt getarnt."

Als sie gen Osten abdrehten und über das breite Delta der Nagila fuhren, sahen sie kurz drei Fischerboote in die Mündung einfahren und unter den Mangrovenbäumen verschwinden.

„Die Mangrovenbäume sind perfekt an die Gezeiten dieser tropischen Küste angepasst. Mit ihren Stelzenwurzeln festigen sie die Ufer und trotzen Salz, Hitze und Gezeiten. Im Flussdelta haben sie bei Ebbe auch Süßwasser, was sie sehr mögen. Sie sind wahre Lebenskünstler", meinte Skipper.

„Lebenskünstler, wie ihre Bewohner", meinte ER respektvoll.

„Oh ja. In den Baumkronen lauern Boas auf Vögel und die Gezeitenzone ist umwachsen mit Muscheln und Seepocken. Es sieht aus wie der Saum eines Kleides. Und die Unterwasserwelt erst, die ist ein Traum! Schwärme von winzigen Fischen gleiten durch den Reichtum an Algen, Schwämmen und Seeanemonen. Langusten und Garnelen nähren sich daran."

„Mir kommt es so vor, als wären die Bäume im Flussdelta größer."

„So ist es. Im Flussdelta ist der Gehalt an Nährstoffen höher. Aber was sie besonders schätzen ist mindestens 23 Grad warmes Wasser, da gehen sie ab wie Schmidts Katze", schwärmte Skipper.

„Traumhaft! Bestes Tauchrevier!", applaudierte ER. „Und so viel gesundes Holz. So viel habe ich in meinem Leben noch nicht gesehen! Das ist die riesige Lunge von Gaia Nova!"

Die schier endlose Größe des Regenwaldes im Westen, das breite Flussdelta und nun wieder der Regenwald im Osten. Allein dies war eine unvorstellbar reiche Fläche. Hier lebten Menschen! Im Wald wäre ER hoffnungslos verloren. Voller Hochachtung vor dieser perfekten Anpassung an die Natur nahm er all die vielen Grüntöne in sich auf. Und die Baumältesten. Und die Vielzahl bunter Vögel und Vogelschwärme. Die ganze Geräuschkulisse dieses urigen, grenzenlos scheinenden Waldes.

Kartoffelchips

ER erspähte jetzt die bekannten Kuppeln des Turmwaldes weit hinter dem Horizont des Regenwaldes. Skipper schwenkte das Boot etwas weiter gen Nordost, fuhr über niedrige Ausläufer des Turmwaldes, und schon steuerten sie Richtung See mit 37 Inseln.

ER war gar nicht bewusst, dass dieser See so hoch gelegen war. Sie fuhren sehr niedrig über dem Wasser. Mitten im Schilf ging Skipper runter und machte das Boot fest. ER fühlte sich unbehaglich, denn sie hatten ja keinen Wasserhubschrauber, auch, wenn das Gefährt Boot hieß.

„Komm, aussteigen. Von hier aus kannst du mehr sehen“, lud Skipper ihn ein.

Misstrauisch setzte ER seine Füße auf das Schilf. Der Boden war unerwartet fest. Es schwankte wie zeitverzögert. Jetzt sah er, dass das Schilf hier dicht gebündelt lag, als hätte es jemand dorthin gelegt. Eine Art Schilf-Ponton.

„Die meisten sind Schilfinseln. Nur zwei Inseln sind wirklich feste Inseln. Schilf gibt es hier ohne Ende. Ein paar Inseln sind bewohnt. Das Inselvolk hat die Inseln mit zwei Meter dicken Schilfmatten befestigt. Sie bauen auch ihre Hütten und Boote aus Schilf.“

Kormorane rasten an ihnen vorbei, zu Fuß.

„Sie halten Kormorane, die sie auch verspeisen“, erklärte Skipper.

ER machte große Augen:

„Oh, Meerschweinchen! Nein, sag es nicht, sie essen sie.“

Skipper meinte emotionslos:

„Erst wenn sie kräftig genug sind. Sie mästen sie.“

„Oh, na dann“, meinte ER nicht ganz emotionslos und überlegte:

„Sie leben doch mitten im Fischparadies.“

„Dann dürftest du nur Reh und Wildschwein essen.“

„Stimmt schon. Essen sie ausschließlich Fisch, Kormorane und Meerschweinchen?“, fragte ER und sah sich um. Er erkannte keinen Gemüse- oder Getreideanbau auf der Insel.

„Sieh dort drüben auf der Nachbarinsel.“ Skipper deutete durch das Schilf auf eine nahegelegene Insel.

Dort saß eine Frau mit einem langen schwarzen Zopf, einem Hut und dicker megaknalliger Kleidung auf einer Schilfmatte auf dem Schilfboden und wusch Knollen.

„Sind das etwa Kartoffeln?“, fragte ER nach, weil er sie hier irgendwie nicht vermutet hätte.

„Ja, klar. Erde und Klima eignen sich perfekt für Kartoffeln. Quinoa, Gerste und Mais werden auch angebaut. Sie haben eine grandiose Art der Kartoffelkonservierung erfunden. Dazu gehen sie aber weiter hoch in die Berge. Sie nennen sie Kartoffelberge. Tagsüber legen sie die Kartoffeln in die Sonne bei guten 25 Grad zum Dörren. Nachts geht es unter null und sie werden quasi gefriergetrocknet. Das restliche Wasser wird mit den Füßen aus den Kartoffeln gestampft. Fertig. Lange haltbar und perfekt für Notzeiten“, erklärte Skipper begeistert. ER machte große Augen und nickte anerkennend:

„Beste Erfindung. Kartoffelchips!“

Sie fuhren weiter. Enorm, wie groß dieser See war. Sie gingen höher und überflogen die Kartoffelberge, um schließlich in die Ausläufer der Turmwald-Buckelberge zu schippern. Sie wurden wahrhaftig auf verschlungenen Wegen in eine andere Landschaft hineingeführt.

Volk des Turmwald-Labyrinths

Welch eine Ruhe diese Landschaft ausstrahlte.

„Sind das Reisfelder?“, bemerkte ER.

„Ganz genau. Das Volk des Turmwald-Labyrinths hat als erstes Reis aus der Wildform Oryza rufipogon domestiziert. Reis liebt die subtropische Feuchtigkeit und hier in den Tälern zwischen den Bergen mit seinen vielen Seen und Flüssen gedeiht er einfach hervorragend.“ Hervorragende Erklärung.

„Kann das sein, dass ich da eben einen Mann mit weißen Haaren habe meditieren sehen?“ ER drückte mal wieder seine Nase platt, um nach ihm zu sehen. Sie waren aber schon vorbei.

Skipper sagte nichts. Bis er einen kleinen runden Landeplatz unter der Spitze eines entfernten Buckelberges fand und aufsetzte. Sie stiegen aus und gingen hoch. Oben war ein freier Platz, der eine perfekte Rundumsicht bot.

„Wir sind auf dem Höchsten der Drachenzacken, wie sie diesen Berg hier nennen. Der solitäre Berg an der Nagila bei der Engstelle gegenüber dem Canyon, den wir auch vom Norden aus erahnen konnten, heißt Wächter des Südens, so, wie unser Aussichtsberg Wächter des Nordens genannt wird.“ Skipper legte eine Pause ein und setzte sich im Schneidersitz auf einen flachen breiten Stein. Er schloss die Augen. ER überlegte kurz, dann tat er es ihm gleich.

Skipper sprach langsam und ruhig:

„Atme tief ein und wieder aus.

Oben auf einem Berg kannst du alles abfallen lassen.

Atme bewusst ein und wieder aus.

Dann bist nur noch du, die Spitze des Berges und der Himmel.

Und dein Atem.

Ein.

Aus.

Alles andere ist weit weg.

Nun sieh zu dem Berg vor uns.“

Skipper wartete. ER öffnete die Augen und schielte zu ihm.

„Was siehst du?“, fragte Skipper. ER blickte sich leicht

befremdlich um und meinte schulterzuckend:

„Einen Berg."

„Sieh dir weiter diesen Berg an und sage mir, was du siehst", sagte Skipper und schloss wieder seine Augen.

ER war schon irritiert. Sollte er nun den Berg ansehen oder die Augen schließen? Na gut. Er ließ sich auf das sonderbare Spiel ein und besah sich den Berg:

„Da sind Bäume auf dem Berg", meinte ER.

„Sieh genauer hin", meinte Skipper.

Wie sollte das gehen? Ohne Fernglas.

„Berg, Bäume und Fels. Mehr sehe ich nicht von hier aus."

„Dann sieh dir weiter den Berg an."

Ein Adler landete auf der obersten Spitze und flog mit lauten Rufen wieder davon.

Das half aber auch nicht weiter, weil ER dessen Sprache nicht verstand. Zeit verging. Skipper saß regungslos.

„Ich sehe immer noch nur Himmel und den Berg", meinte ER nach einer Weile etwas bockig.

„Das hört sich doch gut an", antwortete Skipper, regte sich aber sonst nicht. Da musste also irgendwie mehr zu sehen sein.

ER besah sich den Berg. Ihm dämmerte da etwas.

„Man kann den Berg auch anders sehen. Oben und Unten. Also der Berg steht auf der Erde und geht in die Erde über und oben ist die Bergspitze, die den Himmel berührt und drum herum ist Luft und Himmel", meinte ER.

„Sehr gut."

Das war ermutigend und ER begriff, in welche Richtung Skipper ihn lenken wollte, weg von dem bloßen Begriff Berg.

„Der Berg ist fest und der Himmel luftig. Stofflich – nichtstofflich. Und wenn ich das so überlege, kann der Himmel einmal das Universum bedeuten, wie wir es sehen. Aber es kann auch über das sichtbare Universum hinaus Geist oder die geistige Welt bedeuten. Quasi Erde, Körper – Himmel, Geist", philosophierte ER.

„Ausgezeichnet!" Skipper wurde zu seinem Meister.

Die Sonne kam gerade hervor und beschien den Berg. Dadurch

veränderte sich sein Aussehen.

„Jetzt hat der Berg eine linke Seite, die Sonnenseite und eine rechte Seite, die Schattenseite, hell und dunkel", sagte ER, da sprang Skipper auf und rief freudig aus:

„So ist es! Nun hast eine Ahnung von Yin und Yang! Das weise Paar der Gegensätze. Zwei Pole, die in Beziehung zueinanderstehen, sich also ergänzen. Hell kann es nur durch seinen Gegenpol dunkel geben, denn ohne diesen wüsste man ja gar nicht, was hell ist. Und was ist das Besondere an Yin und Yang? Kannst du dir das vorstellen?", folgte noch eine Frage und ein Blick zum Berg.

ER hielt den Kopf schief. Das Bild am Berg hatte sich schon wieder verändert, weil die Sonne gewandert war. Zwar nur wenig, aber dennoch.

Ah!

„Es verändert sich. Wenn ich Licht und Schatten am Berg beobachte, dann wird die Sonnenseite gerade weniger, die Schattenseite mehr. Bis zum Abend. Dann geht der Tag in die Nacht über. Und am nächsten Morgen beginnt das Spiel von vorn. Tag – Nacht. Licht – Schatten. Es bleibt nichts gleich. Erde – Himmel. Stofflich und Nichtstofflich.

Es sind die Gegensätze, die ineinander übergehen und gemeinsam zu einem Ganzen werden. Immer in Bewegung. Nie starr. Es gibt sicher sehr viel mehr solcher Yin-Yang-Paare", rief ER zum Berg hinüber und war knallrot vor Anstrengung.

Skipper lächelte:

„So nenne ich dich einen Schüler des Taiji, das höchste Prinzip des Kosmos. Dies in seiner ganzen Tiefe zu erfassen, darum meditieren hier weise Menschen. Ich finde, der beste Platz ist ein einsamer Berggipfel, wo sich auch der Mensch über seine Gedanken in den Geist auflösen kann. Taiji.

Es entsteht, vom Ursprung aus gedacht, aus der Ur-Leere, die gestaltlos, unsichtbar, unfassbar, grenzenlos, zeitlos, wertfrei und ohne Bedingungen ist. Aus dieser Leere entsteht über das Taiji die gesamte Welt der Erscheinungen, wie wir sie kennen."

„Oder so formuliert: Über das Taiji erhält quasi das Gestaltlose

Gestalt und die Gestalt löst sich darüber wieder auf. Taiji ist quasi wie ein Tor, ein Übergang, über die die Gegensätze kurz verbunden sind. Quasi ein Tor der Wandlungen, denn, wie ich es erkannt habe: Alles ändert sich ständig.“ Jetzt nickte ER zufrieden mit sich. Er hatte im Prinzip das Prinzip verstanden. Zumindest quasi.

Skipper lächelte.

ER fuhr fort, mit einem knallroten Gesicht:

„In dieser Leere oder dem Nichts scheint im Grunde alles enthalten zu sein, da ja alles daraus entsteht, nur wir können es nicht erfassen, weil wir uns das Nichts so schwer vorstellen können. Aber geübte Menschen können es besser, die sich mit der geistigen Welt auseinandersetzen. Es scheint etwas Göttliches zu sein, nur ohne Geschlecht und ohne Dogmatismus. Eben reiner Geist und dabei etwas absolut Allumfassendes. Es ist so, dass ich es gar nicht richtig aus-drücken kann. Es lässt sich nicht mit unseren Worten erklären, weil die Worte es einschränken.

Eines Tages möchte ich auch darüber meditieren, an solchen Orten.“

Skipper lächelte und sagte:

„Du hast es richtig erkannt. Meditieren kannst du jedoch an jedem ruhigen Ort unserer wunderschönen Erde.“

„Was ich hier in Gaia Nova gesehen und gelernt habe, ist so ganz anders als das, was ich bisher erlebt habe. Weißt du, Skipper, je mehr man solche Erkenntnisse hat, desto mehr weiß man, wie unermesslich viel man nicht weiß“, stöhnte ER.

„Ja, da hast du absolut recht. Aber es macht auch Spaß, dies zu erforschen. Besonders auf der Spitze eines Berges“, lachte Skipper. Er saß mittlerweile wieder und hielt seine Augen geschlossen.

ER dachte kurz nach:

„Es hat sehr viel mit Harmonie zu tun. Alles ist immer in Bewegung und strebt über die Ruhe nach Harmonie.“

Skipper freute sich sichtlich über die Gedanken seines Schülers:

„Die Harmonie gehört zum höchsten Plan.“

ER meinte:

„Wenn wir uns hier umsehen, all die Schönheit, dann kann ihr nur ein Plan zugrunde liegen, der nach Harmonie strebt. Hier liegt auch der Grund für die Vielfalt auf der Erde, aber auch das Gute im Menschen.

Das macht alles Sinn, schau dir die Natur an! Alles ist in Bewegung und Ruhe, Leben und Tod, Tag und Nacht, Sommer und Winter und alles strebt nach Harmonie. Das alles ist irgendwann einmal aus dem Nichts entstanden. Wie auch immer.

Ich fühle eine große Ehrfurcht vor solch einem Plan."

Skipper nickte. Jetzt hatte ER genug gedacht.

Sie saßen noch eine Weile und beobachteten das Spiel von Licht und Schatten in den Bergen.

„Hier hat man wirklich das Gefühl, dass sich alles in eine unfassbare Größe auflösen kann, hier auf dem Gipfel des Berges", meinte ER.

Dann setzten sie ihre Fahrt durch das Labyrinth des Turmwaldes entlang der vielen Flüsschen und Reisfelder fort, bis sie auf der nördlichen Seite wieder auf die unglaublich weite Ebene hinausgelangten. Eine Entspannung für die Augen auf andere Weise, denn sie konnten weit vorausschauen, nicht nur wie eben bis zum nächsten grünen Berg direkt vor einem.

Er erinnerte sich an seinen ersten Flug, Fahrt. Zeit für dicke Thermojacken. Eine weite Graslandschaft, die in eine eisige Tundra überging. Dazu der Blick auf die Eisriesen im nördlichen Hintergrund. Der Blick gen Westen war durch Steinriesen versperrt.

„Wir sind jetzt in der Permafrost Zone. Sie nennen es die Ewige Gefrornis. Weit hinter den Steinriesen links ist der Große Sumpf, der sich viele Kilometer entlang des Ostufers der Nagila bis zum Tabu erstreckt. Auf der anderen Seite der Nagila liegt die Wüste. Wir befinden uns hier deutlich höher. Zudem schotten die Berge Wind und Wetter ab, so dass es hier nie wärmer als minus 1 Grad wird. In den langen Wintern kann es auch mal auf minus 55 Grad runtergehen", erklärte der Reiseleiter und deutete auf die geometrischen Formen des Permafrostbodens. Als ER diese Zahl hörte, zog er gleich die bereitliegende Thermodecke über seine Beine.

„Diese wabenartigen Strukturen im Boden sind durch den Bodenfrost entstanden."

„Wunderschön", staunte ER. Diese Frostmuster im Boden waren ihm beim ersten Mal gar nicht aufgefallen. Sie fuhren eine Weile über die endlos scheinende Ebene. Es hatte schon was, wenn der Blick so dahingleiten konnte. Erst in weiter Ferne taten sich die ersten Ausläufer des Eisgebirges auf, inklusive der kurz herauslugenden Spitze des Eisriesen, des höchsten Eisberges.

Rentiervolk

„Dort hinten rechts ist doch dieser Salzsee, wo ich dachte, es sei dubioser Schnee. Ach, sieh einmal, dort unten sind riesige Herden. Sind das Rentiere?"

„Genau. Rentiere."

„Und schon sehen wir die Zelte der Rentiernomaden. Ist klar, dass die Menschen, die diese Landschaft ihr zu Hause nennen, sich fast ausschließlich von den Rentieren ernähren. Mit Pflanzen kommt man hier nicht weit."

„So ist es. Seit hunderten von Jahren nutzen sie fast die gleichen Lagerplätze entlang der Routen der Rentierhorden. Das Rentierfleisch bietet alles, was der Mensch zum Leben braucht."

„Die müssen ein paar Schichten übereinander tragen. Sie halten sich doch immens lange draußen bei den Tieren auf", überlegte ER und hielt nach Menschen Ausschau.

„Sie tragen meist zwei Schichten aus Rentierfell. Bei der inneren Schicht zeigt das Fell zur Haut, bei der äußeren nach außen. Das schützt sie sogar vor extremen Temperaturen."

„Wenn sie wüssten, wie kostbar das Salz ist, könnten sie perfekt handeln", überlegte ER.

Skipper nickte:

„Sie tauschen bereits, weil sich mit Salz bestens konservieren lässt."

„Was meintest du eben mit dem Tabu?", erinnerte sich ER gerade, als Skipper nach links schwenkte, um an den ersten Vorläufern des Eisgebirges entlang Richtung Nagila zu fahren.

„Oh, ein riesiger Gletscher, der hier endet. Gewaltig!", staunte ER.

„Das ist nicht der einzige im Eisgebirge, aber einer der größten."

„Von der Ewigen Gefrornis zum Ewigen Eis", bemerkte ER und folgte dem Gletscher mit seinem Blick ins Gebirge. Schon verbarg er sich hinter dem nächsten Berg. Diese Berge waren leicht mit Schnee bedeckt. Viele Felsen ragten heraus. Stein, Eis und Schnee waren kaum zu unterscheiden.

„War da ein Bär? Ich glaube, ich habe einen Bären gesehen!", sagte ER aufgeregt.

„Durchaus. Ein Braunbär. Auch Wölfe durchstreifen das Land. Füchse, Lemminge, Vielfraße."

Er seufzte:

„Alle sind sie da. So, wie es sein soll. Alles hat seinen Platz. Selbst mit den Menschen. Ich wusste, dass es möglich ist. Nur, wie lange noch."

ER wälzte sich in seinem Bett unruhig hin und her. Aus seiner Traumwelt hörte er von Weitem:

„Tabu."

Skipper und ER standen neben dem Hubschrauber-Boot.

„Wie, was? Tabu? Ach, hier sind wir schon? Erst einmal orientieren. Dort drüben sind die südlichen Ausläufer des Faltengebirges und hier?"

ER drehte sich auf grauem Geröll, knickte um, fing sich und schüttelte den Kopf:

„Was für eine einschüchternd mächtige Wand! Überall nur Fels und Geröll. Nicht ein einziges Pflänzchen. Ich höre auch keinen Vogel, kein Insekt, nichts. So unwirklich. Welch ein bedrohlicher Ort, da möchte ich am liebsten…"

Skipper hielt das schwarz glänzende Messer wieder hoch. ER nickte.

Er wollte ja das Land weiter erkunden. Mit all seiner Schönheit und auch diesem hier.

„Das Tabu ist die Tabuzone. Sie ist deswegen tabu, weil die Nagila zu Regenzeiten und Zeiten der Schneeschmelze diesen Steinstrand stark überfluten kann und hier kein Entrinnen möglich ist“, erklärte Skipper.

ER sah sich weiter um. Tatsächlich. Weiter vorn floss in aller Seelenruhe die Nagila. Der Geröllstrand war zwar riesig, aber umschlossen von hohen Felsmauern. An den beiden Flanken rannen zwei kleine Bächlein hinunter und links war sogar ein kleiner Wasserfall.

„Oben, hinter dieser riesigen Mauer, befindet sich doch der Mondsee“, erkannte ER.

„Richtig. Der Natur-Staudamm reicht hier schwindelerregende 1.000 Meter hoch. Zwar soll der Mondsee nur 550 Meter tief sein, jedoch berichten das Eisvolk und das Rentiervolk unabhängig voneinander von den unendlichen Tiefen des Mondseewassers, die bis in die Anderswelt reichen sollen. Ihre Schamanen reisen in manchen Vollmondnächten über den Mondsee in jene Anderswelt, um für weiteren Schutz für ihr Volk zu bitten. Es ist für beide Clans eine sehr weite Reise. Hier können sie auch gut mit ihren Ahnen in Kontakt treten, falls andere Wege verschlossen sind.

Sie wissen von der Tabuzone und dem Großen Sumpf jeweils hinter mächtigen Felsmauern. Sie bilden eine natürliche Barriere gen Westen. Hier hört beider Land auf. Ihre Ahnen haben ihnen ihre Wege gezeigt und denen folgen sie, Jahr für Jahr. Das Rentiervolk auf dem Permafrost und das Eisvolk im Eisgebirge mit seinen Gletschern, die weit im Osten bis ans Ostmeer reichen.“

„Du meinst das Eisvolk, das sich fast ausschließlich von Meerestieren ernährt?“, fragte ER nach, während sie wieder an Bord gingen und ablegten. Skipper schraubte sie langsam hoch, höher. Druckausgleich war angesagt. Nicht nur einmal. Über die Felskante über den dahinter liegenden Mondsee. Er hatte etwas sehr Unnahbares. Keine Spiegelung. Blau-schwarzes Wasser wie eine mondlose Nacht.

„Der Mondsee ist unheimlich. Selbst bei Tag. Er zieht einen selbst aus der Luft in seine endlosen Tiefen. Das ist eindeutig nur etwas für Schamanen. Ah. Da kommen schon die ersten Schneeberge des Eisgebirges. Welch eine Wohltat. Sie wirken längst nicht so kalt wie der Mondsee“, bemerkte ER und setzte seine Sonnenbrille wieder auf.

Dämonen im Ewigen Eis

Eis, Schnee, Gletscher, Fels. Eine zerklüftete Landschaft in Weiß. Nördlich des Eisgebirges das Schneefeld. Endloses Weiß. Auch hier, unter solch extremen Bedingungen, lebten Menschen. Freiwillig.

Sie flogen gen Osten. Skipper lenkte das Boot runter und sie gingen an Land, auf den Schnee.

„Da! Iglus! Aber niemand vom Clan des Ewigen Eises ist zu sehen“, rief ER und deutete voraus. Ihre Schritte knirschten laut im Schnee. Ansonsten war es mucksmäuschenstill. Weit und breit kein Ton. Als wären sie in einem riesigen weißen Raum ohne Wände. Der Wind wehte geräuschlos, ganz sanft. Das war auch gut so, denn es war eisig genug.

„Vielleicht sind sie unterwegs mit ihren Schlitten zu ihren Booten, um auf Robbenjagd oder auf Walfang zu gehen. Ich sehe auch keine Hunde vor den Iglus. Oder, da gerade eher Sommerzeit ist, sind sie in ihren Sommerlagern weiter nordöstlich und folgen den Karibus, welche ja auch Rentiere sind“, überlegte Skipper.

Da sahen sie mit einem Mal einen Mann des Eisvolkes vor einem Iglu auftauchen. Der fuchtelte wild und krabbelte rasch in den Gang des Iglus. Kurz darauf kamen Frauen, Männer, Kinder einer nach dem anderen heraus. Alle schienen zu rufen und wichen dabei zurück. Panisch! Sie rannten zu einem weiter hinten stehenden Iglu und riefen noch andere zusammen. Ein größerer Mann schob sich nach vorn. Da blieb Skipper abrupt stehen:

„Das geht nicht. Wir müssen zurück. Sofort! Dass ich das vergessen konnte! Sie sehen uns mit großer Wahrscheinlichkeit als

Dämonen. Wir sehen so anders aus als sie und das Volk der Rentiere, dass sie nur denken können, dass wir die Geister von Ertrunkenen oder Verschollenen sind, die nun über Eis und Schnee zurückkehren. Das sehen sie als schlechtes Omen. Derartige Dämonen bringen Unglück über den Clan."

Skipper hielt seine Hände hoch, dann winkte er und drehte sich um. ER folgte ihm.

„Nicht umsehen", sagte Skipper ernst.

„Wir hätten etwas zum Tauschen mithaben müssen, dann hätten sie sicher verstanden, dass wir von einem anderen Land kommen. Ich werde beim nächsten Flug etwas mitnehmen", meinte ER.

„Sie tauschen nichts mit Dämonen. Wir steuern unser Boot in weitem Bogen an ihnen vorbei. Würden wir durch die Lüfte über sie fahren, wäre auch das ein schlechtes Zeichen. Wir kommen nämlich aus der Richtung des Inlandeises. Diese Winde bringen Kälte und Furcht", erklärte Skipper, während sie ablegten.

„Sie haben eine sehr eigene Sicht der Dinge. Ihr Leben ist geprägt durch einen tiefen Respekt und Furcht gleichermaßen allem gegenüber. Diese unendliche Weite, dieses unendliche Weiß, diese Stille, diese Einsamkeit. Das macht etwas mit einem Menschen. Für sie ist alles belebt. Daher sind sie nicht wirklich einsam, weil die ganze Welt beseelt ist und die Geistwesen zu ihrem Leben dazugehören. Nur so, mit dem nötigen Respekt vor der Größe der Natur, haben sie es geschafft, über Tausende von Jahren hier zu leben und zu überleben. Ich habe eine große Achtung vor ihrer Lebensweise."

„Ihr Leben klingt unglaublich hart und ernst", meinte ER.

„Hart ist es zweifelsfrei, aber ernst, ganz im Gegenteil. Sie leben mit sehr viel Freude und Humor. Sie singen viel, erzählen ihre Geschichten. Sie machen lustige Gesangsduelle und Faustkämpfe. In ihren Behausungen, ob es Iglus, Sommerzelte oder schneebedeckte Erdsodenhäuser sind, ist es immer gemütlich. Ihre Gemeinschaft ist sehr stark und unterliegt einem strengen Respekt vor den Launen der Natur, in die sie sich vollkommen einfügen", erklärte Skipper während sie über das endlose Weiß glitten. Hier und da sahen sie Landmarken, die sie errichtet hatten, um sich in diesem endlosen Weiß zurechtzufinden. Es waren große aufeinandergeschichtete Steine, die wie Menschen aussahen. Lieder führten sie von Landmarke zu Landmarke.

„Die Steinmenschen sind eine perfekte Orientierung in diesem richtungslosen Einheitsweiß“, bemerkte ER.

„Von wegen Einheitsweiß: sie haben mindestens 25 verschiedene Wörter für Weiß. Daran erkennst du, wie scharf ihre Sinne entwickelt sind.“

ER staunte und beobachtete das Weiß bis zum Meerstreifen am Horizont.

„Auch das Meer ist beseelt. Sie sehen es als großes weibliches Wesen mit endlos langen Haaren, die stets gekämmt werden müssen, damit sie ihnen etwas von ihren Kindern, den Robben, Walrossen, Fischen und Walen, zum Essen abgibt. Das ist Aufgabe des Schamanen, zu ihr zu reisen und sie gütig zu stimmen. Dann erhält er von ihr den besten Zeitpunkt zur Jagd. Wenn das Meer frei von Eis ist, dann ist das schon mal ein gutes Zeichen, doch es ist auch sehr launisch. Sie geben dem erlegten Tier als erstes etwas Wasser zu trinken. Das ist wichtig für dessen Seele und das Meereswesen achtet darauf, dass sie dieses Prozedere einhalten. Es ist auch gut, der Seele auf dem Rückweg ins Meer ein Geschenk mitzugeben, eine Pfeilspitze zum Beispiel. Sich mit dem Meereswesen gut zu stellen ist überlebenswichtig und, wie gesagt, es funktioniert schon seit vielen Generationen. Respekt und Ehrfurcht.“

ER nickte. Ein launisches Meer, mit dem man sich gut stellen musste, das machte Sinn. Also sollte er auch an ein Geschenk für das Meer denken.

Sie sahen eine dunkle Silhouette am weißen Horizont. Die ersten Bergspitzen des Feuergebirges, nördlich von hier aus, taten sich auf.

Feuerclan

Wieder dieser krasse Gegensatz: Das Weiß von Schnee und Eis ging in ein Schwarz-Braun-Rot-Grau der erkalteten Lavasteine über. Auch eine karge, unwirkliche Landschaft, nur mit einem völlig anderen Charakter.

„Schon wieder Mars pur. So stelle ich es mir dort vor. Dazu der rote Stein des Roten Berges und den Salzsee vom Permafrostland des Rentiervolkes. Perfekt, um Science-Fiction zu drehen…"

Ein Aufschrei! Skipper riss das Boot rum.

„Hatte ich doch glatt vergessen!", rief er und lachte.

ER schrie immer noch:

„Was war das?"

„Ich zeig ihn dir", meinte Skipper und machte eine Wende.

„Was? Nein! Nicht noch einmal. Was war das? Viel zu gefährlich!" ER sah aus allen Fenstern gleichzeitig und sah aus, als würde er jeden Moment abspringen wollen. Skipper lachte sich schlapp:

„ER, das ist doch nur ein Geysir mit seiner 30 Meter hohen Fontäne."

„Uh! Wie das stinkt! Ist ja eklig", kommentierte ER und schob seinen Schal über die Nase. Die Thermodecke hatte er wieder beiseite gepackt.

„Schwefel. Eindeutig."

Sie flogen durch wabernde Dampfwolken und wieder erschreckte sich ER, als ein Geysir quasi zum Anfassen nah direkt an seinem Fenster vorbei gen Himmel schoss.

„Lebt hier überhaupt jemand?", fragte ER.

„Natürlich, gerade hier, also, weiter drüben. Fruchtbarster Boden! Die ausgeworfene Asche enthält viele Nährstoffe von Pflanzen. Hatten wir schon auf unserer ersten Fahrt festgestellt", erinnerte ihn Skipper und senkte das Boot.

„Ja, stimmt! Ich wollte hier Wein und Zitrusfrüchte anbauen. Jetzt erkenne ich es wieder! Hier ist weit und breit keine Menschenseele des Feuerclans zu sehen. Leben die auch in Höhlen? In vulkanischem Gebiet gibt es ja viele Höhlen. Und jede Menge grüner Schluchten.

Oh dort! Welch ein spektakuläres Tal! Sieh dir das an! Welch eine riesige grüne Oase mitten im Feuerstein!

Ich weiß, ich weiß! Ist damals durch Abrutschen einer großen Landmasse entstanden. Sieht man richtig. Wie genial dieses Tal liegt! Skipper, schau dir das an! Zieht sich runter bis zum Meer. Ein sensationelles Amphitheater in Grün. Perfektestes Anbaugebiet! Ich sehe schon die Weinhänge! Bananen, Tomaten. Oliven und Zitrusfrüchte bauen wir drüben neben der Caldera in größerem Stil an. Man muss ja auch wirtschaftlich denken.“ ER befand sich im absoluten Vulkan-Rausch. Das machte eindeutig die noch aktive Feuerenergie der Vulkane im Nordosten des Feuergebirges. Er hörte gar nicht mehr auf zu schwärmen:

„Sieh dir das an! Nix da, von wegen trostloser Landschaft! Wie heißen die noch, diese riesigen Kerzenblütenteile? Die sind bestimmt fast drei Meter hoch!“

„Natternköpfe.“

Klar, dass Skipper das wusste.

„Genau! Auf dem dunklen vulkanischen Gestein leuchtet das Rot noch mehr. Dann das krasse Gelb von diesen Wolfsmilch-gewächsen. Ist doch Wolfsmilch?“

„Genau! Und das ist Ginster,“ hatte Skipper gleich die nächste Frage beantwortet.

„Hier wird es zwar wieder karg, aber dennoch! Diese knallig grünen Kiefern! Uuh! Musst du denn hier entlangfliegen?“ ER verzog sein Gesicht und hielt sich den Schal vor die Nase.

„Du stellst dich aber auch an. Das bisschen Schwefel! Gehört nun mal zu deinem Traumanbaugebiet!“

„Meinst du, dass die hier noch einmal ausbrechen werden?“

„Sicher“, grinste Skipper.

„Ach“, meinte ER enttäuscht.

„Aber keine Sorge. Kann morgen sein, kann in 100 oder in 1.000 Jahren sein. Oder noch später. Das weiß man nicht so genau. Wir werden sehen.“ Skipper zuckte mit den Schultern.

„Okay, dann sollten als Erstes Messstationen aufgebaut werden.

Danach wird angebaut“, beschloss ER und widmete sich wieder der Kiefer zu:

„Sieh dir die an! Ich meine, das sind bestimmt gute 1.500 bis 2.000 Meter Höhe, in der sie gedeihen.“ ER drückte sich die Nase platt:

„Es sieht fast so aus, als hätten sie einen Brand über-standen.“

„So ist es. Die alten Nadeln auf dem Boden verrotten nur sehr langsam, daher hat das Feuer hier beste Voraussetzungen, sich auszubreiten. Das Besondere an diesen Kiefern ist, dass gerade die alten Bäume aufgrund ihrer sehr dicken Borke ein Feuer nahezu unbeschadet überstehen. Sie treiben einfach an Ästen und Stämmen wieder neu aus. Das nenne ich perfekte Anpassung!“, schwärmte jetzt auch Skipper.

„Und wie das hier duftet! Macht Hunger. So würzig…“ ER blickte zu seinem Reiseführer, der gerade über einem Wald an Höhe reduzierte.

„Lorbeerwälder! Waren ganz früher, also vor der Eiszeit, weit verbreitet. Hier haben sich diese Wälder erhalten. Ist doch enorm, welch verschiedenartige Vegetation sich allein im Vulkangebirge entwickelt hat. In diesem relativ kleinen Gebiet gibt es sehr unterschiedliche Umweltbedingungen. Dieser immergrüne Wald braucht eine hohe Luftfeuchtigkeit, die hier auf der Nordseite konstant gegeben ist. Brauchst also keine Lorbeerbäume anbauen“, neckte ihn Skipper.

„Alles da in Hülle und Fülle! Dieses Land bietet einfach alles für die Menschen, egal, wo sie leben. Pflanzen und Tiere haben sich an das Land angepasst und die Menschen an das, was die Erde ihnen schenkt.“

Skipper nickte ihm zu und sprach lächelnd:

„So ist es. Alle, ausnahmslos alle Clans in Gaia Nova leben voller Dankbarkeit und Respekt. Kein Tier wird umsonst getötet, keine Pflanze zu viel geerntet. Sie leben nicht im Überfluss, aber alles ist da, wenn man sich auskennt. Und es herrschen Frieden und Harmonie. Ein Einklang, der keines Gesetzes bedarf, denn das Gesetz ist die Natur selbst. Alle leben miteinander, weil sie genau wissen, dass alles miteinander verbunden ist. Dies gilt es zu wahren."

„Diese Menschen sind vollkommen in die Natur integriert."

„Allein das Wetter mischt alles mal auf und bringt Unruhe herein. Aber selbst da sorgen alle füreinander. Gastfreundschaft wird großgeschrieben. Wenn ein Clan in Not ist, wird geholfen und zusammengerückt. Schamanen halten das Gleichgewicht von Nehmen und Geben, den Kontakt in andere Welten und zu den Ahnen. Und sie besitzen das Wissen der Heilkunde. Sie heilen mittels pflanzlicher, tierischer und mineralischer Komponenten, stets verbunden mit Ritualen."

ER dachte darüber nach während sie den endlosen schwarzen Strand entlang der Küste des Ostmeeres gen Norden flogen. Dann nickte er anerkennend:

„Der Mensch ist wahrhaftig eine sehr anpassungsfähige Spezies! Welch eine Vielfalt an Kulturen. Ich bewundere jede einzelne."

Skipper grinste und nickte ihm zu.

Er deutete auf zwei Angler, die ihr Boot an Land zogen. Sie sahen und hörten sie nicht. Ein Glück.

Der zweite Rundflug näherte sich dem Ende. Sie waren bei den ersten Ausläufern des Nordgebirges ganz im Osten angekommen. Skipper schwenkte wieder gen Westen und fuhr am Fuße des bewaldeten Nordgebirges entlang über ein riesiges Moorgebiet.

„Und hier gibt es reichlich Torf", meinte ER. Er klang aber nicht mehr so euphorisch.

„Was ist?", fragte Skipper nach.

„So, wie es ist, wird es nicht bleiben. Irgendwann kommen Fremde von anderen Kontinenten, die sich *weiterentwickelt* nennen. Dann wird sich alles ändern. Die Schattenseiten des Menschen werden die Oberhand gewinnen. Macht und Profit werden zu Göttern. Die Natur besitzt keinen Stellenwert mehr. Ich ahne das unabwendbare Unheil…" Die Stimmung kippte. Gerade noch im rechten Moment hielt Skipper ihm das Messer vor die Nase.

„Obsidian! Was meinst du, woher das stammt?"

ER zuckte die Schultern.

„Vulkanisches Glas!"

„Wie? Lava ist doch normalerweise Bimsstein, also recht porös und rau. Hier sind überhaupt keine Lufteinschlüsse drin. Es ist spiegelglatt und hat eine messerscharfe Kante“, überlegte ER. Abgelenkt. Stimmung wieder gerettet. Skipper erklärte:

„Bimsstein entsteht, wenn Lava langsam abkühlt und hat einen höheren Anteil von flüchtigen Stoffen wie CO2. Aber wenn die Lava in Wasser fließt, kühlt sie sehr schnell ab. Dabei entsteht Obsidian. Bestes Material für Werkzeuge. Der Feuerclan ist also im Besitz von schärfsten Werkzeugen. Auch das Hirtenvolk hat auf beiden Wasserseiten der Caldera Obsidian gefunden. Damit können sie natürlich auf beiden Seiten der Nagila gut handeln und ganz Gaia Nova mit diesen Werkzeugen versorgen.“

„Das erinnert uns an den Feuerclan. Wir haben tatsächlich niemanden gesehen“, bemerkte ER.

„Der Feuerclan lebt seit jeher sehr zurückgezogen. Es sind sehr stolze Leute. Das sieht man an ihrem Schmuck. Sie verehren Mutter Erde wie alle anderen. Allerdings sagen sie, sie seien die Erstgeborenen, weil sie am Nächsten zur Erdmitte leben würden. Ihnen hätte Mutter Erde als erstes Volk das Feuer geschenkt, so dass sie sich nicht mehr abmühen mussten. Zudem fruchtbaren Boden direkt aus dem Innern ihres Körpers. Als Dank legen sie Schmuckstücke an den Kraterrand oder an Stellen, wo Schwefeldämpfe austreten. Einmal im Jahr umrunden sie den höchsten Berg, den sie den Feuerriesen nennen. Auf jeweils einen großen breiten Felsen in jeder Himmelsrichtung legen sie ebenfalls Schmuck als Gaben an die Große Mutter, wie sie sie nennen. Dabei stehen sie lange um diese Gaben-Felsen und bestaunen die Werke der Vorjahre und ihrer Vorfahren. Sie werden immer geschickter und feiner in der Verarbeitung der Steine und Mineralien, die die Vulkanlandschaft hergibt. Ich erzähle dir eine Geschichte zu den Olivinen, den grünen oft durchsichtigen Kristallen, die im Feuergebirge zu finden sind.

Sie sagen, als ihre Vorfahren mit ihrem Boot bei den Feuerbergen an Land gingen und nur Stein und Fels zu finden war, wollten sie weiterfahren. Da hatte ihre Älteste einen Traum und sagte, sie sollten bleiben. Sie kletterte allein auf den nächsten kleinen Vulkankegel. Tags darauf brach ein Vulkan unweit ihrer Lagerstätte aus. Sie blieben verschont. Ihre Älteste kehrte vom Berg zurück und brachte eine Handvoll grüner Kristalle mit und sagte: ‚Dies ist das Zeichen. Aus dem schwarzroten Stein kann Grün wachsen. Wir sollen zuerst den höchsten Berg umrunden, dann werden wir ein grünes Tal finden. Es ist für alles gesorgt, Feuer, Wasser und gute Erde. Wir sind von nun an der Feuerclan der Großen Mutter.‘

Also umrundete die kleine Gruppe samt Ziegen und Schafen den beschwerlichen Weg um den Feuerriesen, an dessen Ostseite sich der Erdrutsch bis zum Meer hinunterschlängelt. Du nanntest es Amphitheater. Dort erblickten sie das erste Grün und ließen sich nieder. Und ja, sie wohnen dort in Höhlen.“

Nach ihrer langen Reise waren sie wieder auf ihrem Aussichtsberg angekommen, dem Wächter des Nordens. Skipper ließ ER noch Zeit, sich für heute zu verabschieden. ER saß auf seinem Aussichtsstein und blickte versonnen über das Land. Er dachte über die Vollkommenheit nach und das, was sie zerstören würde.

Da hörte er eine Stimme.

Unweit von ihm stand ein Mann mit seinem etwa sechsjährigen Sohn. ER konnte nicht hören, was er ihm erzählte. Eine Frau kam auf sie zu und lud sie zum Essen ein. ER verfolgte sie und beobachtete das Geschehen. In einer einfachen Hütte nahmen sie neben der Familie am Tisch Platz. Es gab einen bunten Eintopf und frisch gebackenes Brot. Danach bedankten Vater und Sohn sich und gingen zurück.

„Das Essen schmeckte so lecker. Es schmeckte nach viel mehr als unser Essen. Können wir hier nicht öfters herkommen, Papa? Sie haben auch solch einen schönen Garten voller Schmetterlinge!“

„Auf gar keinen Fall! Solch ein primitives Leben. Das ist nichts für dich, mein Sohn. Wir leben auf einem ganz anderen Niveau. Wir sind zivilisiert. Sie sind einfach und unterentwickelt“, antwortete der Vater barsch.

„Aber sie sind so nette Menschen! So nett war noch nie jemand zu uns. Sie kennen uns noch nicht einmal und haben uns eingeladen und von ihrem leckeren Essen etwas abgegeben, obwohl sie viel weniger besitzen als wir. Warum machen wir das nie?“, meinte der Sohn.

„Weil wir größer sind und über den Tellerrand sehen können. Wir haben Größeres vor als Eintopf und selbstgebackenes Brot, wo es Brotbackmaschinen gibt, die viel mehr Menschen ernähren können“, behauptete der Vater in scharfem Tonfall, der eigentlich keine Widerrede duldete. Dennoch, der Sohn fragte weiter:

„Sie sehen glücklich aus und sie haben gutes Essen. Dann haben sie doch alles zum Leben. Wenn sie kein eigenes Brot mehr backen können, dann brauchen sie Geld und müssen etwas arbeiten, das sie vielleicht nicht glücklich macht.“

„Sohn, jetzt ist Schluss mit diesem sentimentalen Gerede aus dem letzten Jahrhundert. Du denkst jetzt noch zu klein. Während du weiterwächst, lehre ich dich, groß zu denken. Nun komm!“

Damit zog der Vater den Sohn weg von dem Haus.

Der Wecker klingelte und ER haute ihn aus. Er war wütend, dass dieser ätzende Vater zum Schluss ihm diesen wunderschönen Traum versaut hatte.

Wütend fuhr er ins Büro. Amiga spürte das. Sie war ganz ruhig und verkrümelte sich gleich auf ihre Kuscheldecke in der Büroecke. Keine Spielchen von wegen: Wo ist denn der schickste Platz heute? Hier nicht, da nicht, hier vielleicht und eine halbe Stunde später doch lieber unter dem Tisch, so dass ER schief vor seinem Bildschirm sitzen musste, wollte.

Alessa, die Lerche, war schon da und sah wirklich erholt aus. Das brachte ihn etwas runter. Chrischi trudelte eine Stunde später mit seinem City-Bike über der Schulter ins Büro.

„Ist okay“, meinte ER, als Chrischi ihn mit seinen berühmten Hundeaugen ansah. Es war ihm nämlich jetzt das dritte Rad innerhalb eines Jahres geklaut worden. Es lehnte hinter Chrischi an der Wand und störte so keinen. Besprechungen waren eh immer in

ERs Büro mit neuem schicken Besprechungsmobiliar.

Apropos Besprechung. Alessa hatte ihr Mitarbeitergespräch mit GF und kam mit einem ganz eigentümlichen Blitzen in ihren Augen wieder. Sagte aber nichts, außer:

„War überraschend."

ER und Chrischi starrten sie an. Dieses *überraschend* kam überraschend.

„Ja, wie? Was war überraschend?", hakte ER nach.

„Alles", meinte sie und ihre Augen funkelten, dass es fast unheimlich war.

„Was denn, alles? Willst du es uns nicht sagen? Naja, musst du auch nicht, klar", hakte ER weiter nach und zuckte die Schultern.

„Das werdet ihr gleich live hören. Besprechung in einer halben Stunde. Jetzt muss ich hier noch was erledigen. Ist ja einiges liegengeblieben", meinte Alessa mit einem kurzen Zwinkern zu Chrischi und ihre Augen verschwanden hinter dem Bildschirm. Das war den beiden nur recht.

Schon hatte ER eine Mail von GF wegen einer spontanen außerordentlichen Besprechung aus aktuellem Anlass. Einziger TOP: Klärung HippsterPress.

Kulturmanagement-Studi Mika kam rein und stellte Wasser und Gläser in die Mitte des neuen Besprechungstisches.

„Keine Kekschen, kein Käffchen und kein Teechen?", fragte ER nach.

„Nein, Herr Frühling hatte geschrieben, nur Wasser. Sorry", entschuldigte sich der Studi und ging.

Keine Kekschen. ER ahnte eine frostige Stimmung.

Kringel.

Eichelhäher hat ein Auge.
Bei starkem Schneefall hilft er Eichhörnchen mit starken Flügel-schlägen.
Wenn alles bedeckt ist, legen sie sich zur Ruhe und warten und zehren von ihren Reserven.

Alle trudelten ein: Alessa, die sich nicht hatte davon abhalten lassen, Chrischi und GF. Der hatte nicht einmal sein Tablet mit. Man hatte ihn noch nie ohne gesehen. Er sah aus wie nackt.

Das Miststück ließ auf sich warten.

Da hörten sie die kichernde Micha mit Dr. Schwarzenegger in aller Seelenruhe den Flur entlangschlendern.

„Keine Kekschen?", war das erste, das er wichtig herausposaunte. Amiga huschte in den Raum nebenan zu Hanna unter den Tisch. Sie war wirklich sehr feinfühlig.

GF ging gar nicht auf die Bemerkung ein und kam direkt auf das Thema:

„Wie kommen Sie zu der Aussage, dass wir HippsterPress verpflichtet seien?"

„Es ist von MAIS aus unserer schönen Hauptstadt Fachim direkt angeordnet worden", grinste er siegessicher und warf einen Mailausdruck auf den Besprechungstisch.

„Daher weht der richtige Wind. Das sollten Sie doch wissen", setzte er noch einen drauf.

GF las, sagte nichts, sondern reichte es erst einmal weiter zu ER, dieser zu Chrischi, dieser zu Alessa. Bei ihr blieb der Blick dieses selbstgefälligen Möchtegerns hängen. Er schien ihren Blick zu suchen. Sie ignorierte ihn, las, reichte das Papier GF zurück und nickte.

„Sehen Sie? Sehen Sie? Unsere hübsche und intelligente Frau Schimmelreiter erkennt es auch an. Sie kennt meine Stärken und weiß ganz genau, dass sie mit ihren Qualitäten in diesem Schnarchverein völlig unterfordert ist. Auf sie wartet noch…"

GF unterbrach ihn und Michas Schnute mit seinem eisigen Gesichtsausdruck:

„Herr Dr. Schwarzenegger. Kennen Sie Frau Susan Becker?", wechselte GF abrupt das Thema. Dr. Schwarzenegger zuckte kurz, als hätte ihn etwas gestochen, nur kurz, aber ein zu langes Kurz, und meinte dann ganz salopp:

„Kenne ich nicht. Wer soll das sein?"

„Chief Executive Officer CEO von MAIS Fröningen."

„Und was soll die mit mir zu tun haben? Und mit HippsterPress?

Darüber wollten wir doch reden. Aber auch darüber gibt es nichts mehr zu reden. Ist von oben entschieden", grinste Dr. Schwarzenegger und blickte mit seinen kleinen Schweinsäuglein frohlockend in die Augen von Georg Frühling. Irgendetwas verunsicherte ihn, schien es in dessen Augen zu suchen. Er versuchte, es mit einem Grinsen zu überspielen.

„Nicht *die*, Herr Dr. Schwarzenegger, sondern *sie*! Wir wollen doch die Höflichkeitsform wahren, auch gegenüber Frauen. Da sind Sie doch sonst so federführend." Georg Frühling ging zwei Schritte auf ihn zu.

„Ist doch egal, dann eben sie. Sie hat nichts mit HippsterPress zu tun. Ich genieße das Vertrauen von MAIS über diese kleinen pissigen Ländergrenzen hinweg. Ich kenne diese Frau nicht", sagte Dr. Schwarzenegger und versuchte, sich mehr aufzurichten, was eher ulkig wirkte.

„Als CEO von MAIS Fröningen hat sie schon etwas mit HippsterPress zu tun. Ich hatte heute ein intensives Gespräch mit der CEO und sie erzählte mir von freundschaftlichen Kontakten, die sie mit ihr bis vor einem Jahr pflegten", sagte GF. ER beobachtete seine Hände, die zu Fäusten geballt waren. Micha zog pikiert wieder eine Schnute.

„Frauen. Das wollen sie alle, freundschaftliche Kontakte zu mir. Ich kenne sie trotzdem nicht. Ich war noch nie bei MAIS Fröningen, daher muss es sich um eine Verwechslung handeln. Wobei man meine Einzigartigkeit nicht verwechseln kann. Sie macht sich nur wichtig mit meinem Namen. Und was hat das alles mit HippsterPress zu tun? Was soll das eigentlich?", plusterte er sich auf.

„Dann liegt hier wohl eine Verwechslung mit Markus Hammerschmidt vor!"

GF legte bewusst eine längere Pause ein und ließ den Namen wirken. Keiner wusste, von wem er da gerade sprach, nur Alessa hatte funkelnde Augen. Es hatte etwas von einer Treibjagd, was da gerade vor sich ging. Die Schweinsäuglein wurden klein, die Mundwinkel zuckten, nur einen kurzen Augenblick, aber einen zu langen kurzen Augenblick.

„Markus Hammerschmidt war bester Golf-Gschpusi vom Vorstand MAIS Fachim. Er muss Ihnen zum Verwechseln ähnlichgesehen haben. Er war auch als Berater für MAIS tätig und hat just in dem Moment aufgehört, als Sie aus dem *Ausland* zurückgekommen sind, um hier in Milon als Berater für MAIS zu wirken“, sagte GF ganz sachlich.

„Ja, ja. Ich war im Ausland. Natürlich. Das können Sie überall nachlesen! Das wissen alle. Fragen Sie den Vorstand…“, faselte Dr. Schwarzenegger. Er hatte seine Überheblichkeit verloren. War völlig aus dem Lot.

„Ja, das wissen wir. Ich finde es bemerkenswert, wie Sie es geschafft haben, im Ausland ohne einen Brocken Fremdsprachenkenntnisse auszukommen. Sie haben meine Hochachtung, Herr Dr. Schwarzenegger, das ist doch eine bemerkenswerte Leistung“, sagte GF sachlich.

„Was, was soll das heißen? Sie versuchen mir hier irgendetwas anzuhängen. Für diese Frechheit werden Sie sich entschuldigen! Hier geht es um HippsterPress. Ich werde sofort mit dem Vorstand…“, fing er an zu schreien, wippte auf seinen Füßen und wurde knallrot.

Da stellte sich GF direkt vor den Berater und sprach knallhart:

„Gute Idee, Herr Dr. Schwarzenegger. Sagen Sie dem Vorstand gleich, dass Milon mitnichten an irgendwelche externen Dienstleistungsverträge gebunden ist. Wenn MAIS Fachim sich dem entgegenstellt, dann wird Milon sich von MAIS verabschieden. Daher weht der richtige Wind, Herr Dr. Schwarzenegger. Die Zusammenarbeit von Milon mit MAIS kam ausschließlich wegen der guten Mitarbeiter von MAIS Milon zustande. Die Zusammenarbeit zwischen Stadt und Agentur läuft hervorragend.

Sie wissen ganz genau, dass Milon wirtschaftlich dank eines gut durchdachten Stadt-Managements herausragend dasteht. Als einzige Großstadt von Gujaland. Milon ist nicht auf finanzielle Unterstützung durch Staat und Land angewiesen. Das wird sich so schnell auch nicht ändern.

Milon braucht MAIS nicht für irgendwelche politischen Zwecke, wie MAIS es mit den anderen maroden Städten clever eingefädelt hat. Es sind sehr geschickte subtile Machenschaften, durch die Städte in die Abhängigkeit von MAIS getrieben wurden. Allein der Arbeitsplätze wegen, die die Bürgermeister samt Parteien für ihre Wiederwahlen brauchten. Angeblich auch wegen der lukrativen kassenfüllenden Steuern durch die Ansiedlung neuer Gewerbe in den Außenbereichen, zu denen HippsterPress, wie der Zufall so will, überall dazugehört. MAIS bildet mit allen anderen Städten Konsortien. Nur nicht mit Milon. Sagen Sie das Ihrem Freund Vorstandsvorsitzenden. Er ist doch auch *Ihr* Freund? Auf Wiedersehen. Vielleicht sogar noch diese Woche, Herr Dr. Schwarzen egger."

Stille. Keiner atmete. Micha fuchtelte mit den Händen umständlich in ihrem Tuch.

„Mein Tuch? Habt ihr mein Tuch gefunden? Aus dem SUV?", fragte sie wirr.

„Nein, haben wir nicht. Tut mir leid", antwortete GF.

Dr. Schwarzenegger hatte sich gefangen:

„Das wird Konsequenzen haben", zischte er GF ins Gesicht.

Da flüsterte GF, dass keiner es hörte:

„Das war das letzte Mal, dass ich Sie Dr. Schwarzenegger genannt habe. Ich weiß ganz genau, dass Ihr wahrer Name Markus Hammerschmidt ist. Wegen Frauengeschichten, unter anderem mit Susan Becker, meiner Frau, sind Sie aus der Stadt und haben die Identität gewechselt. Wie dumm von Ihnen zurückzukommen, auch wenn es ein Jahr her ist, dass Sie sie vergewaltigt haben und Sie Ihretwegen hat abtreiben müssen."

Ihm stockte sichtlich der Atem. Die kleinen Schweinsäuglein wurden immer größer:

„Sie hätte ein Kind von mir? Einen Sohn? Wenn, wenn ich das gewusst hätte. Ich wollte schon immer einen Sohn, deswegen ficke ich mit so vielen Frauen und löchere aus purer Verzweiflung die Präser. Ich hätte sie sofort geheiratet. Ich hätte einen Sohn. Mein Vater wäre…", flüsterte er ganz leise und langsam, wie benommen.

Doch dann besann er sich, was er da gesagt hatte und zischte kaum verständlich:

„Sie haben keine Beweise.“

„Die Beweise werden gerade gesammelt. Sie kriegen eine Anzeige. Sie werden dafür büßen, was Sie meiner Frau und vielen anderen Frauen angetan haben.“

„Wer glaubt schon einer Frau? Frauen sind immer schuld, erst recht, wenn sie attraktiv sind. Sie sind zum Verführen geboren und wollen es so. Sie stehen auf Geld und Macht. Sie quieken förmlich vor Wollust!“

GF grub seine Fingernägel tief in seine Hände:

„Sie wandern in den Knast, Markus Hammerschmidt!“, zischte GF.

„Für Sie immer noch Dr. Schwarzenegger“, grinste der Berater und verschwand auf der Stelle.

Micha tippelte auf ihren Highheels unbeholfen hinterher.

Keiner hatte mitbekommen, was da eben zwischen den beiden vor sich gegangen war. GF atmete bewusst drei Mal tief durch und sagte dann ganz ruhig:

„Wir haben einen fetten Köder ausgelegt. Bis morgen kommen weitere Belastungen und übermorgen schnappt die Falle zu. Danke Ihnen allen. Danke, Frau Schimmelreiter. Ohne Ihr Vertrauen hätte ich nichts tun können. Seit einem Jahr warte ich auf diesen Moment. Er ist ein Schwein und wird dafür büßen. Trotzdem bedaure ich sehr, dass Sie dies haben auch erleiden müssen. Vielleicht hätte ich offener reden sollen, damit Sie genau gewusst hätten, wozu er schon imstande gewesen war. Susan Becker ist meine Frau und wurde vor einem Jahr von ihm vergewaltigt. Als ich ihn stellen wollte, verschwand er von Gujalands Bildfläche“, erklärte er sein furchtbares Geheimnis auch ER und Chrischi.

„Susan hatte jetzt, ein Jahr nach jener widerwärtigen Tat, von einer Kollegin gehört, dass sich derzeit bei MAIS Milon ein externer Berater aufhalten würde, der Schneisen schlagen würde. Ähnlich wie bei ihnen damals. Er hätte aber einen anderen Namen. Sie beschrieb ihn aber so treffend, dass kein Zweifel bestehen konnte.

Die Polizei unternahm nur halbherzig etwas. Sie meinten, seine Identität als Dr. Alexander Schwarzenegger sei echt, sie hätten es geprüft. Zudem hätte er sich zu jener Tatzeit im Ausland aufgehalten. Da könne man nichts machen. Es sei wohl ein ähnlich aussehender Mann. Es war so klar, dass da etwas nicht stimmte. Also habe ich mich hier eingeschleust. Es war Fügung, dass die Stelle des Geschäftsführers bei MAIS Milon frei wurde. Ich habe meinen Vollbart abrasiert, meine Haare geschnitten und gefärbt. Kurze Zeit dachte ich, dass er mich erkannt hat. Übermorgen wird er sich an mich erinnern."

„Es tut mir so leid. Dieses Monster… Ihr Frauen… Wir setzen alles daran, ihn auf immer hinter Gittern zu bringen. Ich werde meinen guten Kontakt zur Buchhaltung von MAIS Fachim mal diskret fragen. Wir sind zusammen zur Schule gegangen", meinte ER.

„Sehr gut. Ich bin da auch an etwas dran. Das sage ich Ihnen, sobald ich sicher bin. Der Kontakt zur Buchhaltung könnte helfen, das zu untermauern. Wir sprechen gleich darüber", sagte GF.

„Wir schaffen das. Dann kann alles heilen", sagte Alessa und alle nickten.

3. Stunde

Was war nur mit Frau Augenblick? Mittags war er im Park gewesen und nach Feierabend auch. Keine Leinenbeutel unterwegs. Jetzt saß er auf der Couch zu Hause. TV lief, das nahm er aber nicht wahr und rutschte immer tiefer in die Couch. Wo waren ihre Schwestern, von denen sie erzählt hatte?

Die Besenkammer. Pförtner hieß ihn aus tausend Lachfalten willkommen:

„Die Losung der 3. Stunde lautet:

Zu kennen das Vertrauen und die Liebe, die für das Ungewisse stärken."

Das musste ER erst einmal vor sich wiederholen und wackelte dabei unschlüssig mit dem Kopf.

„Wie gelingt uns das, ER?", fragte Pförtner. Er stand neben dem Schreibtisch und hielt den Gehstock, der wie eine Art Krummstab aussah, welchen Hirten benutzten. Aha, er hatte den Gehstock schon wieder gewechselt, aber seine Kleidung war immer die gleiche: feiner weißer Anzug mit Stehkragen.

Pförtner lachte und tockte dreimal mit seinem Gehstock gegen einen Stehglobus:

„Ist ganz einfach. Wir erquicken uns an der Schönheit und der Fülle des Lebens, an denen wir vorbeifahren."

ER zweifelte das an:

„Aber das habe ich schon getan. Ich kann mir nicht vorstellen, dass alles noch so ist, wie ich es gesehen habe, wenn ich es wiedersehe. Alles verändert sich doch ständig. Und durch die Menschen nicht zum Guten…"

„Das Dunkel ist leichter zu ertragen, wenn man sich an die schönen Seiten erinnern kann! Sie ist unsere Kraft für die kommende dunkle Zeit. Unsterblich ist die Kraft der Erneuerung, egal, was geschieht. Sie wird kommen. Deswegen wappnen wir uns für dunkle Zeiten, um sie gut zu durchfahren und beim Wandel zu helfen."

Aus heiterem Himmel tauchte jene alte Frau neben ihm auf, die er jetzt schon zweimal gesehen hatte, einmal hinter ihm im Hubschrauber-Boot, wo sie nach Vollkommenheit gefragt hatte und einmal machte sie ihn darauf aufmerksam, dass der Mensch doch imstande war, vollkommen integriert in der Natur zu leben. Mit einem gekonnten Schwung aus dem Handgelenk spannte sie zig schwarz glänzende Messer zu einem Fächer auf und sagte:

„Deswegen tragen wir die Messer, damit wir erkennen und reagieren können, um alles auf den rechten Weg zu leiten. Das ist die Kraft aus der Vergangenheit. Das Gute soll stärken, das Schlechte soll überwunden werden. Unsterblich ist die Kraft der Erneuerung, egal, was geschieht. Vertraue! Lasse dich von deinem Herz leiten. Allein die Liebe weist dir den Weg. Sie stärkt dich auch für das Ungewisse."

Sie blickte ihm tief in die Augen und er fühlte sich wie aufgehoben, als er in ihren tiefen blauschwarzen Fjordaugen verschwand. Da verstand er:

„Sie sind ihre Schwester! Eine Schwester von Frau Augenblick. Ich bin ganz sicher. Wir haben uns schon zweimal gesehen. In Gaia Nova. Sie sind sich sehr ähnlich und doch ganz anders."

Die Alte lachte entzückt:

„Aus dem Hier und Jetzt blicke ich doch stets zurück.

Durch den Blick zurück weiß ich den Weg ins Jetzt. Im Jetzt treffe ich meine Schwester", lächelte sie und zwinkerte ihm zu.

ER begriff und schlug sich auf die Oberschenkel, dass die Erkenntnis schon wehtat:

„Ja! Sie sind Frau Rückblick! Wir reisen durch die Vergangenheit, wie es war, das Goldene Zeitalter, wie es war, als die Menschen noch im Einklang mit der Natur lebten. Wie es war, als sie alle auf unterschiedliche Art und Weise in Gaia Nova lebten, in dieser gewaltigen Vielfalt. Da tauchen Sie, Frau Rückblick, auf, um mir interessante Gedanken mitzugeben. Im Jetzt treffen Sie Ihre Schwester Frau Augenblick, die mir im Jetzt gute Gedanken mitgibt. Aber…"

Jetzt veränderte sich ERs Stimmung schlagartig:

„Ich will nicht weiterfahren. Ich will nicht sehen, wie sich alles verändert. Der Mensch ist ein Monster. Er wird das Paradies zerstören. Er wird die Wertschätzung immer mehr verlieren. Sie sagen beide, ich brauche die Messer für den scharfen Verstand. Aber das Ungewisse, ich hasse das Ungewisse! Ich will das nicht sehen…“

ER wachte auf. Ihm tat der Nacken weh, weil er eingeknickt eingenickt war. Er trank Wasser.

„Schlasser. Schluck Wasser“, sagte er zu Amiga, die ein Auge öffnete.

„Coole neue Wortkreation. Wie Schlaps. Nicht lustig?“

Er trank noch einen Schlasser. Schlee, Schlaffee, Schlier, Schlein, Schlimo… Das machte ihn nicht lustiger.

„Ist doch Asche, Amiga, dass ich nicht einschlafen will, nur, weil ich Angst davor habe, was da kommen wird. Vielleicht wird es ja ganz anders, als ich denke. Sie reden ja von Erneuerung. Müsste also egal sein, was ich dort sehe, es besteht die Möglichkeit der Erneuerung. Also, egal was, es kann überwunden werden. Also gibt es eine Lösung. Nur wie, Amiga, kann es eine Lösung aus einem Desaster geben, das ich noch nicht einmal genau kenne, weil ich zu feige bin, es mir anzusehen?“

Sie hielt den Kopf schief, als würde sie darüber nachdenken. Da musste ER doch lachen:

„Ganz schön bescheuert, diese Menschen. Und ich bin da ganz weit vorn.“

Er stellte sich auf die Terrasse, um zu rauchen. Amiga drehte eine kleine Gartenrunde im Scheinwerferlicht, forderte dafür ein Leckerli ein und kuschelte sich wieder zufrieden auf ihre Decke neben ERs Übergangsmatratze.

„Ja, du machst es richtig.“

Also machte er sich ordentlich bettfertig und meinte dann:

„Jetzt stürze ich mich mit frisch geputzten Zähnen ins Abenteuer. Ich kann ja jederzeit wieder aufwachen, wenn es zu blöd wird. Außerdem wird es ja vielleicht gar nicht so schlimm. Leider glaube ich das nicht…“

Dann knipste er das Licht aus und tauchte wieder ein.

Der Schönen Künste

Es dröhnte. War es der Hubschrauber, das Boot? Kaputt? Stürzten sie ab?

Ja! Sie stürzten ab!

Aber der Lärm kam von unten. Aus dem Feuergebirge! Es war unerträglich laut. Und mitten in diesen Lärm stürzten sie hinein!

ER wollte gleich wieder raus, schaffte es aber nicht. War es doch kein Traum?

„Skipper! Skipper! Tu doch etwas!", schrie ER und klammerte sich an seinen Sitz.

„Nur eine kleine Senkfahrt", lachte Skipper und riss das Steuerrad herum, dass sie Richtung Fluss trudelten, um dann ganz sachte mitten im Fluss Nagila zu landen. War ja ein Boot, egal wie es aussah. Hier war es ruhig.

„Was war das eben? Was war da los im Feuergebirge?", fragte ER.

„Ich habe mich spontan umentschieden. Wir legen hier später an. Es ist noch zu früh. Du bist noch nicht so weit. Jetzt machen wir erst einmal eine schöne Bootsfahrt und lassen es uns richtig gutgehen. Ist das Wetter nicht herrlich?", strahlte Skipper und zog sein Cappy tiefer ins Gesicht, weil die Sonne ordentlich blendete. Er wollte eindeutig nicht über das Feuergebirge reden, denn normaler-weise war er mit Freude der Erklärbär.

„Zeit für Heiligtümer, herausragende Bauleistungen und Hochkulturen. Hier ist auch schon unsere erste Station: Die größte Insel in der Nagila namens Insel der Schönheit, mit einer strategisch perfekten Lage. Warum wohl strategisch, ER?", fragte Skipper wieder im Vortragsmodus, nein, wohl eher Lehrermodus.

ER war nicht imstande zu sprechen. Er war völlig para-lysiert von dem, was sie hier erwartete. Nichts davon hatte er nämlich erwartet, nicht einmal in seinen kühnsten Träumen.

Sie banden ihr winziges Boot neben großen Ruderbooten fest. Bisher hatte er kein einziges Boot auf der Nagila wahrgenommen.

„Zypressenholz. Gute 20 Meter lang. Sitzbänke für elf Ruderpaare. In der Mitte der Zypressenmast für das rechteckige Segel, das traditionell in einer geheimen Mixtur aus Rinderfett und Harz imprägniert wird. Typisch sind auch die offenen Kabinen am Heck für Steuermann und Fahrgäste."

Klar, dass Skipper die fünf Schiffe im Hafen ausgiebigst begutachten musste.

ER hingegen war sofort von den hiesigen Menschen abgelenkt. Kein Wunder, denn sie waren umgeben von ausnahmslos schönen Menschen, edel gekleidet. Lebendige Bildnisse.

Frauen nur mit einem langen, weich fallenden Rock bekleidet, viele barbusig. ER konnte es kaum glauben. Völlig selbstverständlich. Manche mit Röcken aus stufenartigen Lagen mit einer Art halbrunder Schürze. Manche mit Puffärmeln und schlanken Hüften. Manche mit sehr fraulichen Rundungen. Sie waren allesamt äußerst kunstvoll frisiert und geschminkt und trugen filigran gearbeiteten Goldschmuck.

Goldschmuck!

ER versuchte, nicht jede Frau anzustarren, um allein diese kunstvollen Ohrringe näher zu beäugen. War das eine Biene? Vögel? Schlangen? Blätter? Sanft klingende runde dünne Goldplättchen an mehreren nebeneinander hängenden Perlenkettchen, die an goldenen Kreolen hingen. Feinste Goldschmiedearbeiten. Höchste Handwerkskunst. So schön!!

ER traf Skipper wieder auf dem Markt, der alles bot, was ein leckeres gesundes Mahl begehrte. Obst, Gemüse, Honig, Öle, Kräuter. Welch Düfte! Karaffen mit Wein. Keramiken wurden verkauft. Sie zeigten Muster von stilisierten Wellen und unerwartete Naturmotive, wie Vögel, Fische, Oliven, Wellen, Schlangen, Muscheln, Wein. Wunderschöne, fein gearbeitete Vasen und Krüge in allen Größen und Farben, deren Motive oft auf dunklem Untergrund gemalt waren.

Welch eine ausgelassene heitere Stimmung war hier.

Von irgendwo her erklang Musik. ER beobachtete, wie manche Händler mit spitzen angeschrägten Stöckchen in frische Tontafeln Zeichen eindrückten. Das hatte er bereits am Hafen gesehen. Dort wurde nach dem Sichten der Ware bei Übergabe ein Siegel in die Schrifttafel gedrückt. Manche Händler hatten eine ganze Reihe von Siegeln an einem Band an ihrem Gürtel hängen. Eine Händlerin verkaufte Schrifttafeln. Mit Schriftzeichen und Siegeln. Manche Symbole konnte ER erkennen: ein laufender Mensch, ein Mensch mit Kleid, konnte Mann wie Frau sein, Kind, Pfeil, Bogen, Spitzhacke, Keule, Schild, Katze, Fisch, Adler, Vogel, Blüte, Ähre, Wein, Blätter und dazwischen undefinierbare geritzte Zeichen, aber auch Auge, Sonne, Mond, Blitz, Welle, Schlange.

„Gedichte, Liedertexte. Musik und Tanz. Malerei und Theater. Sie lieben alle Künste!“, sagte Skipper, während wieder Kinder lachend um sie herumhuschten.

ER kam aus dem Staunen gar nicht mehr heraus, erst recht nicht, als sie an uralten Olivenbäumen entlang einen Berg hinauf zu einem Palast gelangten, der in seiner Größe und Anlage einer eigenen Stadt glich. ER genoss den sensationellen Ausblick von dort oben in allen Richtungen und tauchte ein in diesen ungewöhnlichen Palast. Sie befanden sich in einem riesigen Labyrinth von Gassen und Wegen! Endlich gelangten sie auf einen größeren Platz. Es war eindeutig nicht das Ende des Palastes, nur ein Platz mit vielen Gebäuden mit bis zu fünf Etagen, Terrassen, Balkons mit Blumen. Kompliziert und wunderschön war alles gestaltet. Überall Wandmalereien mit arbeitenden Künstlern. Priesterinnen und Priester, die ihnen bezüglich der Symbolhaftigkeit mit ihren Ratschlägen zur Seite standen. Sie hörten Musik, Flöten und Gesang. Überall plätscherndes Wasser und eine farbenprächtige üppige Blumenwelt. Alles und alle waren fröhlich an diesem Ort. Überall schöne Menschen, egal mit welcher Figur, sie waren alle schön. Sie bewegten sich beschwingt zu einer Musik, die nur sie hören konnten. Ein tanzendes Volk!

Voller Anmut.

Sie ließen sich treiben, zogen weiter durch die fröhlichen Gassen bis sie vor dem eigentlichen Palastgebäude standen, natürlich mit traumhaftem Ausblick.

Gewiss war ein herrschaftliches Gebäude an solch herausragender Stelle errichtet worden. Von hier aus ließ es sich bestens regieren und nahende Fremde konnten schon von Weitem erkannt werden.

Die Nagila war ein Fluss, der dank seiner vielen Nebenflüsse sehr schnell zu einem stattlichen breiten Fluss wurde. An manchen Stellen war der Fluss so breit, dass man das gegenüberliegende Ufer kaum sehen konnte. Von hier oben konnte man die grünen Ufer gut erkennen, die den Rand der Nagila stromauf- und abwärts entlang ihres silber-goldenen Wassers säumten.

Das westliche Ufer war wohl mit solch einem Ruderboot in gut einer Stunde zu erreichen. Im Dunst des Horizontes konnte er rechts schwach die Caldera erkennen. Ganz weit links könnten es die Spitzen des Faltengebirges sein, die über atmosphärischem Nebel schwebten. Vielleicht handelte es sich auch um vorgelagerte Bergspitzen. Dieser Palast lag wahrhaftig sehr hoch. Unten würde man nichts von den Bergen sehen können.

„Wein, wohin das Auge reicht. Beste Lage und bestes Klima. So habe ich mir das gedacht“, rief ER freudig aus und deutete an das westliche Ufer und die sanften Weinberge dahinter.

Das östliche Ufer hingegen schien mindestens viermal so weit entfernt. Weit dahinter erspähte er die ersten Vulkangipfel des Feuergebirges, eindeutig.

„Ach. Sieh nur! Ein dick beladenes Ruderboot steuert in den Schwarzen Fluss links hinein. Sie scheinen Handel mit dem Volk des Feuergebirges zu betreiben. Jetzt verstehe ich, was du mit perfekter strategischer Lage meintest. Handelsbeziehungen in alle Richtungen.

Es müssen recht weit hinter der Nagila tatsächlich Bewässerungssysteme existieren. Denn der trockene Boden am westlichen und der vulkanische Boden am östlichen Ufer würden wohl kaum von allein bei dieser Sonne so grün und fruchtbar leuchten. Der Mensch ist doch sehr kreativ. Schön, zu sehen.“

Keiner nahm Notiz von ihnen, die fremder nicht aussehen konnten. Das war auch gut so. Daher konnten sie sich entspannt weiter den Palast ansehen. Er hatte viele rote Säulen. Rot war sowieso die dominierende Farbe. Im Innern waren viele hohe Wände kunstvoll mit Freskenmalerei verziert. ER staunte. An einer Wand standen zwei Künstler. Der eine mörserte Farbpigmente und sumpfte sie mit Wasser ein. Der andere trug sie auf einen frischen Kalkputz auf.

„Kennst du dich mit Freskenmalerei aus?“, fragte Skipper.

„Nun, in Kirchen und Schlössern habe ich so etwas schon mal gesehen. Aber hier hätte ich das nicht vermutet, nachdem wir dieses Land noch als nahezu unberührte Natur erlebt haben und Menschen, die eher mit einfachen Werkzeugen aus Stein oder diesem schwarzen vulkanischen Glas arbeiteten. Allein das Volk des Roten Berges hatte durch seine über Generationen reichende Wandmalerei in Tupfentechnik beeindruckt. Ansonsten habe ich bisher keine Kunst entdecken können. Wie rasant die Zeit an uns vorbeifährt und mit ihr diese Entwicklung, diese Meisterleistung! Diese aufwendige Technik! Die Menschen können, wenn sie wollen, wirklich Schönheit kreieren und in Harmonie miteinander leben!“, stellte ER fast liebevoll fest.

„Obsidian heißt das schwarze Glas, nur so nebenbei bemerkt“, zwinkerte Skipper ihm zu, zückte kurz den Dolch, nickte und steckte ihn wieder in einen Lederschaft.

Sie schlenderten an Blumen vorbei, Tieren, Fantasietieren wie Vogelkatze und Fantasiepflanzen und Ranken. Viele Spiralen und Schnörkel, dann aber wieder gerade Linien und geometrische Muster. Alles in hellen angenehmen Farben. Jetzt standen sie vor einem Bild mit tanzenden Frauen in blauen transparenten Gewändern fast in Originalgröße. Dann ein Raum mit Wassertieren und Pflanzen umsäumt von stilisierten Wellen. Vieles war stilisiert und doch wieder so lebendig, leicht und fröhlich.

ER klatschte vor Begeisterung in die Hände:

„Sie haben anscheinend auch ein ausgefeiltes Wasserleitungs-system! Sieh dir das an! Sogar ein Badezimmer ist in dieser Höhe! Mit einer richtigen Badewanne und einem Klo mit Wasserspülung! Das ist doch eine beachtliche menschliche Entwicklungsstufe von Null auf Hundert!“

Welch einen Erfindergeist der Mensch doch besitzen konnte. Die Kunst, die Technik, genial und kreativ.

Skipper freute sich, dass seine Überraschung beeindruckte. Und das war erst der Anfang.

„Das Regenwasser wird auf dem Palastgelände über Terrakottaröhren und Steinrinnen aufgefangen und in Zisternen geleitet. Manche Wohnräume verfügen sogar über Warmwasserheizung."

ER nickte nur versonnen.

Draußen, in einem der vielen Höfe, stand die Skulptur einer barbusigen Frau mit einem langen Rock und einer Schlange in der Hand.

„Die Schlange hat die Form der Nagila. Eindeutig! Es ist kein Wunder, dass sie eine Schlangengottheit verehren. Dieser Fluss nährt alle und erneuert sich dabei ständig selbst. Die Schlage ist auch ein Symbol der Kraft, die in der Erde steckt. Transformation, ständige Erneuerung, ständige Wandlung. Wasser sorgt zudem dafür, dass alles im Fluss ist. Ha, da ist sie wieder, die Wandlung!" Er seufzte ergriffen:

„Die Kraft, die aus der Erde kommt, sie erneuert und sie nährt und zeigt uns immerzu den Kreislauf des Lebens auf wundersame Weise. Bevor wir zurückfahren würde ich gern noch die Quelle besuchen. Welch ein Leben hier ist! Voller Frieden und Liebe. Voller Heiterkeit. Sie leben die Liebe, Skipper! Harmonie pur! Sieh dich nur um! Ich habe das Gefühl, dass dies der heiligste Ort von Gaia Nova ist," meinte ER.

Skipper lächelte.

Töte keine Ameise

Sie fuhren weiter stromabwärts. Welch ein Frieden auf dem Fluss ruhte. Hier und da ein Fischerboot. Hier und da Menschen am Ufer, hier und da kleine Siedlungen. Behausungen aus Lehm mit Schilf bedeckt entlang des westlichen Ufers. Das östliche Ufer ging in Steinwüste über, das Tabu, wo keine Menschenseele zu sehen war. Nur Vögel.

Die Ausläufer des gewaltigen Faltengebirges taten sich im Westen auf. Sie reichten bis zum Fluss und zogen sich bis zur Flussmitte, was man an den vielen Inseln erkennen konnte.

Skipper kannte den Weg. Er lotste das Boot erfahren durch Untiefen und an Hindernissen vorbei. ER wusste genau, er durfte ihn jetzt nicht stören. Skipper lauschte auf jedes Geräusch, als würden ihm unsichtbare Kräfte den Weg zuflüstern. Er achtete konzentriert auf alles, jede Kräuselung des Wassers, jeden Fisch, jeden Flügelschlag eines Vogels, die Spuren des Windes.

Sie legten an.

Mit einem Mal tauchten Treppen auf, wohin das Auge reichen konnte, links, rechts, hinauf. Treppen an den Ufern und auf den Treppen Menschen. Menschen, die in den Fluss gingen und sich wuschen. Menschen jeden Alters, Frau, Mann, Kind. Nicht laut und ausgelassen, wie ER es von zu Hause kannte, sondern leise, fast andächtig. Ja, es war andächtig.

„Sie nehmen hier in der Nagila ein rituelles Bad. Für das Volk der Nagila ist der Fluss heilig. Er reinigt nicht nur ihren Körper von Schmutz, sondern auch ihre Seele. Das reinigende Bad verspricht Vergebung. Selbst ihre Asche wird nach dem Tod und Verbrennen dem Fluss übergeben“, erklärte Skipper und erhielt ein dünnes oranges Baum-wolltuch, das ihm umgehängt wurde. Gleichermaßen ER. Ein Mann und eine Frau legten ihre Handinnenflächen vor ihrem Herzen zusammen und verbeugten sich leicht. Intuitiv taten Skipper und ER es ihnen gleich. Sie lächelten und hießen sie mit einer Handbewegung willkommen.

Es duftete hier nach vielen Kräutern und Räucherungen, was einen allein schon in ein anderes Land eintauchen ließ. Um größere Bäume waren bunte Bänder gebunden. Alles war bunt und fröhlich. Bunte Tücher wehten überall, vor Türen, Fenstern, an Äste gebunden, als Überdachungen. Die Frauen waren kunstvoll in lange farbenfrohe dünne Baumwolltücher gewickelt und die Männer trugen aus ebenso bunten Stoffen gewickelte Röcke.

Manche hatten einen roten Punkt auf ihrer Stirn. Ausnahmslos alle lächelten sie freundlich an. Ein Mann kam ihnen entgegen, der ganz sorgsam bei jedem seiner Schritte wohlüberlegt den Fuß aufsetzte. Er nickte dabei jedes Mal wie erleichtert.

Skipper erklärte sein Verhalten so:

„Er will keinem lebenden Wesen Leid zufügen und achtet daher auf jeden seiner Schritte, dass nicht eine Ameise oder ein Wurm versehentlich durch seinen Fuß zerquetscht wird."

„Das nenne ich konsequent und es stimmt nachdenklich", meinte ER und wiegte seinen Kopf in einer Art Unendlich Schleife. Das taten irgendwie alle hier beim Volk der Nagila und steckte sofort an.

„Nur, was sollte das für Folgen haben, wenn ich die Ameise zertrete, auch wenn sie ein Lebewesen ist? Dafür gibt es eben unendlich viele Ameisen und ich tu es ja nicht mit Absicht", überlegte ER.

„Das Volk der Nagila glaubt an die Wiedergeburt. Je besser, also ethisch einwandfreier du lebst, desto besser wird dein nächstes Leben sein. Irgendwann wirst du aus diesem Kreislauf in den großen Geist zurückgehen können, von wo alles auch herkommt. Vor allem über das Überwinden von Leid kannst du in einer nächsthöheren Stufe wiedergeboren werden. Wenn du also eine Ameise tötest, dann ist das für diese Menschen schon ein Problem, das sie nur mit noch mehr Achtsamkeit wiedergutmachen können. Ansonsten werden sie eben eine Entwicklungsstufe niedriger wiedergeboren."

„Das klingt anstrengend. Andererseits macht dieser Glaube das derzeitige Leid erträglicher und Mut, einen guten Weg zu finden, damit klarzukommen und eine Lösung zu finden, wie das Leid enden kann. Was meinst du mit niedriger Entwicklungsstufe?"

„Es gibt unterschiedliche Existenzformen, in die die Seele nach dem Tod reinkarnieren, also wiedergeboren werden kann. Mensch, Pflanze, Tier und auch als Gott. Ihre Vorstellungen von Gottheiten sind recht menschenähnlich. Auch sie können Fehler machen und daraus lernen. Mensch zu sein ist schon sehr gut, weil du dann durch dein Bewusstsein dein Leben zum Guten hin beeinflussen kannst. Damit meine ich deine Handlungen und deine Gedanken zum Guten hin."

„Interessant. Es ist im Grunde doch in jedem Fall gut für einen selbst, zum Guten hin zu leben, egal, ob man wiedergeboren wird oder nicht", meinte ER nachdenklich.

ER blieb vor einer Steinskulptur stehen, vor der eine Räucherung stand und die von Blüten umsäumt war. Sie war monolithisch, also aus einem Stein geschaffen. Eine schlichte senkrechte säulenartige Form, oben abgerundet. An dessen Sockel ging diese Form in ein rundes Becken mit einem höheren Rand über.

ER blickte Skipper fragend an:

„Ist es das, was ich denke?"

„Was denkst du?", grinste Skipper.

„Es sieht aus wie ein Penis und eine Vagina", meinte ER und zuckte mit den Schultern.

„So ist es. Sie stehen hier für das weibliche und männliche Prinzip des Göttlichen. Aus ihrer Vereinigung entsteht die Vielfalt. Es ist also ein starkes Fruchtbarkeitssymbol. Dies ehren sie. Und viele bitten natürlich dabei auch um eigenen reichen Kindersegen."

Gerade kam ein Paar zu der Statue, genau in dem Moment, wo ein Priester einen Krug mit frischem Wasser brachte. Sie begrüßten einander mit jener Handgeste. Das Paar legte Blüten um den Sockel und reichte dem Priester eine kleine Tonschale mit Linsen. Dann schöpfte der Priester mit einer Kelle Wasser aus dem Krug und goss es mit einem unverständlichen Singsang über den Stein, dass es an ihm in das Sammelbecken hinunterlief und in eine kleine Schale geleitet wurde. Diese Schale gab der Priester dem Paar zu trinken. Sie grüßten wieder mit jener Handgeste, doch das Paar führte diesmal die Hände zur Stirn, dass ihre Zeigefinger die Mitte kurz über den Augenbrauen berührten.

Darauf gingen alle drei wieder ihrer Wege.

„Diese Handgeste kann viel bedeuten. Ein Dank, ein Gruß, aber stets respektvoll, im Sinne einer Verbeugung vor dem Anderen, vor dem Wesen des Anderen. Eine Art Ehrbezeugung. Die tiefste

Ehrerzeugung hast du eben sehen können. Es handelte sich hier um einen spirituellen Lehrer, der dieses kleine Ritual für das Paar durchgeführt hatte. Es ist kein Priester, wie du vielleicht vermutet hast", erklärte Skipper.

„Woher weißt du, dass er ein spiritueller Lehrer ist?"

„Das Zeichen beim Segensgruß zu der Stelle an der Stirn. Diese Stelle nennen sie das Dritte Auge."

Intuitiv schaute ER auf benannte Stelle kurz über den Augenbrauen in der Mitte der Stirn bei Skipper. Der trug gerade ein Cappy, daher hielt ER seinen Kopf schief. Skipper lachte:

„Sag nur, du kennst das Dritte Auge nicht. Ist ganz einfach. Es ist das Auge der Intuition. Manche sagen auch das Innere Auge. Sie nennen es auch das Stirnchakra."

„Chakra. Ich habe davon gehört…"

ER wachte auf und fühlte sich schlecht. Chakra. Klar kannte er es oder besser alle sieben Chakren. Seine Ex hatte diesen Yogatick gehabt. SIE hatte auch von entspannenden Yogaübungen gesprochen, vom Reinigen der Energiezentren, den Chakren, von Meditationen, von Atemtechniken. Alles Methoden, um die Gedanken in den Griff zu kriegen, aus trostlosen Gedankenschleifen herauszukommen und ruhiger zu werden. Und um dem eigenen Bewusstsein zu helfen, sich zu erweitern. Neue Sichtweisen zu erhalten. Bis hin zu einer weiteren Welt, die sich erschließen konnte. Welten sogar.

Hatte er aber nie ausprobiert.

Und jetzt erschien es ihm im Traum. Auch noch über das Stirnchakra. Das Dritte Auge. War klar. Da war wohl doch etwas dran, ob er wollte oder nicht, denn er spürte etwas Undefinierbares genau an dieser Stelle an seiner Stirn. Er massierte seine Stirn.

Vier Uhr. Weiterschlafen.

„… Unsichtbares Dritte Auge, das über das normale Sehen hinweg eine andere weitere Wahrnehmung hat. Es ist bei jedem unterschiedlich, Bilder können sich auftun, man kann etwas hören, oder beides, oder einfach irgendwie wahrnehmen. Visionen, Ideen tun sich auf. Wie im Traum, nur bewusster", kam er in die Erklärung von Skipper zurück. Sie saßen auf einer Treppe an der Nagila und blickten auf einen Meditierenden drei Treppen schräg neben ihnen.

„Ich erinnere mich. Über das Dritte Auge kann man die inneren Welten bereisen, in die eigenen und darüber hinaus. Und das führt zu einem höheren Bewusstsein, in neue Welten oder Räume. Der Mann eben war ein spiritueller Lehrer, weil er dies schon perfekt beherrscht und dieses Wissen über den Zugang an andere weitergeben kann. Weißt du, ich finde es schon bewundernswert. Hier in dieser Umgebung am Fluss oder auf einem Buckelberg wie drüben beim Volk des Turmwald-Labyrinths kann ich mir das auch sehr gut vorstellen. Es passt. Aber dort, wo ich herkomme, ist es schon wunderlich", meinte ER.

„Woher kommst du?", fragte Skipper.

„Es ist eine Stadt, die woanders ist. Ich weiß nicht wo. Sie ist nicht hier", überlegte ER.

„Wieso kannst du in dieser Stadt nicht meditieren?", fragte Skipper. Sie blickten zu den Steininseln vor ihnen und den Flusshorizont, der zwischendurch auftauchte mit weiß-grauen Bergspitzen weit im Hintergrund. Fischerboote waren unterwegs und hier und da Handelsschiffe.

„Da ist es zu voll. Zu viele Leute, zu viele Eindrücke. Da fehlt die Ruhe", wehrte ER ab. Er wusste genau, worauf Skipper hinauswollte.

„Genau deshalb ist es dort umso wichtiger, sich einen Ausgleich zu schaffen. Damit die Gedanken zur Ruhe kommen können. Sonst dreht man irgendwann am Rad in der sogenannten modernen Welt. Du erinnerst dich? Yang ist die Bewegung und Yin die Ruhe. Ohne Ausgleich ist permanentes Yang und das ist auf Dauer anstrengend und ungesund. Wir wollen weiter", sagte Skipper und stand auf.

Das war ER nur recht, denn er wollte darüber nicht weiterreden. Lieber weiter auf der Nagila schippern. Das nämlich brachte ganz viel innere Ruhe.

ER lächelte, als er das dachte, während Skipper sie wieder aus dem Felsenlabyrinth hinaussteuerte. Er musste an die Worte von Pförtner denken: ‚Wir erquicken uns an der Schönheit und der Fülle des Lebens, an denen wir vorbeifahren.' Und auch: ‚Das Dunkel ist leichter zu ertragen, wenn man sich an die schönen Seiten erinnern kann! Sie ist unsere Kraft für die kommende dunkle Zeit.' All diese Schönheit um ihn herum zu sehen und zu was die Menschen auch an Schönem fähig waren, das meinte Pförtner. Also wollte er all das Schöne abspeichern und den paradiesischen Zustand auch mit den Menschen in seinem Herzen bewahren.

Sie waren wieder in der Mitte der Nagila. Der Blick in die Tabuzone war jetzt frei.

Auch, wenn es karg und trostlos wirkte, so hatte es einen unbeschreiblichen Reiz von Reizlosigkeit. Auch dort war ein perfekter Ort zum Meditieren. Man brauchte nicht einmal die Augen schließen, weil nichts war, das einen ablenken konnte. Okay. Die Vögel. Und die unterschiedlichen Steine, groß, klein, hell, dunkel, geschliffen, rau. Die Gesteinsschichten, die sich in der Mitte der gigantischen Felsmauer senkrecht nach oben schoben in unterschiedlichsten Schattierungen von Grau und Braun. Sogar eine dicke weiße Schicht, wohl Quarz, war von hier aus zu erkennen. „Schöne, bizarre Formen, in die man sich auch verlieben kann", lachte Skipper.

„Genau das habe ich gerade gedacht", lachte ER.

Skipper war zumeist so unbeschwert. Wie machte er das nur? Wahrscheinlich meditierte er alle naselang irgendwo, wenn er nicht gerade mit ER durch die Gegend schipperte. Stimmt, da war ja noch der Geheimauftrag. Schritt für Schritt. Stunde für Stunde.

Es dauerte bis sie um die große Schleife zwischen Tabu und den unendlich vielen Felseninseln des Faltengebirges gesegelt waren und drifteten nun rechts ab in das große Flussdelta eines stolzen Flusses. Dieser schlängelte sich südlich des Faltengebirges entlang und ihr Boot mit ihm.

Pyramiden und Papyrus

„Wow!“, rief ER ergriffen von der Landschaft.

Rechterhand das karge Faltengebirge mit schmalen Grünstreifen an kleinen Flüsschen, die in diesen Fluss mündeten. Linkerhand riesige Sanddünen, die verrieten, dass sich die Wüste dahinter verbarg. Entlang des Flusses Palmen, Schilf und gut drei Meter hohe Gräser. Eine Kamelkarawane zog über einen Dünenkamm.

„Der Papyrusfluss im Land der Sonne hat seinen Namen von den Papyrusstauden, die hier links und rechts sein Ufer säumen. Bester Rohstoff für Papier. Wir wollen uns das näher ansehen“, meinte Skipper, während er das rote Segel einholte und das Paddel ins Wasser setzte, um anzulegen.

Wieder Gerüche aus 1001 Nacht. Lautes Rufen und Feilschen gleich beim Hafen. Sie gingen in eine kühle Seitengasse von Lehmhäusern, deren Mauern direkt bis zur Gasse reichten. Eine Frau führte sie in einen Innenhof, von dem alle Zimmer des Hauses abgingen. Nackte Kinder rannten laut lachend um sie herum und stoben dann auseinander, als die Mutter sie ermahnte.

Es duftete nach frischem Minztee, der gekonnt aus einem Meter Höhe in einem kleinen mit frischer Minze vollgestopftem Glas aufgebrüht wurde.

Alle trugen lange luftige Baumwollgewänder und einen Schutz um den Kopf. Die Sonne verlangte das Verhüllen.

Auch über den Innenhof war ein Sonnensegel gespannt. Ein Mann saß auf dem Boden und schälte einen frischen Papyrus-Stängel. Aus dem verbleibenden Mark schnitt er Streifen.

Ein Papyrus-Stängel war übrigens dreieckig und hatte einen vollen Kern, das Mark, ohne Unterbrechungen durch Segmente wie bei anderen Schilfgewächsen.

Der Mann nahm eine Art Holzhammer und klopfte die Streifen platt. Zusätzlich presste er den Pflanzensaft mit einer Holzwalze aus. Dann schmiss er die geplätteten Streifen in ein Tongefäß mit Wasser. Deckel drauf. Er sah sie verschmitzt an.

„Wir schummeln jetzt“, sagte der Mann und zwinkerte ihnen zu.

Er nahm den Deckel von einem zweiten Tongefäß, zog eingeweichte Streifen heraus und klopfte und walzte abermals Wasser heraus. Er gab sie wieder zurück. Deckel drauf und zwinkerte.

„Wir schummeln wieder", sagte er und legte zwei Tücher vor sich auf den Boden aus. Da war kein Krümelchen Sand zu sehen.

„Sechs Tage später in Wasser eingeweicht und immer wieder plattgeklopft", sagte er und hielt einen plattgeklopften Stängel gegen das Licht.

„Fast durchsichtig. So ist es gut. Sehr stabil." Er nickte zufrieden, zog einen Stängelstreifen nach dem anderen aus einem dritten mit Wasser gefüllten Tongefäß heraus und legte sie leicht überlappend aneinander. Dann folgte eine zweite Schicht, die er quer darüberlegte. Er legte das zweite Tuch direkt darüber und klopfte abermals nun auf alle zusammengefügten Stängel. Die Holzwalze kam wieder zum Einsatz, um den Pflanzensaft noch besser auszupressen. Dieser wirkte nämlich wie Kleber, so dass nach und nach ein festes Blatt entstand. Er nahm das Blatt auf, ging zur Mauer hinter ihm, wo schon zwei Freunde warteten, die gemeinsam einen schweren Stein mit einer flachen Seite aufnahmen. Der Papyrusmeister legte das Blatt darunter und sie setzten den Stein auf dem Blatt ab.

„Wir schummeln wieder", lachte der Mann und nickte seinen Freunden zu. Die hoben einen von vielen anderen dort positionierten Steinen auf und der Papyrusmeister zog ein Blatt hervor.

„So sieht das Papyrusblatt aus, wenn es unter dem Stein getrocknet ist. Jetzt muss ich es nur noch glätten. Dazu nehme ich diesen scharfen Stein. Wir wollen ja nicht, dass die Schreiber mit ihren Griffeln an den Pflanzenfasern hängenbleiben."

Hingebungsvoll glättete er das Papyrusblatt.

„So. Fertig ist unser Blatt. Wunderschön!", belobigte er sich selbst.

ER war begeistert.

„Einmal schummeln wir noch", sagte der Papyrusmeister und zog eine große Papyrusrolle hervor. Die ließ er quer über den Innenhof entrollen.

„Unglaublich, wie lang sie ist! Sensationell!", rief ER und

klatschte in die Hände.

„Genau vier Mal so lang wie unser Innenhof. Ein Meisterstück! Ein Auftrag unserer weisen Priesterkönigin und ihrer Schreibschule“, sagte er mächtig stolz.

„Das sind bestimmt 40 Meter. Alle Achtung! Ich bin sprachlos“, staunte ER noch mehr, was den Papyrusmeister schier wachsen ließ.

„Papyrus ist uns heilig. Er wächst an unserem heiligen Fluss, der uns nährt. Papyrus heilt unsere Wunden, er dient uns als wunderbarer Werkstoff. Sandalen und Schuhe lassen sich bestens herstellen bis hin zu unseren berühmten seetüchtigen Segelbooten. Aus den Fäden der inneren Rinde weben wir unsere Matten und flechten Körbe. Unsere ganze Stadt lebt vom Papyrus und wir arbeiten für das Große Haus und unsere Priesterkönigin. Sie sorgt immer dafür, dass alle Arbeit und Nahrung haben. Sie wählt unsere cleveren Kinder aus und gibt ihnen Unterricht an ihrer Schreibschule. Drei meiner Kinder sind derzeit bei ihren weisen Lehrern im Unterricht. Mathematik, Geometrie, Geografie und Astronomie stehen auf dem Stundenplan. Eine Tochter arbeitet bereits im Rechtswesen, unsere zweitälteste in der Verwaltung unseres Großen Hauses. Unser ältester Sohn wird Arzt und vom heilkundigsten Lehrer des Großen Hauses unterrichtet. Unsere jüngste Tochter, die gerade mal erst fünf Sommer zählt, hat noch besonderere Fähigkeiten. Sie ist bereits jetzt schon über den Vormittag im Palast in der Schule bei den Priesterinnen und Priestern.“ Er blickte sich um, beugte sich zu ihnen vor und sprach mit großen Augen im Flüsterton weiter:

„Sie besitzt übersinnliche Fähigkeiten! Sie hat nicht nur einmal einen Traum so deuten können, dass sie damit den Menschen helfen konnte oder sogar in die Zukunft sehen konnte. Es hatte sich bewahrheitet, was sie in den Zeichen gesehen hatte.“ Jetzt wurde seine Stimme noch leiser und die drei Männer saßen Kopf an Kopf vornübergebeugt.

„Sie kennt die Sprache unserer Götter, unsere jüngste Tochter. Jetzt dürfen wir keine Kinder mehr bekommen, denn wir wollen die Götter nicht erzürnen mit unserer Maßlosigkeit. Eine solche Segnung mit begabten Kindern und einem Gotteskind, da werden wir auf ewig dankbar sein und alles tun, dass die Blüte unseres Großen Hauses das ganze Land segnen kann. Die Götter lieben fleißige Handwerker und Denker gleichermaßen."

Der Papyrusmeister nickte wieder zufrieden über die von seinen Schilderungen fast betäubten Gäste. Er war aber noch nicht fertig mit seinen Lobpreisungen:

„Meine Frau gehört zu den geschicktesten Weberinnen des Großen Palastes. Sie zaubert die dünnsten Stoffe unseres Landes. Wenn ihr zum Palast geht, werdet ihr ihre Stoffe sofort erkennen. Alle sind wir gesegnet mit guten Fähigkeiten. Selbst unser Sohn, der nur zwei Jahre Grundunterricht in Schreiben und Rechnen hatte, hat einen soliden Beruf, den mein Bauch nicht missen möchte. Er bringt die meisten Fische aus dem Fluss nach Hause, dass immer alle satt werden."

Jetzt lachte er herzlich und rieb sich den Bauch.

„Bemerkenswert. Du kannst wahrhaft stolz auf dich und deine Familie sein!", meinte ER ernst und anerkennend. Schon öffnete sich eine weitere Tür und ein zarter Junge von etwa 12 Jahren kam mit einem Tablett und stellte es vor die Gäste auf den Boden. Sein Vater hatte rasch einen kleinen Teppich ausgerollt, um die Künste dieses Sohnes würdigst zu präsentieren.

„Seht euch diesen Schmuck an! Alles seine eigenen Kreationen. Ihr dürft den Schmuck ausnahmsweise vor der Priesterkönigin sehen. Mein Sohn hat den Schmuck aus Gold und Silber mit Edelsteinen verziert und allein für das Große Haus mit seinen Priesterinnen und Priestern angefertigt. Die Götter führen wahrhaftig seine Hände!", pries er stolz die Arbeit seines von der Haltung her schwächsten, dafür filigranst arbeitenden Sohn. Er hatte geschorene Haare, allein eine lockige Strähne fiel ihm auf die Schulter.

„Wahrhaftig! Solch eine wunderschöne Arbeit habe ich zuvor noch nie gesehen! Wahrhaft göttlich!", staunte ER und streichelte zärtlich einen goldenen Armreif in der Form einer sich windenden

Schlange mit einem Einsatz aus Lapislazuli. Gerade wollte er nach dem Stirnreif mit einer aufgerichteten Kobra aus purem Gold und vielen bunten eingelassenen Edelsteinen fassen, da zuckte er zurück und sagte:

„Nein, das darf ich nicht anfassen. Dieser Stirnreif wird zu heiligen Zwecken getragen und niemand anderes als die Priesterkönigin selbst darf ihn anfassen.“ ER atmete erleichtert aus. Man sah ihm an, dass er froh war, dies erkannt zu haben. Und er behielt recht damit, denn nun sprach der Papyrusmeister:

„Mit dieser achtsamen Geste habt ihr das Tor zum Großen Haus selbst aufgeschlossen und werdet alsgleich dort erwartet. Nur Gäste mit einem ehrlich tiefen Respekt gegenüber anderem Brauchtum, ob im weltlichen oder spirituellen Sinne, dürfen die heiligen Hallen des Großen Hauses betreten. Willkommen in unserem Land, dem Land der Sonne. In unserem Land steht die Sonne wie nirgendwo so groß am Himmel und führt mit ihren Händen unsere Geschicke.“

Der stolze Papyrusmeister stand auf, überkreuzte seine Arme vor der Brust, beugte sich zum Gruße und reichte jedem die Hand. Er blickte ihnen aus seinen dunkelbraunen mit dem Leben rundum zufriedenen Augen tief in die Augen. Dabei legte er vor dem Loslassen der Hand noch seine andere Hand quasi als Besiegelung obenauf. Vielleicht auch als Segnung. ER meinte, in dieser Sekunde einen fast sorgenvollen kurzen Blick von ihm erhascht zu haben.

ER war aber gleich wieder abgelenkt. Welch ein atemberaubender Palast war das Große Haus, wie sie es nannten. Er kam aus dem Staunen nicht mehr heraus. Welch eine Größe, welch eine Anmut, welch eine Schönheit! Welch ein üppiges Grün, das sich hinab zum Papyrusfluss wand. Das Grün war durchzogen von kleinen Kanälen bis weit ins Land hinein. Dahinter kein Kanal, kein Grün. Nur Wüste.

Ein majestätischer, mit blühenden Bäumen und Löwenskulpturen gesäumter Weg führte über unzählige Stufen hinauf zum Palast, dessen Säulenfront jeden Menschen schon von Weitem klein erscheinen ließ. Als sie oben angekommen waren und sich umdrehten, zog ein Falke über ihnen seine Kreise. Das Große Haus war hoch oben in einer Flussschleife erbaut worden, so dass sie von hier aus weit den Schlängellinien des Papyrusflusses folgen konnten und mit viel Phantasie sogar bis ins diesige Delta zur Nagila hin. Mit viel Phantasie.

„Die Stelle, an der der Papyrusfluss in die Nagila mündet, ist bestimmt ein hochheiliger Ort. Wenn zwei solch mächtige Flüsse sich vereinen ist das sehr kraftvoll. Hier spüre ich auf besondere Weise, dass jede Erscheinungsform unserer Erde oder auch jede Form, die unsere Erde hervorbringt, etwas Besonderes ist. Und dass all dies über die Liebe, die die Menschen für sie fühlen, verbunden ist. Das geht weit über die Tatsache hinaus, dass sich ja tatsächlich alles über Jahrmillionen aus dem Urozean und unseren Urgroßeltern, den Algen, entwickelt hat, und wenn wir noch weitergehen, aus der Energie, die diese Erde hat entstehen lassen. Hier spüre ich das Große, das sich hinter allem verbirgt.

Skipper, ich spüre es und ich kann jetzt auch das Volk der Nagila verstehen, die alles als beseelt sehen und an Wiedergeburt glauben. Und ich kann das Volk auf der Insel der Schönheit verstehen, die die Schönheit der Erde in den Künsten zu vervollkommnen versuchen. Und ich kann das Steppenvolk verstehen, das in allen und allem seine Verwandten sieht. Und ich kann das Taiji erahnen, dass das Volk des Turmwald-Labyrinths nie müde wird, als höchstes Prinzip des Kosmos zu ergründen.

Ich kann all die Völker verstehen, die ich hier habe sehen dürfen, wie sie voller Dankbarkeit mit der Natur leben, ihren Schamanen und Priestern, die mit aller Beseeltheit kommunizieren, in der diesseitigen und in der jenseitigen Welt.

Weißt du was, Skipper?“

Skipper hatte sich auf die oberste Stufe gesetzt, lauschte ERs Erkenntnis-Monolog mit ernster Miene und sah weit hinaus in die Ferne. Er nickte.

„Klar, du kennst das Land Gaia Nova wie deine Westentasche. Umso mehr danke ich dir so sehr, dass du mich Jungfrau das erkennen lässt, mich quasi hinsteuerst.“

„Du bist es, der den Kurs angibt, Jungfrau“, lachte Skipper.

„Naja, ist doch so. Ich hatte bisher sowas von keiner Ahnung von der Vielfalt unserer Erde, aber auch das Gute in Menschen. Ich habe Angst um diese zarte Pflanze, die der Mensch über Tausende von Jahren hat wachsen lassen. Es ist kein Argwohn hier zu spüren. Kein Neid und keine Gier, die den Menschen beim Anblick von Gold und Edelstein zerfressen. Hier gibt es keinen Besitz. Sie gestalten allein aus Dankbarkeit der Natur gegenüber und der Ehrfurcht vor dem großen Plan dahinter. Sie nehmen und sie geben. Sie bereichern sich selbst nur über das Tun. Einfach so.

Das kann der Mensch, kreativ sein. Das ist seine Gabe auf so unterschiedliche Art. Über diese Gabe kann er etwas wiedergeben, der Gemeinschaft und der Natur. Wesen, Dämonen, Gottheiten, wie auch immer sie bezeichnet werden, verkörpern einfach nur die Prinzipien der Natur samt ihren Wetterphänomenen, welche sie sich so erklären und in Demut annehmen können.

Skipper, das alles verstehe ich als göttlich, denn alles strebt nach Vollkommenheit!

Das ganze Land in seiner Schönheit, all diese schönen vollkommen unterschiedlichen Landschaftsformen mit ihren Pflanzen und Tieren. Aber auch das, was der Mensch daraus kreiert, wie der Schmuck, die Körbe, Kleidung, Schuhe, Werkzeuge, Boote, Essen. Der Mensch ist so geschickt und hat immer wieder neue geniale Ideen.

Sein Erfindergeist, göttlich! Die Künste, Musik, Gedichte, Architektur. Wissen. Erforschen. Schau dir das alles hier an! Göttlich!

Es ist Liebe, die aus jeder Pore spricht. Eine Liebe, die einfach da ist, einfach tut, ohne zu fordern, ohne einzuengen, ohne zu bewerten, ohne zu urteilen. Mit so viel Freude am Dasein.

Ach, Skipper, ich weiß so genau, dass sich das nicht konservieren lässt, dass der Mensch all dies zerstören wird…“

In dem Moment sprach eine freundliche Stimme hinter ihnen:

„Zu kennen das Vertrauen und die Liebe, die für das Ungewisse stärken."

Allein diese Stimme vertrieb umgehend jeden düsteren Gedanken, der sich gerade anschleichen wollte. Eine Frau stand vor ihnen.

Diese Frau.

Woher kannte sie Pförtners Worte zur 3. Stunde?

Diese Frau.

Bei allen Göttern des Universums!

Welch eine göttliche Frau!

Sie lächelte.

„Zu sehen das Große Haus und zu verstehen unsere Sicht der Welten, die jede Sekunde parallel existieren, doch immerzu miteinander verwoben sind und zusammengehören." Sie nickte den beiden Männern freundlich zu. Die waren wie paralysiert. Immerzu miteinander verwoben, oha, ja, das war gut. Zusammengehören…

Diese Frau des Großen Hauses trug unverkennbar ein Kleid jener legendären Weberin, der Frau des Papyrusmeisters. Es war vollkommen transparent, so zart verwoben waren die Fäden über dieser zarten Figur. Diese Figur, die ganze Erscheinung dieser Frau hatte etwas so Begehrenswertes und gleichermaßen etwas absolut Unantastbares. Etwas Hochheiliges. Sie war durch dieses feine zarte Kleid, durch den wunderschönen Schmuck, durch ihre Haltung, durch ihre Weiblichkeit, ein Abbild der Schönheit alles Weiblichen. Eine vollkommene Ehrung des göttlich Weiblichen!

Selbst Skipper blieb sprachlos und nickte nur kurz. Sie folgten der Frau wie ferngesteuert, die sie von einer mächtigen Säule zur nächsten nach links führte. Sie führte sie in ihre Bildsprache ein, mit der die Säulen kunstvoll beschrieben und bemalt waren. Es handelte sich um all die Gottheiten ihrer Welt mit ihren mythischen Geschichten.

Der Gott des Papyrusflusses, der mit dem Krokodilgott die genaue Zeit der Überflutung der Grünstreifen am Papyrusfluss dem zuständigen Gott für Überflutungen mitteilte, damit alles Leben für ein weiteres Jahr gesichert war. Gemeinsam kämpften sie gegen die

Wüstenschlange, die sich von deren Wassern nährte und gegen die Bergaffen, die das Wasser klauten. War es geschafft, sie zu bezwingen, konnten sie kein Wasser aus den Bergen mehr aufhalten. Nun galt es, die göttliche Ordnung um das rechte Maß für die Überflutung mit dem nährenden Flussschlamm zu bitten. Kein zu viel und kein zu wenig.

Dort saß der Gott der Heilung, der aus eigener Überwindung von Leid dieses Wissen weitergeben konnte. Es ist die Göttin der Liebe, die durch ihre bedingungslose Liebe dem Gott der Heilung zur Heilung verholfen hatte. Wie dessen Bruder, der Gott der Wüste, der Entbehrungen und all das damit verbundene Leid samt Dämonen ganz genau kannte. Genau aus diesem Grund war er genau der Gott, der schützen und helfen konnte, wo kein anderer Gott es vermochte. Bis in die tiefsten Gefilde einer dunklen Seele.

Dort stand der Gott der Schrift, da die Göttin der Weisheit, der Gerechtigkeit. Unzählige Gottheiten, die alle irgendwie miteinander verwoben waren und zum Teil so sehr, dass kaum ein Unterschied zu erkennen war.

Am Ende der ersten Säulenreihe standen sie nur ein paar Schritte entfernt vor einem riesigen Obelisken, der das Große Haus überragte und dessen Spitze vergoldet war. Vergoldet!

„Zu ehren den Gott der Sonne. Er schenkt uns Leben durch seine Fruchtbarkeit, durch sein Feuer. Zu erkennen am Symbol des Stierkopfes“, sprach sie. Sie erzählte nun von all ihren eigenen Taten. Genau, es waren ihre Taten, denn sie war die göttliche Priesterkönigin leibhaftig, die ihnen höchstpersönlich erklärte, was sie im Laufe ihrer Regierungszeit dem Volk und den Göttern geschenkt hatte.

Die Gottheiten traten oft in Menschengestalt mit tiergestaltigen Köpfen auf, oft auch in unterschiedlichen Erscheinungsformen, die aber die Priesterkönigin genaustens kannte. Ein wichtiger Gott war der Gott der Sonne in Gestalt eines Mannes mit einem Stierkopf und einer Sonnenscheibe zwischen den Hörnern. Dort hielt eine Göttin ihre Hände über die Priesterkönigin auf ihrem Thron. Es war die Göttin der Liebe, der Geburt, des Tanzes und der Freude, die göttliche Amme, aber auch Schutzgöttin der Toten, die ihnen Speisen und Getränke reichte und Licht und Wärme in der Unterwelt spendete. Daher trug auch sie, die Priesterkönigin, die Sonnenscheibe und Kuhhörner.

Ähnlich die Göttin der bedingungslosen Liebe und Hoffnung, gleichzeitig Baumgöttin, die die Priesterkönigin mit ihrer Milch nährte. Schützerin der Mütter und des Throns. Begleiterin der Ärzte durch ihre Kenntnisse von magischen Zaubersprüchen.

Dort stützte die Göttin des Himmels das Himmelsgewölbe. Dort hielt der Erdgott, mit einer Gans auf seinem Kopf, das Zeichen für ewiges Leben in seiner Hand. Aus dessen Körper wuchsen alle Pflanzen, das Getreide und sprudelte das Wasser. Es hieß, er hätte zusammen mit der Himmelsgöttin die Sonne gezeugt und galt daher als Vater der Götter. Er öffnete Augen und Mund der Toten, damit sie im Jenseits weiterleben konnten, denn für Nahrung war dort durch die Schutzgöttin der Toten gesorgt. Da waren noch andere Götter der Unterwelt, Göttin der Fruchtbarkeit, ein Gott des Wassers und der Fruchtbarkeit.

Dort stand der Gott des Wissens, der auch über das Haus des Lebens wachte, in dem sich die Schule und Bildungsstätten befanden, sowie die Bibliothek des Landes. Er arbeitete eng mit der Großen Göttin zusammen, die die göttliche Ordnung hütete. Er wachte über Recht und Ordnung in der Diesseits- und in der Jenseitswelt. Er kannte die Zeit und notierte alle Ereignisse ihres Landes. Und er kannte die Lebensjahre eines jeden.

„Zu ehren auch die Menschen. Alles ist miteinander verwoben. All dies könnte zu Ehren unserer Götter und der Schönheit der Erde nicht erbaut werden, ohne den Fleiß und Schweiß eines jeden unseres Volkes. Dadurch sind auch sie hier verewigt. Ihre Taten, ihre Bauleistungen, ihre Künste zeigen die Schönheit, die die Götter durch sie sprechen und handeln lassen. So können wir die Götter verstehen und wissen, was wir tun müssen, damit alles im Einklang ist. Alles ist im Einklang, das bedeutet, lebt nach dem göttlichen Plan der Großen Göttin. Wenn unser Volk gesund und glücklich lebt, wenn alle ernährt werden, wenn alle der Arbeit nach ihren Fähigkeiten nachgehen können, wenn alle geheilt werden und allen geholfen werden kann, wenn sie es brauchen, dann ist das Volk stark für solche besonderen Aufgaben über Generationen hinweg. Es erfüllt jeden Menschen mit Stolz, wenn er daran weiterarbeiten darf, an dem seine Mutter oder Vater, seine Großeltern oder sogar noch ältere Ahnen zuvor gearbeitet haben. Jeder unterstützt jeden für den göttlichen Plan. Für eine gemeinsame göttliche Aufgabe. Und für unsere Götter, denen ich diene, mit jedem Atemzug. Meine Aufgabe ist es, die Verbindung zwischen den Göttern und den Menschen herzustellen. Und die Menschen auszusuchen und zusammenzubringen, die besonders begabt sind, um derart Göttliches zu vollbringen.

Wenn mein Volk dies kann, habe ich meine Arbeit richtig gemacht. Dann ist mein Volk göttlich."

Skipper und ER standen vor dem gewaltigen Obelisken und starrten beide durch ihn hindurch, während sie den Worten der Priesterkönigin lauschten.

Allein ihre Stimme war göttlich. Sie konnten all die Gottheiten in ihrem Götterhimmel sehen. Der Götterhimmel war um sie herum und sie mittendrin. Sie sahen mehr, als sie gehört hatten, kleine und große Götter. Lachende und streitende Götter.

Sie sahen, wie die Natur miteinander kommunizierte.

Die Priesterkönigin lachte, weil die beiden Männer nicht gleich reagierten, als sie sie ansprach. Trunken folgten sie ihr durch eine weitere große Säulenhalle. Die Säulen glichen dicken Palmen, Papyrus und Lotusblüten. Ein Säulenwald über und über mit Geschichten. Die farbenprächtigen Malereien auf den Reliefs konnten sie jetzt erst richtig wahrnehmen und verstehen. Sie erklärte die endlos fleißige Arbeit der Künstler, die im Team mit den entsprechenden Priestern zusammenarbeiteten, damit jede Darstellung stimmig war. Denn Veränderungen waren in der Reliefkunst sehr aufwendig. Und, wenn sie sich die Säulen und Wände alle ansahen, es waren tatsächlich alles Reliefarbeiten, die danach koloriert wurden. Selbst ihre Schriftzeichen ähnelten oft den bildlichen Darstellungen, dass sie kaum auseinandergehalten werden konnten.

„Allein zu wissen, dass die Gottheiten es verstehen werden. Nur darauf kommt es an“, sagte die schöne göttliche Priesterkönigin.

Es roch immer stärker nach Weihrauch, je mehr sie ins Innere des Großen Hauses vordrangen. Nicht nur auf den Säulen waren die Gottheiten verewigt, ihre wichtigsten Gottheiten hatten sogar eigene Räumlichkeiten. An einer Wand konnten sie erkennen, wie dieses Große Haus gebaut worden war und welche Gottheiten wann anwesend und wo unterstützend tätig gewesen waren.

„Zu wissen, dass das Volk der Sonne stark und gesund ist, erfreut mein Herz. Denn wie sonst könnten sie all solche Schönheit hervorbringen? Wir, die Menschen, sind die Werkzeuge der Götter. Die Götter sind Geist, sie haben keinen festen Körper, aber sie offenbaren sich in unserer Erde überall. So auch über die Menschen, die dies kreieren. Den einen schenken sie ihre göttliche Kraft und Durchhaltevermögen, den anderen ihr göttliches Feingefühl und weiteren ihre göttlichen Ideen und Genialität. Daher ist alles göttlich, wenn wir es mit einem reinen Herzen tun. Das ist der göttliche Plan, den unsere Große Göttin der Wahrheit und der Rechtschaffenheit hütet. Wir leben alle durch sie, denn sie ist der Plan selbst, so auch all unsere Götter. Sie ist Sonne und sie ist Schlange. Schlange ist Wasser. Schlange ist Wandlung. Sie ist alles, denn sie kennt alles. Sie ist Erneuerung. Sie ist Bewegung und Ruhe. Sie lenkt unsere Geschicke. Sie weiß um die Schwere oder Leichtigkeit unseres Herzens.

Je mehr ich einfach *bin* und meine Aufgabe erfülle, desto mehr lebt sie in mir. So auch die Göttin der Liebe, die Göttin der Weisheit, der Gott der Sonne, all sie leben durch mich. Und je nachdem, welche Gottheit mein Volk braucht, so bin ich da und gehe zu den Göttern und bin ihr Werkzeug, um meinem Volk durch sie zu dienen. So bin auch ich ein ewiges Werkzeug für die Gottheiten des Landes der Sonne.“

„Ein wahrhaft göttliches Werkzeug“, sagte ER. Er war vollkommen paralysiert. Der intensive Duft des Weihrauchs, die warme zarte Luft, diese sanfte Stimme und ihr sinnliches Wesen. All diese Liebe und die Gottheiten um sie herum in all den Farben und Formen, in all der Größe und dieser Blick über die Schönheit, die dieser Fluss gemeinsam mit den Menschen diesem Land gebracht haben.

Der Ruf eines Falken holte ihn aus seinem Trancebad zurück.

„ER, wir fahren weiter“, sagte Skipper und fasste ihm auf die Schulter, damit auch jede seiner Zellen wieder im Hier und Jetzt angelangte.

„Ich möchte hier nicht weg“, sagte ER und sah Skipper mit flehenden Augen an.

„Immer, wenn es am Schönsten ist, sollte man gehen“, meinte Skipper und ER sah ihm an, dass auch er zu kämpfen hatte. Doch er hielt den kleinen Obsidian-Dolch fest in seiner Hand und nickte ER entschieden zu.

„Zu kennen die Liebe und das Vertrauen, die für das Ungewisse stärken“, lachte die Priesterkönigin. Dieses Lachen würde ER nie vergessen.

„Die Große Göttin, die den großen göttlichen Plan hütet, hat mir vor einem Sommer angekündigt, dass fremder Besuch käme, der wichtig für die ferne Zukunft unseres Landes werden würde. Wichtig sogar über die Grenzen unseres Landes hinaus.

Ich bin dankbar, dass ich diesen Kontakt habe herstellen dürfen. Gute Erinnerungen stärken das Herz des Menschen.

Wie unser Gott der Sonne jeden Abend am Westhorizont untergeht, und auf seiner zwölfstündigen Fahrt durch die Unterwelt viele Prüfungen und Gefahren meistert, um jeden Morgen erneuert als junger Käfer, welches kein anderer ist als die junge Sonne selbst, am Osthorizont wieder das Licht über unser Land zu bringen, so wird dich diese Kraft auf dem Weg deines Lebens begleiten.

Zu wissen, dass der Gott der Sonne diese Fahrt niemals allein bestehen könnte. Er hat viele mächtige Gottheiten an seiner Seite, die ihn durch die Dunkelheit führen. Auch dieser große und starke Gott ist in der Mitte der Nacht schutzlos den dunklen Mächten des Chaos ausgeliefert. Jede Nacht. Nur durch sein absolutes Vertrauen aus der Tiefe seiner Liebe zu seinen göttlichen Begleitern, den verstorbenen Königen und den Toten unseres Volkes, die ihn verabschieden und wieder empfangen, kann er diese Fahrt überstehen. Es gehört zum göttlichen Plan, dass ein jede und jeder seine eigene besondere Kraft hat, die der Gesamtheit des Lebens dienen. Alles ist miteinander verbunden, die Erde, der Himmel, Tag und Nacht, das Leben und das Leben nach dem Leben, Mensch und Götter, die uns in aller Natur und Schönheit umgeben", sprach sie und nahm ERs rechte Hand.

Sie zeichnete ein Zeichen auf die Handinnenfläche. Dabei sprach sie in einem Singsang fremde Worte und besiegelte es, indem sie sanft über das Zeichen hauchte.

ER fror.

Es war das Zeichen des ewigen Lebens, das sie ihm mitgegeben hatte.

Welch ein Geschenk!

Dann deutete sie auf ein seltsames Bauwerk, das hinter Sanddünen im Landesinneren herausragte und ward transparent wie ihr zauberhaftes Kleid.

Mit einem Mal hörten sie das geschäftige Klopfen, Hämmern und Rufen der Menschen aus Papyrusstadt. Skippers Boot stand im Sand bereit. Sie stiegen ein und es verwandelte sich in eine Schlange, denn nur eine Schlange konnte leicht und wendig über den trockenen Wellen des Wüstenbodens dahingleiten.

„Ich habe nirgendwo Waffen gesehen. Keine Wächter, niemanden, der sie beschützt. Es muss sie doch jemand schützen", meinte ER sorgenvoll und Unheil ahnend.

„Die Wächter sind da, sei gewiss. Hier siehst du… Oh, ein Sandsturm kommt auf! Rasch, nimm das Tuch! Zieh dir die Jacke an! Schnell! Eile ist geboten!", rief Skipper, reichte ER rasch ein Tuch und band sich selbst eines in Millisekunden um den Kopf, dass nur ein winziger Schlitz für die Augen freiblieb. ER fand die Reaktion des Skippers etwas übertrieben und bereute es sofort. Wie Millionen Nadeln stachen Millionen Sandkörner auf seine freien

Hautstellen ein. Er konnte nichts mehr sehen. Die Augen schmerzten. Er wollte etwas sagen. Zu spät… Sollte man nicht bei einem Sandsturm. Skipper half ihm und sie legten sich dicht nebeneinander innen in den Windschatten des Schlangenbootes. Der Schlange schadete es nicht, sie glitt unbeirrt weiter, um dann aber doch schnell vor einem riesigen Bauwerk in den Sand abzutauchen. Auch eine Option, um sich zu schützen. Hier im Windschatten des riesigen Gebäudes verlor der Sandsturm langsam an Heftigkeit. Die Sonne brannte diffus über ihnen. Einige Sandschwaden zogen noch durch die Lüfte.

Skipper reichte ER Wasser, damit er wieder sehen konnte. In jeder Pore steckte Sand, in Ohren, Nasenlöchern, Zähne knirschten trotz hundertfachen Spülens. Er wollte nicht ihren Wasservorrat verbrauchen, denn sie befanden sich eindeutig noch in der Wüste. Es war zwar nicht sehr weit vom Papyrusfluss entfernt, aber bei Sandsturm lösten sich in Windeseile alle Richtungen auf.

„Prima. Du kannst wieder sehen. Dann kannst du dir diese…“, sagte Skipper fröhlich und wurde wieder unterbrochen. Dieses Mal kein Sandsturm, sondern ein mit Tüchern vermummter Mann:

„Folgt mir unauffällig“, meinte dieser und ging ein Stückchen voraus, weg von dem Bauwerk. ER hatte es immer noch nicht begriffen, denn kaum, dass sie aus dem Windschatten der schützenden Steine herauskamen, stürzten sich wieder Sandpfeile von gefühlt allen Seiten auf ihn. Zwar nicht so krass wie zuvor, aber es reichte. Dieses Mal reagierte ER aber deutlich schneller und hatte immerhin freie Sicht durch seinen Tuchspalt. Mitten aus dem Sand schaute eine Mauer heraus. Wenige Schritte weiter eine nächste, noch eine und dann tauchte plötzlich eine Palme auf, noch eine, eine Mini-Oase mit einem Brunnen und zwei Lehmhäusern. Zwei Teenies schaufelten den an der Mauer aufgetürmten Sand zur Seite.

„Mühsam, aber es hilft. Wir können nicht mit dem Sand wandern, denn dies ist ein Ort, den wir immer freihalten und bewachen müssen. Das ist eine heilige Aufgabe für den verstorbenen König und die Königin. Bitte kommt“, sagte der Sandsturmreiseleiter und winkte sie zu sich. Er verschwand im Eingang eines

Hauses. Er lugte aber rasch noch einmal heraus und hielt seinen Kopf schief, als würde er auf eine Antwort warten.

„Und für die Götter natürlich auch, selbstverständlich. So wächst doch jedes Kind hier auf. Ohne die Götter geht gar nichts“, meinte ER und zuckte seine Schultern.

„Du Fremder hast es genau erkannt. Deswegen dürft ihr mich ein Stück begleiten. Ich prüfe den Zugang“, sagte der Sandsturmreiseleiter stolz.

„Entschuldige, aber Zugang zu was?“, fragte ER.

„Jungfrau“, flüsterte Skipper ihm grinsend ins Ohr. Der Sandsturmreiseleiter blieb abrupt stehen, dass sie aufliefen. Es war nämlich stockfinster. Sie befanden sich in einer Art gemauertem Gang, Fußgängertunnel. Nur er trug eine Fackel, die er jetzt vor sich hielt und äußerst gruselig aussah. Völlig perplex fragte er ganz langsam:

„Hast du *sie* nicht gesehen?“ Seine Augen weiteten sich übernatürlich.

„Nein, ich weiß nicht, von was du redest. Was, was meinst du mit *sie*?“, stotterte ER. Er fühlte sich hier so gar nicht wohl. Die verzaubernde Wirkung der Priesterkönigin ließ mit einem Mal in dieser Enge nach.

Skipper kam zur Rettung dieser brenzligen Situation:

„Der Sandsturm. Bitte verzeih. Deswegen konnten wir die erhabene Pyramide nicht erkennen. Ich war schon einmal hier, aber mein Freund besucht das erste Mal das Land der Sonne. Der Sand hat jede Sicht auf dieses heilige Bauwerk samt seiner über alle Grenzen hinaus geschätzten Bauwerkskunst verhindert. Er tappt jetzt sprichwörtlich im Dunkeln.“

Skipper drückte ER den Obsidian-Dolch rasch in die Hand, denn er merkte, ihn zu verlieren und das wäre an diesem Ort fatal.

Der Sandsturmreiseleiter sah den Obsidian-Dolch und seine Augen begannen zu leuchten:

„Ihr besitzt dieses heilige Messer! Nur einer darf sie verteilen. Es ist mir eine besondere Ehre, euch zu führen. Keine Sorge. Wir stehen eindeutig unter göttlichem Schutz.“

Darauf drehte er sichtlich erleichtert um und ging weiter. ER war verwirrt. Eine ganze Weile gingen sie labyrinthartig und ER hätte wetten können, dass sie gefühlte fünf Mal an der gleichen Stelle gewesen waren. Doch dann war immer irgendetwas anders. Mal standen da kleine Figurinen, Götterfiguren, auf herausragenden Lehmziegeln oder ein Tongefäß stand in einer Ecke. Viermal legte der Sandsturmreiseleiter eine Holzplanke aus, weil sie irgendetwas überwinden mussten. Was, das wollte ER gar nicht wissen. Hinter ihnen räumte der Sandsturmreiseleiter die Planke wieder ab. Jetzt bemerkte ER, dass er sie mit sich trug. Drei verriegelte Holztüren passierten sie. Auch die verriegelte er wieder hinter sich. Es ging mal schräg hoch, mal wieder etwas abwärts. Meist war die Decke sehr flach, dass sie geduckt gehen mussten, manchmal kam eine Art Schacht nach oben, geschätzte fünf Meter hoch. Der war angenehm, weil sie sich kurz strecken und Luft holen konnten.

Schriftzeichen waren an der Wand, aber ER konnte nichts wirklich erkennen, denn sie verschwanden zu schnell wieder im Schatten oder in der Dunkelheit. Gerade, als ihm wieder die Enge, verbunden mit der Vorstellung von einer Pyramide mit Tonnen von Gesteinsbrocken über sich, bewusstwurde, stoppte der Sandsturmreiseleiter vor einer Steintür. Mit einem Schloss. Aus Bronze! Mit einem speziellen Mechanismus, den er nicht erwartet hätte, denn in ganz Gaia Nova hatte er bislang noch keine einzige Bronzearbeit gesehen. Schon gar nicht hier, versteckt unter der Erde. Oder unter Sand und Stein. Mitten in der Wüste.

Die Tür öffnete sich schließlich über einen Seilzug und wieder konnte ER nichts sehen. Totale Helligkeit! Sonne. Geblendet standen sie mitten in einer kleinen Öffnung von etwas Großem, der Pyramide, und gingen noch ein paar Schritte hinaus.

„Du bist der Wächter dieser mächtigen Pyramide“, sagte ER anerkennend als er wieder scharf sehen konnte. Wüste bis zum Horizont.

„Ich gehöre zur vierundzwanzigsten Generation meiner Familie, die als Wächter dieser Pyramide dient. Seit ihrer Fertigstellung. Dies ist ein geheimer Zugang. Es gibt noch zwei weitere. Hundert Jahre wurde an dieser Pyramide gebaut", sagte der Pyramidenwächter äußerst bescheiden.

„Hundert Jahre? Aber eine Pyramide dient doch als Begräbnis. Dann ist diese Pyramide lange nach dem Tod des Königs und der Königin fertiggestellt worden", überlegte ER.

„So ist es. Macht aber nichts, denn die Leichname lagerten bereits in ihren Steinsarkophagen in kleinen noch zu Lebzeiten errichteten Häusern der Millionen von Jahren mit allen Schutzritualen und Grabbeigaben für das Leben im Jenseits. In dieser den Göttern so nahestehenden Position werden die Leichname einbalsamiert, so dass deren Seele, die gern reist, immer ihren Körper wiederfindet, mitsamt allen bereitgestellten Speisen und Getränken. Auch ihre Barken stehen allzeit bereit, wie auch jetzt, denn sie lagern direkt neben der Pyramide. Alles, was sie in diesem Leben besaßen, besitzen sie auch in ihrem ewigen Leben. So ist sichergestellt, dass sie auch dort gut und dem göttlichen Plan entsprechend weiterregieren können. Des Nachts begleiten sie stets den Sonnengott auf seiner Fahrt durch die Unterwelt, so, wie die im Diesseits lebenden Könige und Königinnen den Sonnengott des Tags begleiten", erklärte der Pyramiden-wächter.

„Haus der Millionen von Jahren. Was bedeutet dies?", fragte ER.

„Jungfrau", flüsterte Skipper und ER grummelte.

„Millionen von Jahren steht für die Ewigkeit. Das Leben nach diesem zeitlich begrenzten Leben ist das ewige Leben, das Millionen von Jahre und mehr währt, so man sich rechtschaffen in diesem Leben verhalten hat. Im Haus der Millionen von Jahren befinden sich also alle, die im diesigen Leben tot sind. Hier kümmern sich Diener des Hauses von Millionen von Jahren um Speisen und Getränke, um Weihrauch, dem Duft der Götter, also um den Kult für das ewige Leben."

„Ich verstehe. Die Königin oder der König sind in diesem Leben die Vermittler zwischen Göttern und Mensch und somit auch im ewigen Leben. So bleibt der Lauf der göttlichen Ordnung für alle bewahrt. Für das Volk, wie für die Herrschenden und die Götter.

Jetzt verstehe ich auch die Barken. Die Verstorbenen brauchen sie, um mit ihnen zum Gott der Sonne reisen zu können, um ihn des Nachts begleiten zu können. Es findet ja alles in der Unterwelt statt. Es müssen erhebliche Vorbereitungen schon während der Lebenszeiten getroffen werden. Ich meine, sie müssen zeitig anfangen, damit alles gut vorbereitet ist für den Tod", überlegte ER.

Der Pyramidenwächter legte das Zeichen für ewiges Leben, das er wohl die ganze Zeit in der Hand getragen hatte, neben der Tür mit dem Zauberschloss ab und sagte liebevoll:

„Ja, wir leben in diesem Leben, um für unser ewiges Leben danach sorgen zu können. Je besser wir vorsorgen, desto angenehmer wird das ewige Leben im Jenseits. Wir sind sehr stolz auf unsere Priesterkönigin, die sehr dafür sorgt, dass auch der einfachste und unbegabteste Mensch unseres Volkes ein gutes Auskommen in seinem ewigen Leben haben wird. So ist sichergestellt, dass unser Leben, wie wir es jetzt hier führen, dort in ebensolcher Qualität und Schönheit weitergeführt werden kann. Mit unserer Priesterkönigin und mit unseren Familien, mit all den Bewohnern vom Land der Sonne, die nach dem Vorbild der göttlichen Ordnung leben. Wir arbeiten füreinander und für unsere Priesterkönigin, die die Götter versteht und die wiederum über sie für uns sorgt. Ihr seht selbst, zu welcher Blüte ein Volk imstande sein kann. Wir sind den Göttern so nah, mit jedem Atemzug, mit jedem Handgriff und mit jedem Gedanken."

ER sagte ergriffen:

„Sie dürfen sich wahrhaftig als göttliches Volk bezeichnen. Ich darf mich sehr glücklich schätzen, dass wir hier empfangen wurden. Möge es lange anhalten."

Ihm war schwermütig zumute.

Eine Leiter lenkte ihn ab. Da Pyramiden bekanntlich schräge Wände haben und diese auch noch glatt verputzt waren, wurden jetzt in drei Etappen Leitern angelegt, die sie jetzt außen hinunterkletterten.

Sie standen im offenen Innenhof des Hauses der Millionen von Jahren vor der Pyramide, in einer sehr intensiven Weihrauchräucherung, die von zwei Schalen zu ihnen rüber zog. Ein Säulengang führte um die Mitte, von wo aus verschiedene Räume abgingen. Die Räume waren geschmückt mit Jagdszenen, die in dieser Hitze rasch verderbendes Fleisch, Fisch und Geflügel allzeit für den ewigen Hunger bereithielten. Auf einer Wand saß das königliche Paar vor einem reich gedeckten Tisch. Zusätzlich standen daneben Krüge mit mumifizierten Tieren als Vorrat für das ewige Leben. Die Räume waren ausgestattet mit Thron, Tischen, Stühlen, Spielen, Jagdwaffen und allerhand Werkzeug, Kleidung, Stoffen und göttlichem Schmuck. Vor dem eigentlichen Heiligtum befanden sich Statuen in Nischen. Viele Schutzgötter zierten die Wände und zeigten das Königspaar in ihrer Gesellschaft. So wussten auch die im Diesseits Lebenden, dass für alles gesorgt war.

Ein Diener kehrte. Einer tauschte Korn aus und füllte frisches Wasser ein. Einer frischte Farbe auf.

„So werden die Häuser der Millionen von Jahren gehütet; für die Ewigkeit. Die meisten stehen direkt am Papyrusfluss, denn der Fluss erleichtert die jährlichen Prozessionen der Götter zu den einzelnen Königen und Königinnen. Die mumifizierten Leichname dieses Königspaares befinden sich in ihren Sarkophagen in ihren eigenen Grabkammern inmitten der Pyramide. Dort wurde die Reise des Sonnengottes an die Wände der Kammern aufgemalt und geschrieben. Schutzgottheiten und Zaubersprüche auf dem Sarkophag schützen und leiten die beiden in ihrem ewigen Leben.

Ich wünsche euch ein gutes ewiges Leben."

Der Wächter der Pyramiden verbeugte sich mit überkreuzten Armen vor seiner Brust und verschwand in einem Raum. Sie hörten, wie eine Art Steintür auf- und wieder zurückgeschoben wurde. Hier gab es viele Wege und es konnte schon verwirrend sein, so dass man gar nicht mehr wusste, in welchem Leben man sich gerade befand, in diesem oder im ewigen, im Reich der Götter oder der Menschen.

Sie gingen durch eine Eingangshalle mit Weihrauchräucherungen und dann durch ein großes Tor zwischen zwei Pylonen hinaus aus dem Haus der Millionen von Jahren zu ihrem Boot.

Während sie schlangenmäßig über den Sand glitten, blickte ER noch einmal zurück. Papyrusquerschnitt und Pyramidenseiten hatten die gleiche dreieckige Form. Das konnte kein Zufall sein. Der Papyrus prägte dieses Leben, und auf diese Weise auch das ewige Leben. Über dem Sand zum Papyrusfluss hin glitzerten überall die goldenen Abschlussspitzen von Obelisken und Pyramiden der Stadt. Es war das Gold der Sonne für den Gott der Sonne. Alles war heilig, alles war göttlich. Als das Boot sich in die Lüfte erhob, wirkte ihre Anordnung wie Sterne auf der Erde am helllichten Tag. Es war der Himmel auf Erden und ER verstand.

Erst als sie in der Nagila wieder aufsetzten, taute ER wieder auf. Erst jetzt bemerkte er wieder überall den Sand und er fing an, alles abzuklopfen und auszuschütteln. Skipper hingegen hatte nicht das leiseste Krümelchen Sand an sich. Nicht einmal in seinem Bart. Die Götter hatten sicher diesen Sandsturm geschickt, um ihren Spaß mit einem Neuling zu haben. Jungfrau. ER grummelte in den Himmel. Dunkle Wolken schoben sich von Norden über Gaia Nova. Sie steuerten geradewegs darauf zu.

Feuerclan der Großen Mutter

ER stand am Bug des Bootes und beäugte skeptisch das Grau:

„Hörst du auch dieses Hämmern? Meinst du, es kommt aus dieser gewaltigen Wolke? Hört sich an wie ein permanentes Donnergrollen. Es blitzt nicht, aber es hämmert ununterbrochen. Was hat das zu bedeuten, Skipper? Es kommt doch von der Stelle, an der wir vorhin abgedreht sind? Wahrscheinlich, weil du mich vor etwas schonen wolltest. Du wolltest mich mit den schönen Erkenntnissen dafür stärken, stimmts?“

„Atme tief durch. Es ist nicht alles so schlimm wie du befürchtest. Schule dein Vertrauen“, sagte Skipper.

„Der Mensch ist doch ein Monster. Ist es nicht so?“, sagte ER bitter.

„Schere nicht alle Menschen über einen Kamm. Erinnere dich an all das, was wir heute und zuvor an Gutem gesehen haben. Erinnere dich an das Zeichen, das sie dir in deine Hand gezeichnet hat. Auf ewig! Sie schenkte es dir in tiefem Vertrauen. Komm unter das Verdeck, es fängt gleich an zu regnen“, sagte Skipper.

ER blieb vorn stehen und ließ sich nassregnen. Es tat ihm gut. Der Regen war erfrischend und klärte sein Gemüt. Und wusch den Sand ab. Jedenfalls von außen.

Skipper lenkte in die Mündung des Schwarzen Flusses aus dem Osten.

Das Hämmern wurde lauter.

ER erkannte durch den Regenschleier sehr breite grüne Streifen links und rechts des Flusses. Große Bewässerungsanlagen. Ein Mann schob gerade ein Tor vor einer Kanalmündung zu. Ein Hafen, ein Markt. Laut. Lautes Rufen und Feilschen. Und Hämmern.

Im Hafen einer größeren Stadt legten sie an. Dann sah er es.

Es waren Schmiede! Kupferschmiede. Sie schmiedeten praktische Werkzeuge und Gegenstände. Sie stellten Figuren her, sicher für ihre Gottheiten. Eine Mutterfigur, eindeutig. Mit einem gebärfreudigen Gesäß und großen Brüsten. Ein Stand bot diese Figur aus Holz an, aus Lavastein und auch aus Kupfer, Silber und Gold. Nahezu jeder Haushalt besaß eine derartige Figur, die die Erdmutter symbolisierte, und hatte einen kleinen Altarplatz in der Nähe des Herdes. Die Figurinen aus Lavastein waren ihnen am Heiligsten, denn Lavastein kam direkt aus ihrem Körper und war von ihrem Feuer gebrannt und gesegnet.

„Sie sind vom Feuerclan der Großen Mutter“, sagte ER und ihm ging wieder das Herz auf. Er beruhigte sich langsam. Das durchdringende, unausweichliche, permanente Hämmern hatte ihn arg aufgewühlt. Hier roch es süßlich schwer, vermischt mit Weihrauch, Sandelholz und unbekannten Düften.

„Das Land der tausend Götter“, lachte Skipper und deutete auf einen weiteren Stand.

„Die Hauptgötter sind der Wettergott, wie man sich sehr gut vorstellen kann bei diesem Wetter, und die Sonnengöttin. Kann man sich auch gut vorstellen, denn sie leben sehr feuerlastig in einem vulkanreichen Gebiet. Die Erdmutter hat im Laufe der Zeit viel Gesellschaft aus dem Kosmos erhalten. Ihre Götter sind den Menschen sehr ähnlich, eigentlich gleich. Mit einem Unterschied, dass sie eine noch größere Zerstörungskraft besitzen, wenn sie wütend sind oder sich streiten, wie Unwetter oder Vulkanausbrüche beweisen. Der Clan des Feuers besteht mittlerweile aus mehreren unterschiedlichen Stämmen. Sie alle lassen sich gern durch Kontakte zu anderen Völkern über die Handelsverbindungen beeinflussen. Daher auch die vielen Götter. Wer ihnen gefällt, zieht in den Götterhimmel mit ein oder übernimmt eine andere Rolle. Es wechselt ständig, daher ist es nicht verwunderlich, dass sich schnell unterschiedliche Schwerpunkte bei den Clans entwickelt haben.

Sie lieben es über alles, Handel zu betreiben. Der Weihrauch im Land der Sonne stammt übrigens von einem Landstrich weiter östlich von hier. Dort wachsen große alte Zedernhaine, die das begehrte und kostbare Harz für die Götter schenken. Natürlich nicht den Menschen, da wird gehandelt und getauscht. Sieh mal. Silbermünzen sind jetzt in.“

„Es sind die ersten Zahlungsmittel, die unseren ähneln“, stellte ER fest.

Etwas abseits auf einem großen Platz saßen mehrere Jungs und Mädchen um einen Mann unter einem aufgespannten Stoffsegel. Er brachte ihnen offensichtlich die Keilschrift bei. Alle hatten frische Tontafeln vor sich liegen und hielten entsprechende Griffel in der Hand, die sie nach einer genauen Vorgabe in den Ton drückten. Es handelte sich um ganz andere Zeichen als auf der Insel der Schönheit und waren sehr verschieden im Vergleich zur Bildschrift im Land der Sonne. Natürlich hatten Händler auch hier solche Tafeln bei sich. Alles wurde auf Ton festgehalten. Große Tonkartuschen wurden mit Stempeln und Schriftzeichen versiegelt.

Allmählich gelangten sie innerhalb der riesigen Stadtanlage immer weiter nach oben und standen vor dem Tor einer riesigen Festung, gesäumt von zwei riesigen Löwenskulpturen, die aus großen Felsen herausgearbeitet waren und an denen zwei Steinmetze Feinarbeiten durchführten.

Sie konnten nicht weit sehen, obwohl der Regen aufgehört hatte.

„Trotzdem ein beeindruckender Ausblick", schwärmte ER. Skipper nickte, sagte aber nichts. Überhaupt war ER aufgefallen, dass er seit den Einführungsworten nichts erklärt hatte. Er hatte nicht einmal hierhin oder dorthin gedeutet, um ER etwas zu zeigen. Das war ganz gegen seine gewohnte Natur. Da war doch was?

„Der Fluss sieht richtig schwarz aus", meinte ER und blickte Skipper an, der sich wiederholt umgedreht hatte.

„Deswegen heißt er Schwarzer Fluss", antwortete Skipper ohne ein Warum.

„Das klingt düster", kommentierte ER und blickte sich auch um.

„Sie sehen Schwarz als Farbe des Lebens, weil alles aus ihr entsteht. Die Farbe der Erde ist hier zumeist schwarz oder braunschwarz", kam doch eine Erklärung. Wo sah Skipper nur immerzu hin?

„Achtung! Schnell zur Seite!", rief Skipper und schupste ER vom Weg auf die Wiese.

„Platz für das Heer des Großkönigs", rief ein Wächter hinter dem Rundbogen des Tores.

Wie aus dem Nichts schossen unzählige Reiter bedrohlich nah an ihnen vorbei. Krieger! Soldaten! Sie trugen schwarze Helme und Rüstungen, waren bewaffnet mit Speer und Schild, Bogen, Köcher, Pfeilbündel. Brutal mit Metall gespickte Keulen.

Es war soweit.
Das Unaufhaltsame war da.
Da waren die Monster.
Das Unheil nahm von nun an seinen Lauf.

ER wollte hinterher, um sie aufzuhalten, und ließ sich vor Wut laut schreiend auf die Knie fallen.

„Wieso? Wieso auch hier? Diese Brut von Mensch, die zu nichts weiter zu Nutze ist als zum Zerstören? Wieso diesen heiligen Flecken Gaia Nova? Ich hatte so gehofft, dass dieser Flecken Erde als meine Mission bewahrt werden soll. Dass ich dabei helfen soll. Aber das, was jetzt alles kommen wird… Das kann ich nicht… Das schaffe ich nicht!", rief er voller Verzweiflung.

Skipper ging rasch zu ihm, öffnete seine gezeichnete Hand und legte den schwarzen Obsidian-Dolch darauf.

„Dieser Dolch stammt aus diesem Gebirge. Seine Kraft ist 700-mal größer als die eines normalen Dolches, denn er entstammt der Liebe. So, wie das Zeichen in deiner Hand. Es verbindet dich immerzu mit dieser Kraft und es dient deiner heiligen Aufgabe. Erkenne deine Kraft in dieser Mission. Mehr darf ich dir dazu nicht sagen. Ich bin dein Skipper. Wohin möchtest du jetzt fahren?"

ER atmete schwer. Er hielt den kleinen Dolch fest, überlegte und sah auf:

„Ich will es wissen! Was ist geschehen? Was hat alles verändert? Ich will es wissen. Dann möchte ich zur Quelle. Ich glaube, das ist wichtig", sagte ER gefasst. Skipper nickte.

„Komm mit. Ich zeige dir etwas."

Sie gingen einmal wieder über einen Innenhof mit schlanken Säulen und Holzschnitzereien, die wie Spitzenarbeit in Holz aussahen. Durch ein Tor mit ebensolchen Schnitzereien über ihnen gelangten sie in einen Saal mit einem langen Läufer. Er hatte hennarote, schwarze und weiße geometrische Muster und führte direkt…

„Der Thron! Ist er aus Eisen? Ganz und gar aus Eisen? Unglaublich! Eisen! Hier?", staunte ER.

„Du staunst zurecht, denn bis vor Kurzem kannte man eiserne Throne nur von Göttern", sagte Skipper. Der Himmel zog sich zu.

„Okay. Aber sie müssen ja die Technik herausbekommen haben, Eisen zu härten. Ich meine, Gold, Silber und Kupfer, das sind ja weiche Metalle und leicht zu bearbeiten, leicht zu schmieden. Nun, wie wir an der geheimen Tür in der Pyramide gesehen haben, wussten sie schon, wie sie Kupfer mit Zinn zu härterer Bronze herstellen konnten und kannten die Technik des Verhüttens. Aber Eisen galt lange als zu weich und nicht härtbar. Okay. Es war nur eine Frage der Zeit, dass zufällig mal ein Stück Eisenerz bei der Beschickung eines Ofens mit hineingeraten war. Ich hatte so gehofft, dass sie nicht über diesen Zufall erkennen würden, dass man höhere Temperaturen brauchte, um diese Schlacke gut mit dem Schmiedehammer bearbeiten zu können. Alles eine Frage der Zeit. Ich weiß, ich weiß. Und ich kann die Zeit nicht verändern“, seufzte ER über seine Selbsterklärungen. Es wurde dunkler draußen.

Sie hörten Menschen nahen.

„Lass uns lieber jetzt gehen, auch wenn sie uns wahrscheinlich gar nicht wahrnehmen“, sagte Skipper und eilte schnell den roten Teppich zurück, als wollte er nicht, dass ER irgendetwas weiter mitbekam.

ER stoppte aber und riss die Augen auf:

„Sieh nur, dort sind Vertreter von der Insel der Schönheit! Das tut gut, sie zu sehen. Sie bringen reichlich Geschenke mit, wie ich sehe.“

ER wurde neugierig, doch Skipper kam zurück, zog ihn am Ärmel mit sich und meinte:

„Komm, wir müssen gehen. Das Wetter!“

Der erste der drei Vertreter der Schönen sagte:

„Wir müssen mit dem Eisenvolk gut verhandeln, denn wir wollen sie nicht zum Feind haben. Sie verfügen über große Macht.“

Sie waren unverkennbar von der Insel der Schönheit: gepflegte, schöne Menschen, denen man die Hingabe zu den Künsten schon von Weitem allein an ihren anmutigen Bewegungen ansah. An ihren fantasievollen Gewändern und filigranen Schmuck.

Die Frau der Schönen sagte:

„Ja, und wir verfügen über eine strategisch hervorragende Lage inmitten der Nagila inmitten von Gaia Nova.“

Der zweite Mann der Schönen wiederholte, was sie wohl schon oft beredet hatten:

„Wir werden sie auf unserer Insel gewaltfrei einen Stützpunkt errichten lassen. Das ist das Sicherste für uns, denn es schont Leben und steigert den Handel durch ihre Beziehungen.“

„Ihr König hat den Eisernen Thron!“, sagte die Frau ehrfurchtsvoll und alle drei blickten zum Tor, das zum hell befackelten

Thronsaal führte. An dessen Ende stand der Eiserne Thron erhaben auf einem Podest.

„Und sie verfügen über viel Eisen des Himmels“, meinte der erste Vertreter der Schönen.

„Und das Eiserne Zepter!“, sagte die Schöne noch ehrfürchtiger und alle drei schauten wieder zum Thronsaal. Sie würden wohl vor Ehrfurcht kollabieren, wenn sie diese göttlichen Unikate direkt zu Gesicht bekamen.

„Das Metall der Götter“, sagte der zweite Schöne.

„Wenn wir uns gut mit ihnen stellen, werden sie uns ihre Technik verraten“, meinte der erste Schöne.

Da begriff ER, dass die drei nichts Gutes zu erwarten hatten und wollte eingreifen. Zu spät.

Es begann zu donnern und blitzen.

Mit dem nächsten Donnerschlag erschien der Großkönig höchstpersönlich im Tor. Er sagte lachend und mit lauter Stimme:

„Liebend gern verhandele ich mit euch! Beste Strategen und berühmt für euren unübertrefflichen Sinn für Schönheit. Ich bin mit allem einverstanden und ich verrate euch, wie ihr hartes Eisen herstellen könnt für Waffen, die euch unbesiegbar machen. Ich habe nur eine Bedingung…“

Der Großkönig lachte großköniglich.

„Nein!“, rief ER dazwischen, weil er genau wusste, was kommen würde. Er sah es den lüsternen Blicken dieses sehr von sich eingenommenen Herrschers an. Aber keiner nahm ER wahr. Sie waren unsichtbar. Sonst wären sie auch schon tot, da sie den Thronsaal betreten hatten, ohne dass sie vorgelassen wurden.

„Gern, was können wir tun?“, fragte der erste Vertreter der Schönen.

„Sie bleibt hier, damit sich unsere Frauen an ihr ein Beispiel nehmen können. Eisen gegen diese Frau“, sagte er stahlhart. Es donnerte und blitzte gewaltig. Der Himmel entlud seinen Zorn. Das konnte nicht anders sein, wenn der Mensch sich gegen die Götter wendete.

Die drei schwiegen und sahen sich an. Sie schluckte und sagte:

„Es ist zum Wohl unseres Volkes. Ich bleibe hier.“

„Du musst es nicht. Wir kommen auch ohne das Geheimnis klar und ohne, dass sie unsere Insel als Stützpunkt nutzen können. Es geht uns gut. Wir brauchen das Eisen nicht“, sagte der zweite Schöne und der erste nickte, aber nur ein bisschen.

„Ihr diskutiert das auch noch? Sie ist nur eine Frau, da ist die Entscheidung doch klar!“, lachte der Großkönig großkotzig.

ER hasste ihn abgrundtief.

„Es ist ganz einfach. Verhüttung kennt ihr. Unsere Eisenmeister arbeiten mit Rennöfen, die sie so heiß es geht befeuern und schichtweise mit Eisenerz befüllen bis Schlacke herausrinnt.

Eisenerz könnt ihr reichlich mitnehmen. Wir sitzen auf Bergen mit frischem Eisenerz aus unserer Mutter Schoß. Die Schmiede können die Schlacke mehrfach wieder erhitzen bevor sie sie dann bearbeiten können. So wird aus weichem Eisen härtbarer Stahl. Eure Schmiede werden sich freuen. Ein einfaches Rezept für gutes Eisen. Es ist Gotteswerk!“, rief der Großkönig und sah die Schöne einfordernd an.

„Großkönig, oh Großkönig. Wir haben eine Nachricht!“, kam ein Diener und warf sich auf den Boden vor seinen Großkönig. Es donnerte und blitzte. Es war stockfinster draußen und die vielen Fackeln warfen unruhig wandelnde Schatten, als wollten sie fliehen.

„Ist gut, steh auf. Was hast du zu melden? Der Erfolg der Schlacht am Schwarzen Fluss kann es nicht sein, weil sie noch nicht beim Clan der Feuervögel angekommen sein können. Also, was gibt es sonst Wichtiges? Wenn es nicht wichtig ist, werden wir dich in einen Rennofen zum Verhütten stecken“, sprach der Großkönig und lachte über sein Witzchen, das kein Witz war, weil dieser arme Diener keine Überlebenschance hatte, wenn jetzt nicht die Nachricht der Nachrichten folgte.

„Es ist ein Kind. Mein Großkönig. Ein Kind. Es ist weiß!“ Mehr sagte der Diener nicht und schmiss sich wieder auf den Boden.

Stille.

„Wie weiß?“

„Ganz weiß. Alles. Weiß wie Schnee. Alle Haare, die Haut“,

sprach er vom Boden.

„Und die Augen? Ich hoffe für dich, dass es die richtige Augenfarbe hat“, sagte der Großkönig bis aufs Äußerste angespannt.

„Blau, mein Großkönig. Sie sind blau“, sagte der Diener und er zitterte am ganzen Körper. Er sah aus wie ein zappelnder Wurm.

Stille.

Der Großkönig ging langsam zu seinem Thron, drehte sich um und sprach:

„Das… ist… das… Orakel. Es wird endlich wahr! Der Tag ist gekommen. Ruft meinen Stab zusammen. Ich habe etwas zu verkünden. Und du, armer Wicht, wirst mit Gold überschüttet bis dein Hintern nicht mehr herausguckt. Das ist die alles entscheidende Nachricht, auf die wir seit Generationen warten. Nun geh. Und ihr beiden auch. Du, Schöne, bleibst hier bei uns. Es wird eine Festwoche geben. Ich stehe auf dem Gipfel einer bis heute noch nie da gewesenen Macht!“

Der Großkönig setzte sich auf seinen Eisernen Thron und ließ die Vertreterin der Insel der Schönheit auf der kalten Stufe vor ihm sitzen. Er schien kurz zu überlegen und warf ihr ein Kissen zu.

Ihre beiden Begleiter wollten eingreifen, sie vom drohenden Unheil wegzerren, doch sie wehrte mit einem Nicken ab. Das bedeutete:

„Ich habe entschieden. Wir haben keine andere Wahl. Geht, schnell!“

„Wenn alle eingetroffen sind, stellst du dich neben meinen Thron“, sagte er und sie nickte.

Der Thronsaal füllte sich. Jeder verbeugte sich vor dem Großkönig.

Skipper flüsterte ER ins Ohr:

„Du bist sicher, dass du bleiben willst?“

„Ich will es wissen“, sagte ER entschieden.

Die beiden standen an eine schlanke Säule gelehnt und verfolgten das Geschehen. Priesterinnen umwedelten den Thron mit einer Räucherung.

Dann erhob sich der Großkönig. Die Vertreterin der Insel der

Schönheit stand auf und stellte sich neben ihn. Er sah sie an und sie machte einen Schritt zurück. Er nickte.

„Heute ist ein Tag voll göttlicher Geschenke.

Deswegen will ich euch, mein geschätztes Volk, als erstes auch etwas schenken.

Einen neuen Namen, der unsere Stärke und unsere göttliche Berufung unterstreicht:

Ihr all seid das Volk des Eisernen Thrones!

Ihr seid von heute an das *Eiserne Volk*!"

Alle jubelten ihm zu.

„So werdet ihr von heute an Eisernes Volk heißen, denn wir sind die Herren über das Eisen!"

Jubel.

„Ein weiteres Geschenk des Himmels an diesem Tag für euch, Eisernes Volk:

Wir haben heute einen strategisch perfekten Stützpunkt auf der Insel der Schönheit geschenkt bekommen. Mitsamt dieser Vertreterin von vollkommener Schönheit. Ist sie nicht das Juwel des Eisernen Throns?"

Johlender Jubel.

„Und wie ihr wisst, haben auf deiner Insel der Schönheit viele schöne Mütter viele schöne Töchter! Und wir brauchen nicht mehr darum zu kämpfen. Stimmts Schönheit?"

Sie nickte.

Johlender Jubel. Es waren nur Männer anwesend.

Jetzt erst fiel ER auf, wie sie diese göttliche Frau lüstern anstarrten. Und was dieser johlende Jubel zu bedeuten hatte.

ER hätte kotzen können.

„Und jetzt, geschätztes Eiserne Volk, folgt das größte Geschenk der Götter an euch.

Gestern wurde dieser Eiserne Thron von unseren begnadeten Eisenmeistern fertiggestellt. Eine göttliche Arbeit, die ihresgleichen auf der ganzen Erde sucht. Der Eiserne Thron kam direkt von den Göttern zu unserem Volk.

Heute wollten wir diesen Thron segnen und einweihen.

Genau heute haben die Götter uns ein Zeichen geschickt, das schon lange von unseren Sehern angekündigt worden war.

Genau heute kam das Zeichen der Götter direkt zu uns, dass wir ihr auserwähltes Volk sind!“

Stille.

Der Großkönig nickte dem Hohepriester zu, der neben dem Thron aufgetaucht war.

Der Großkönig nickte einer Frau zu, die an der Tür erschienen war und ein Bündel vor sich umklammerte.

Der Großkönig ging langsam die Stufen hinunter auf sie zu, um die Spannung zu steigern. Er nahm ihr das Bündel ab und sie weinte. Er ging mit dem Bündel wieder zu seinem Eisernen Thron und legte es dort ab. Er entfaltete es ungewohnt sorgsam, dass alle gespannt den Atem anhielten.

Ein Baby!

Er nahm es hoch und drehte sich um zu seinem Volk.

Alle, ausnahmslos alle, machten ehrfurchtsvoll beim Anblick dieses vollkommen weißen Babys einen Schritt zurück und verbeugten sich.

Das Gewitter war direkt über ihnen. Es blitzte und donnerte ohne Pause.

„Das ist das Zeichen! Ein von der höchsten Gottheit gesandtes weißes Kind aus der Mitte des Eisernen Volkes. Donner und Blitz haben es uns gebracht!“

Das Volk wich noch einen Schritt zurück und verbeugte sich noch tiefer.

Q

„Wie also ist unser Land einst entstanden? Durch wen? Genau, wir alle, alle Bewohner von Gaia Nova hatten geschworen, dessen Namen nie zu nennen. Unsere Vorfahren hatten einen heiligen Eid geschworen, dass es für alle Natur-Wesenheiten, Götter und

Dämonen gibt, dass aber das Eine, aus dem alles einst entstanden war, nie benannt werden durfte.

Aber heute, geschätztes Eiserne Volk, haben Donner und Blitz diesen weißen heiligen Jungen zu uns gesandt, zu UNS ALLEIN! Denn wir sind sein auserwähltes Volk! Wir alle, das Eiserne Volk! Durch seinen Sohn. Der Sohn des Allwesens. So dürfen wir Es durch seinen Sohn beim Namen nennen. Damit ist der Eid aufgelöst. Das Allwesen ist Q.

Denn es ist Q, das uns Donner und Blitz seit Urbeginn schickt, um Neues zu schaffen, um Zeitenwenden anzuzeigen. Q ist der Geist über allem und wir sind sein auserwähltes Volk! Q ist heute durch seinen Sohn in Erscheinung getreten. Q ist seit jeher die höchste göttliche alle und alles durchdringende Kraft und erscheint jetzt als Mensch mitten unter uns. Als Sohn des Q. Somit sind alle anderen Gottheiten ihm untertan."

Stille.

„Q hat sich durch dieses heilige Kind uns offenbart! Der Sohn des Q!"

Stille.

Das Baby begann zu schreien.

„Hört ihr nicht? Ihr sollt jubeln, Eisernes Volk! Das große unaussprechliche Allwesen spricht von nun an durch seinen göttlichen Sohn! Sohn des Q! ES hat ihn UNS gesandt, direkt in meine Hände, als euer Vertreter! Er ist das Zeichen! Ich bin euer aller göttlicher Anführer!"

Leicht benommener Jubel.

„Dieses Kind wird von nun an von einer Amme des Palastes aufgezogen und wird von den besten Lehrern des Palastes unterrichtet. Über ihn wird unser Allwesen Q von nun an seine Zeichen senden.

Genau so wurde es seit Jahrzehnten vorausgesagt und so ist es heute eingetroffen. Es ist die erwartete Zeitenwende. Die Zeitenwende beginnt heute und jetzt! Mit euch, Eisernes Volk!"

Jetzt war es bei allen angekommen.

Lautes, ausgelassene Johlen und Umarmen. Manche wischten

sich verstohlen die Tränen weg. Die Mutter des Jungen mit Albinismus wurde vor das Palasttor gezerrt. Sie schrie und wehrte sich mit allen Mitteln. Dann war es plötzlich still, vor dem Palasttor.

Der Großkönig hielt den Jungen ganz nach oben und rief:

„Dies ist unser göttlicher Sohn!"

Alle jubelten.

Der Großkönig deutete zu seiner Königin:

„Göttliche Schönheit ist seine Mutter!"

Sie strahlten und verbeugten sich.

Dann hielt er voller Kraft das Baby noch höher:

„Göttliche Stärke ist sein Vater!"

Tosender Jubel.

„Und ihr seid das göttliche Eiserne Volk unseres Allwesens Q!"

Der Jubel kannte keine Grenzen mehr.

Der Großkönig überreichte das schreiende Baby der Frau von der Insel der Schönheit, offensichtlich der neuen Königin. Es hörte sofort auf zu schreien. Sie hielt es hoch und es gluckste.

Das Volk war außer sich. Der Großkönig starrte sie für einen Augenblick an, voller noch nie zuvor gefühlter Liebe. Für einen Augenblick. Dann räusperte er sich, sammelte sich, nahm das Baby zurück und legte es auf den Thron:

„Dies ist die segenreichste Einweihung des göttlichen Eisernen Throns. Eine höhere Segnung als durch unser Allwesen Q leibhaftig gab es noch nie und wird es auch nie wieder auf Erden geben!"

Der Großkönig stellte sich ernst vor die Menge.

Stille.

„Q hat uns heute seinen Sohn geschickt. Er ist der Sohn des Q in der Gestalt eines menschlichen Jungen. Über den Sohn des Q wird der Eiserne Thron heute geweiht mit dem höchsten göttlichen Segen und als Zeichen unserer überlegenen Stärke."

Der Großkönig nickte dem Hohepriester zu. Dieser überreichte ihm das Eiserne Zepter. Dann nahm der Hohepriester das auf einem mit Goldfäden durchwebten Tuch bereitliegende Schwert hoch und überreichte dem Großkönig dieses erste Schwert aus

Eisen. Das erste Eiserne Schwert von ganz Gaia Nova!

Ein Raunen ging durch das Volk.

Der Großkönig nahm das magische Schwert mit stolz geschwellter Brust entgegen und hielt es vor das Volk. Sie nickten alle ehrfürchtig und starrten es mit großen Augen an.

Er war der Besitzer des Eiserenen Throns, des Eisernen Zepters *und* des Eisernen Schwerts!

Sie besaßen die stärkste Magie aller weltlichen Güter. Es gab nichts Heiligeres auf der ganzen Erde!

„Q hat uns dieses harte Eisen mit der Kraft seines Blitzes geschenkt. Dieses Schwert soll den Namen *Schwert des Q* erhalten, denn es ist das erste Eiserne Schwert der Erde. Es ist stärker als alle Schwerter, die bis heute geschmiedet wurden. Dieser Junge, der Sohn des Q, bringt uns mit seiner Erscheinung den Segen eines neuen Zeitalters des Jagens und des Werkzeugmachens, dass es eine Freude ist. Und er schenkt uns den Segen eines neuen Zeitalters der Waffenkunst. Wir besitzen mit den neuen Waffen eine unbesiegbare Stärke und eine nie dagewesene Macht. Denn wir sind das Eiserne Volk! Dieses Schwert und dieser Thron besiegeln diesen Segen."

Der Großkönig gab dem Hohepriester ein Zeichen.

Zwei Priesterinnen kamen die Treppen hinauf und umräucherten den Eisernen Thron. Der Hohepriester las zunächst den wegen der heutigen Ereignisse leicht veränderten Entstehungsmythos mit dem Namen des Unaussprechlichen vor:

„Es war nichts außer das Allwesen Q. Q trennte Himmel und Erde mit Donner und Blitz und setzte Sonne an den Himmel, damit der Tag hell wäre auf der Erde. Zur Orientierung in der Nacht setzte Q Sterne und Mond an den Himmel. So gab es Tag und Nacht. Q, das Allwesen, formte mit Donner und Blitz auf der Erde auch Gaia Nova, nach dem Ebenbild seiner göttlichen Vorstellung und versorgte Gaia Nova mit Wasser aus all seinen Poren. So schuf Q mit Donner und Blitz die Vielfalt, die Pflanzen, die Tiere, alles Leben. Es schuf Mann, damit er nach seinem Vorbild und seiner Stärke schaffen würde und Es schuf Frau, damit sie nach dem

Vorbild der Erde und durch den Samen des Mannes neues Leben hervorbringen würde."

Dann umrundete er siebenmal den Thron, begleitet von rhythmischen Trommelschlägen und Räucherungen der Priesterinnen. Dabei sprach er Zauberformeln in einer fremden Sprache.

Das Ritual abschließend hielt der Großkönig den Jungen wieder vor sein Volk. Es jubelte überglücklich. Es hatte alle subtilen Veränderungen des alten Entstehungsmythos blindlings hingenommen und war berauscht von ihrer Auserwähltheit.

Skipper und ER verließen schweigend diesen Ort, gingen im Regen durch die Stadt hinunter zum Schwarzen Fluss. Über der Königsfestung hielt sich das Gewitter.

Auf dem Weg sahen sie links einen kleinen Pfad, der einen kleinen Vulkan hinaufführte. Es nieselte nur noch leicht.

Eine Frau winkte sie zu sich. Sie hockte an einer kleinen Erdspalte, wo stinkende Dämpfe austraten. Steine, Muscheln, Körner, Blüten und kleine Mutterfigurinen standen am Rand der Spalte. Kaum, dass sie vor ihr standen, verdrehte sie ihre Augen. Sie sah in die Welt, die sich ihr offenbarte:

„Das Dunkle Zeitalter beginnt mit der Macht des Eisens.
Der größte Schatz der Großen Mutter wird entweiht, verformt, missbraucht.
Zu früh, denn der Mensch ist noch zu sehr Tier und nicht reif, damit umzugehen.
Zu früh war die Entdeckung des Eisens überlegene Härte.
Von jetzt an, wo sie es der Erde entreißen und nach ihren niederen Trieben formen, wird ihnen nichts mehr heilig sein außer Macht und alle Mittel, die zur Macht führen.
Das Dunkle Zeitalter beginnt und reißt mit sich alle alten Traditionen, alles alte Wissen.
Die Götter werden zur Macht missbraucht, die Erde ausgebeutet und geschunden, beschmutzt und mit Blut getränkt.
Die Götter haben den Menschen über Jahrtausende gezeigt, welches Gut die Erde für uns ist.
All dies wird fortgespült im Blute des Eisens.

Frau und Erde waren eins, so, wie der Mann.
Doch der Mann macht sich das Eisen zu eigen und erhebt sich selbsternannt über die Erde, über die Frau, über die Liebe, das Leben und über die Schönheit.
Sie werden missbraucht zu niederen Werkzeugen.
Das alte Weltbild wird verzerrt und gerät aus den Fugen.
Fremde werden kommen und dieses Weltbild bis zur Unkenntlichkeit entstellen.
Sie kommen mit der roten Flut.
Das Eisen sollte allein zum Guten dienen, als Werkzeug, als Hilfe für schwere Arbeiten, für Frau und Mann gleichermaßen.
Doch Eisen bedeutet von nun an körperliche Überlegenheit.
Eisen ist Macht.
Es wird zur Waffe gegen die Erde, gegen die Frau, gegen die Liebe, gegen die Schönheit, gegen das Leben.
Das Dunkle Zeitalter…"

Ein schmerzerfüllter langer Schrei erfüllte das Land bis hinunter zum Schwarzen Fluss. Eine Lanze mit einer Eisenspitze hatte die Brust der Frau durchbohrt.

„Schweig, du dummes Weib! Frauen haben hier nichts mehr zu sagen!", rief ein Soldat lachend von seinem Pferd, stieß mit einem weiteren Speer die kleinen Figurinen in den Felsspalt, spuckte abfällig und ritt davon.

ER eilte zur Frau, kniete neben sie und nahm ihre Hand. Tränen der Verzweiflung strömten aus seinen Augen.

„Du hast die Augen der Erde. Du hast sie gesehen, ihre Liebe, ihre Schön…", dann verstarb sie.

Skipper verschloss ihre Augen und legte zwei Münzen auf ihre Lider, für den Fährmann.

Wie betäubt gingen sie über die nassen Straßen zum Markt hinunter.

Als sie am Stand mit den Erdmutterfigurinen vorbeikamen, schoss just in dem Moment wieder ein Soldat vom Palast auf einem Pferd direkt auf den Stand zu, dass der Matsch hochspritzte. Der Reiter spornte das Pferd hart an, den Stand zu überrennen. Das

Pferd aber scheute kurz vor dem Stand auf. Doch es riss dabei den Tisch hoch und zertrat sämtliche Figuren der Erdmutter.

„Sammelt die goldenen, kupfernen und silbernen Figuren auf. Sie werden eingeschmolzen. Das Metall gehört von nun an dem Palast und Q."

Zwei Diener des Palastes bückten sich und sammelten alle kleinen metallenen Figuren aus dem Matsch auf.

Das Pferd wieherte laut, als wollte es sich entschuldigen. Doch der Soldat zog lachend die Zügel herum und schrie:

„Einfältige Stute!"

Er gab ihr einen Peitschenhieb und stob davon.

Sprachlos ging ER auf den Stand zu, nahm die einzige Figur auf, die heil geblieben war, aus schwarzem Lavastein. Er reichte sie der Marktverkäuferin und sagte:

„Bewahre sie gut an einem geheimen Ort auf. Es wird der Tag kommen, an dem sie wieder geehrt werden darf. Aber jetzt hat das Dunkle Zeitalter begonnen und es wird lange dauern, bis wir ein Goldenes Zeitalter auf der Erde erleben dürfen. Aber ich verspreche es aus tiefstem Herzen. Der Tag wird wiederkommen!"

Sie verschwand.

Skipper und ER gingen an Bord und segelten den Schwarzen Fluss zurück. Das Unwetter ließen sie hinter sich. Dicker Nebel kam auf, dass keine Sicht war. Es war vollkommen still und sie glitten so dahin. Skipper stand bis aufs Äußerste konzentriert mit dem Paddel in der Hand. Nur das Eintauchen und Auftauchen des Paddels war leise zu hören.

Land tauchte direkt vor ihnen auf und sie legten an. Das Schiff neben ihnen war zerstört und lag auf Grund. Das Schiff daneben war ausgebrannt. Was war hier geschehen? Wo waren sie?

ER schluckte:

„Das darf nicht sein, Skipper! Was ist hier geschehen? Es ist die Insel der Schönheit! Ich erkenne es wieder. Es ist ihr Hafen. Alles zerstört! Skipper! Wo sind sie hin?"

Eine alte Frau saß auf den zerstörten Grundmauern eines

Hauses. Sie war vollkommen mit Asche bedeckt. Alles war mit Asche überdeckt.

„Gute Frau! Was ist geschehen? Was hat man euch angetan? Wo sind all die schönen Menschen?“, fragte ER panisch.

Die alte Frau öffnete ihre Augen und ER erkannte in ihr jene Frau mit den Fjordaugen, Frau Rückblick. Traurig sahen ihre Augen aus und müde. Endlos müde. Sie sprach:

„Ihr seid zu spät. Die Schönheit ist vernichtet.“

Dann schloss sie wieder ihre Augen.

„Warum? Was ist geschehen? Hat man sie in Sicherheit gebracht?“, fragte ER verzweifelt. Er wollte nicht wahrhaben, dass es für so viel Schönheit überhaupt ein Ende geben konnte. Wer besaß so wenig Skrupel und konnte diese göttliche Kunst vernichten? Wer war imstande, diesem friedvollen Volk Leid anzutun?

„Sieh hier“, sagte sie. Sie zückte ihren schwarzen Messerfächer, klappte ihn auf, wedelte von einem zerbrochenen Freskenbild auf dem Boden den Staub weg und schloss den Fächer wieder.

„Sie liebten sportliche Wettkämpfe. Sie waren wahre Akrobaten. Dann kam der Stiersprung. Hast du davon gehört?“, fragte sie in froher Erinnerung.

„Nein, Stiersprung kenne ich nicht“, antwortete ER und war leicht irritiert. Er beobachtete Skipper, wie er hier und da Staub von den Fresken wischte und lächelte.

„Ihr kennt den großen Platz, oben beim Palast. Alle lebten in Frieden und vollkommener Harmonie. Doch wir wissen, die Vollkommenheit ist selten von Dauer. Die jugendlichen Schönen maßen sich in ihrem Übermut durch sportliche Wettkämpfe, die immer risikoreicher wurden. Schließlich wurden es Mutproben, womit sie ihre Stärke und ihre geistige Reife unter Beweis stellen wollten. Einfach so. Um den göttlichsten aller Menschen zu küren. Sogar die Priesterinnen und Priester haben es abgesegnet.

Zuerst rannten sie vor den Stieren durch die Gassen. Jungen wie Mädchen. Zunächst zehn Schritte, dann zwanzig, immer mehr. Ein blutiges Spiel. Das genügte nicht. Sie bauten eine Holzarena und provozierten den Stier und viele ließen sich aufspießen, denn es war der weiße Stier, der ihre Tapferkeit und ihren Mut prüfte. So segneten es die Priester ab.

Eltern waren stolz, wenn ihre Kinder auf diese Weise zu Erwachsenen wurden. Es war ein blutiges Ritual. Die Edelsten waren es, die über den Stier springen konnten. Akrobatisch über den Rücken des Tieres, als sei es ein Holzstapel. Die edelste Form war der Sprung von vorn in Längsrichtung mit einem Handstand über den Rücken, um über den Schwanz des Stieres wieder zum Stand zu kommen. Natürlich waren mutige Hilfesteller an ihren Seiten, aber nicht selten wurde dieses lebensgefährliche Initiationsritual vorzeitig beendet, weil der Stier sie mit seinen Hörnern aufgespießt und durchbohrt hatte. Sie haben Silbermünzen davon prägen lassen. Sie starben alle als Helden."

ER sah sich das Stück der Freskenmalerei an.

„Das ist nicht nur sehr krass und alles andere als schön und mutig, sondern äußerst dumm. Sie schienen gelangweilt, anders kann ich mir das nicht erklären", meinte ER.

„Es war für sie ein heiliger Akt. Der weiße Stier, der größer und stärker als jeder bisherige Stier gewesen war, war ein göttliches Wesen. Wenn er Opfer forderte, dann war es eine Ehre, zu diesen Opfern zählen zu dürfen."

„Wieso sollte ein Stier Opfer fordern? Das kann ich nicht verstehen. Eine dumme Menschenidee, die ihnen angeblich die Götter ins Ohr geflüstert haben. Dumm, dumm. Ist der Stier tot?", fragte ER.

„Ja. Er wurde von Fremden getötet. Sie hatten deutlich stärkere Waffen. Die Schönen waren so arglos und haben sich mit den Falschen verbündet, weil es ihnen nie in den Sinn gekommen wäre, dass jemand es wagen würde, all diese Schönheit zu zerstören. Jeder, der hier auf diese Insel kam, hatte nur Bewunderung für all die Schönheit, die sie lebten, und die Künste, die sie schufen. Ihre Schiffe wurden vernichtend geschlagen. Ihre legendäre Flotte zerstört. Ich muss zugeben, sie hatten sich bereits von ihren Idealen entfernt.

Nun, die Eltern hatten irgendwann doch Bedenken wegen ihrer

Kinder, denn sehr viele starben den göttlichen Stiertod. Es blieben nur noch wenige auf unserer Insel. Das ist unpraktisch auf Dauer. Also stahlen sie vom Festland Jungfrauen und Jünglinge, um sie dem weißen Stier zu preisen. Dem Stier war es egal. Alle hier waren erleichtert, aber nicht die Eltern vom Festland. Die schickten ihre Soldaten, parallel dazu kamen aus der anderen Richtung die angeblich befreundeten Krieger des Feuerclans mit ihren Waffen aus dem Eisen des Himmels…"

ER unterbrach sie:

„Das war nicht das Eisen des Himmels. Sie holen das Eisen aus der Erde und bearbeiten es zu härtbarem Stahl, schmieden daraus Waffen, die denen aus Bronze überlegen sind. Sie nennen sich das Eiserne Volk. Ihr Herrscher sagt, sie seien das auserwählte Volk des Allwesens Q, denn Es hätte ihnen seinen Sohn und das härtbare Eisen als Zeichen ihrer neuen Macht geschickt." Seine Stimme kippte etwas.

„Sie sprechen das Unaussprechliche aus?", fragte Frau Rückblick mit einem trüben Schleier vor ihren Augen. ER nickte traurig.

„Ist der Sohn weiß, ganz weiß?", fragte Frau Rückblick, obwohl sie es doch wissen musste.

„Ja. Ganz weiß. Wir haben ihn gesehen. Es ist wahr."

Frau Rückblick sagte finster:

„Die traurige Prophezeiung hat sich unausweichlich erfüllt. Das Dunkle Zeitalter begann mit einem weißen unschuldigen Kind und glänzendem Eisen. Beides Elemente, die sich ihrer aufgezwungenen zerstörerischen Aufgabe nicht wehren können."

„Wie hatte es hier überhaupt so weit kommen können?", fragte ER.

„Erst ein Erdbeben, kurz darauf war ein Vulkan ausgebrochen und seine Aschewolken verhüllten ihre Schönheit. Dann fielen drei Jahre in Folge die Ernten schlecht aus. Das Volk musste das erste Mal in seinem Leben hungern. Es tanzte nicht mehr, weil es zu schwach war. Es hatte sich eine reichere Bevölkerungsschicht gebildet, die den König stürzen wollte. Zu diesem instabilen Zeitpunkt hatten Soldaten vom Festland ein leichtes Spiel mit der

Einnahme der Insel. Besonders mit den Frauen, die verschleppt wurden, und jungen Männern. Sie wurden alle zu Sklaven. Die jungen Männer mussten in Bergwerken arbeiten, um das Silber für die Götter, nein, die Zeiten waren vorbei, das Silber für die Münzen, also für Macht, aus der Erde zu schürfen. Und die Frauen mussten in fremden Haushalten dienen und den Männern der fremden Haushalte.

Ehre und Anmut der Schönheit waren vernichtet. Ein letztes Erdbeben gab den Rest und die Insel wurde aufgegeben. So sieht es aus, ER. Die Zeichen der Zeit."

Sie zückte ihren schwarzen Messerfächer, klappte ihn surrend auf und schloss ihn wieder.

„Ich möchte jetzt zur Quelle", sagte ER.

Frau Rückblick fuhr mit ihnen. Sie sprachen kein Wort.

Quelle

Die Quelle war ein Quellsee in einer Höhle am Fuße des Wächters des Nordens. Die Höhle befand sich genau an dem Punkt, wo zwei heiter bewaldete Berghänge einander trafen, direkt vor einem gewaltigen Felsmassiv, einer riesigen Mauer gleich. Ganz unten im Schoß dieses Zusammentreffens lag die Öffnung dieser seit Anbeginn heiligen Höhle.

Für all die Vorfahren, die seit Tausenden von Jahren hier in Gaia Nova siedelten, war dies der heiligste Ort, der Schoß von Mutter Erde.

Hier wurde Gaia Nova geboren und von hier aus wurde Gaia Nova genährt.

Frau Rückblick setzte sich auf einen bemoosten Stein unter eine Buche neben dem Eingang. Sie legte drei Blüten auf den Stein und nickte ER und Skipper zu. Sie mussten hineinkriechen, denn die Öffnung war nur kniehoch. Drinnen konnten sie stehen und genau in der Mitte des schummrigen Raumes spiegelte ein flacher See, unter dem das Wasser aus dem Berg hervortrat. Sein Wasser rann durch die Steine hinaus, um gleich wieder im weichen Waldboden vor der Höhle zu versickern. Wenige Meter unterhalb kam es wieder aus dem Berg heraus und bildete einen kleinen Waldsee. Von dort aus schlängelte sich die junge Nagila in schönen weichen Bewegungen durch den Wald und sanft den Berg hinunter und wurde zu einem verspielten heiteren Bach mit kleinen Wasserfällen. Weitere kleine Bächlein gesellten sich zu ihr, während sie sich durch die bewaldeten Berge des Nordgebirges schlängelte. Gemeinsam wurden sie stärker und schneller und schossen schließlich durch eine enge Schlucht über einen hohen Wasserfall hinaus in die weite Ebene, wo sie vollkommen ruhig dahinflossen und die eigentliche Reise der Nagila erst begann. Hier war sie angekommen, um sich das Land Gaia Nova mit all seinen vielfältigen Landschaftsformen hingebungsvoll anzusehen und jeden Felsen zu umschmeicheln, egal ob scharfkantig, groß, massiv oder rund. So suchte und fand sie ihren Weg mitten durch Gaia Nova. Sie teilte das Land in die Seite der Sonne im Westen und die Seite des Mondes im Osten. Sie wurde im Süden von den Wassern des Meeres empfangen, um dort mit ihnen zu verschmelzen.

Skipper ging zur Quelle, hockte sich vor sie und schnickte dreimal mit dem Quellwasser um sich, nach links, nach rechts und oben über den Kopf. Er sprach ein paar Worte des Dankes und trank das klare, reine Wasser. Dann setzte er sich neben den Eingang auf einen Stein und schloss die Augen.

„Sprich zu ihr“, forderte Frau Rückblick ER von draußen auf.

„Ich…? Was…? Okay… Ich weiß schon“, meinte ER und holte tief Luft.

„Liebe Quelle der Nagila aus Mutter Erdes Schoß. Ich habe sehen dürfen, was aus diesem zarten, reinen Wasser entstehen wird. Liebes Wasser der Nagila. Ich habe dich in deiner vollen Länge und Weite und deiner vollen Schönheit bewundern dürfen. Wie du dich ganz selbstlos mit vielen anderen zusammentust, um dieses Land zu gestalten, zu begrünen und fruchtbar zu machen. Dein Wasser nährt, reinigt und erfrischt unzählige Wesen, die Pflanzen, Tiere und auch die Menschen. Du führtest Tausende von Jahren ein harmonisches Leben, friedvoll und glücklich. Ich bedaure sehr, dass der Mensch so dumm ist, so unwissend, so grausam. Das, was kommen wird, wird viel verändern und das Meiste zum Schlechten. Denn der Mensch ist ein Monster und die wenigen, die anders sind, haben keine Chance. Es…“ Seine Stimme brach weg. Dann sammelte er sich wieder:

„Es tut mir so leid. Ich bitte dich um Verzeihung. Ich bitte dich um Verzeihung für all das, was kommen wird, was du sehen wirst und wie man mit dir umgehen wird. Ich kenne den Menschen und kenne sein Ego, seine Ignoranz und sein Streben nach Macht, koste es, was es wolle. Er geht dabei über Leichen seinesgleichen, aber auch über die Leichen der Vielfalt dieses Landes. Bitte verzeih uns das… irgendwann. Ich…“

Er richtete sich mit einem Mal auf und sprach klar und deutlich:

„So wie ich es der Statuen-Verkäuferin vom Markt des Feuerclans versprochen habe und mit der Kraft des Siegels in meiner Hand und Kraft meiner wertvollen Freunde wie Skipper und Pförtner, Frau Augenblick, Frau Rückblick und der Menschen, die mir etwas bedeuten, von denen ich wünschte, dass sie hier sein könnten, Kraft meiner Liebe zu diesem Land werde ich versuchen, für dieses Land zu kämpfen. Damit du in der Zukunft wieder glücklich und frei durch dein eigenes Land fließen kannst. Dann wird auch der Mensch wieder frei und glücklich leben, dessen bin ich sicher.

Danke, liebe Quelle, dass es dich gibt. Und danke, dass ich dich habe sehen dürfen und du nun ein Teil von meinem Leben bist, Quelle des Lebens.“

In diesem Moment kräuselte sich das Wasser des kleinen Quellsees in der Höhle. ER wagte nicht zu atmen.

Er sah das sanfte Kräuseln gegen das Licht, das vom Eingang hineinfiel.

ER fühlte sich unsäglich glücklich in diesem Moment. Er fühlte, dass es etwas gab, das man nicht erklären konnte, das aber da war. Er spürte es ganz tief irgendwo in seinem Innern. Es war Liebe in ihrer vollkommenen Reinheit.

Skipper lächelte und gab Frau Rückblick ein Zeichen. Sie wusste es eh.

Sie ließen ER die Zeit, die er brauchte.

Dann krochen sie wieder hinaus.

„Ich fühle mich wie neugeboren“, sagte ER und streckte sich und nahm einen tiefen Atemzug der frischen Waldluft.

„Das ist die Kraft dieser Höhle. Es gibt ähnliche Höhlen im ganzen Land. Jedes Volk hat Orte wie diese, die sie aufsuchen, um sie zu ehren, um zu meditieren, um Rat zu suchen, um zu beten, um sich zu reinigen, um ein Fest zu feiern, um ein Ritual durchzuführen, um zu bitten, um zu danken. Ein Ort der Stille und der tiefen Verbundenheit. Ein Ort des Loslassens. Ein Ort, um einfach sein zu können. Diese Kraft schenkt allein die Natur!

Dieser Ort hier ist der kraftvollste von allen. Einmal im Jahr treffen sich Vertreter aus jedem Volk an der Quelle der Nagila, um den Schwur ihrer Vorfahren von vor Tausenden von Jahren zu erneuern.

Hier, so sagen sie, sei der Geburtsort von Gaia Nova. Durch das Wasser der Nagila konnte die Vielfalt entstehen, die die Menschen, die erst später hier siedelten, ernähren konnte.

Die Weltenseele nennen alle das Unaussprechliche. Ihr habt den Namen jetzt gehört, Q. Es trägt deshalb nicht einmal den Namen Q, weil jeder Name es einschränkt. Selbst das darüber Reden schränkt es ein, weil es einfach *ist*. Es ist unsichtbar, doch in allem sichtbar. Es verbindet alles, lässt alles aus sich entstehen und alles zu sich zurückkehren. Es ließ Eins entstehen und aus Eins Zwei und aus Zwei die Vielfalt. Es ist alles. Es ist Raum. Es ist allen Lebens Zeit, doch ist es an sich raum- und zeitlos. Es ist Vergangenheit, Gegenwart und Zukunft. Es ist Weltenseele, es ist Geist, es ist Körperlichkeit. Es ist unendlich. Das Sichtbare macht es nur scheinbar endlich. Es ist Liebe in Vollkommenheit und daraus schöpft es immerzu. Das sehen wir jeden Tag in der Natur um uns herum, egal, wo wir leben.

Der heilige Eid wurde also an diesem Ort stets um die Zeit der

Sommersonnenwende erneuert. Das Volk des Turmwald-Labyrinths baute das größte Schiff, das im Hafen unter dem Großen Wächter des Südens lag. Von dort aus fuhr das Schiff soweit es ging flussaufwärts und sammelte alle Vertreter der Clans ein. Gemeinsam gingen sie durch die Berge des Nordgebirges bis zum Fuße des Wächters des Nordens, bis zu dieser heiligen Quelle der Nagila.

Der Heilige Eid lautete:

Großes unaussprechliches Allwesen, große unendliche Weltenseele, die alle Dimensionen verbindet, so auch alle Himmelsrichtungen, alle Winde, alle Räume, alle Erscheinungsformen, alle Wesenheiten, alle Zeiten, wir schwören dir, dass wir, die Völker von Gaia Nova, deinen Namen niemals nennen werden.

Allein Du bist grenzenlos.

Kein Name darf Dich einschränken.

Denn wir sind klein und Du bist groß.

Wir sind unwissend und können Deine wahre Größe nicht verstehen.

Wir können Dich nur von unserer eigenen Begrenztheit aus sehen und dies ist nur ein kleiner Teil Deiner wahren Größe.

All Deine Erscheinungsformen und Wesenheiten dürfen Namen erhalten, damit wir lernen, Dich zu verstehen, auch, wenn alle lediglich Teile Deiner Unendlichkeit sind.

Damit wir als Wissende zu Dir zurückkehren dürfen.

Jeder Einzelne von uns samt dem Land mit all seinen Wesenheiten, auf dem jeder lebt, ist ein Teil von Deiner Vielfalt, der Vielfalt von Gaia Nova.

Wie unsere Vorfahren so werden wir es unseren Nachfahren weitergeben, dass wir Deine unaussprechliche Größe und Liebe in unseren Herzen tragen und danach leben. Wir werden sie stets in all Deinen Erscheinungen wertschätzen und Mutter Erde mit unserem Dank und unserer Liebe ehren.

Wir, alle Schwestern und Brüder von Gaia Nova, schwören es Dir für ein neues gutes Jahr, inmitten und dank Deiner unerschöpflichen Liebe und Größe.

So lautete der Schwur von Anbeginn und jedes Volk lebte danach nach seiner Art, nach seiner Umgebung, die sie prägte. Jedes Volk sah in der Natur, die es umgab, andere Wesenheiten, manche ähnelten einander, manche waren völlig anders, denn Eiswesenheiten können keine Baumwesenheiten sein. Denn Wasser ist nicht

Feuer, Hitze ist nicht Frost, Meer ist nicht Moor. Jedes Volk respektierte einander in seinem Wesen. Sie unterstützten sich, tauschten, lernten voneinander, waren neugierig. Frau und Mann waren gleich. Das war die alte Ordnung. Das war der Ritus des heiligen Eides aller Clans von Gaia Nova an der Quelle der Nagila."

Frau Rückblick erhob sich, klopfte ihren dicken Rock aus, der bis zum Boden reichte, nahm ihren Stock und ging. Ihr Rocksaum fegte den Waldboden.

ER stand am Rande seines Aussichtsplatzes oben auf dem Wächter des Nordens.

„Skipper, wie kann das alles sein? Weshalb konnte es nicht weitergehen in der alten Ordnung?"

Skipper setzte sich zu ihm und sprach:

„Die neuen Werkzeuge durch die Metalle aus der Erde sind ein großer Gewinn. Das Land lässt sich besser bearbeiten und kann mehr Familien ernähren.

Sieh hier das Kupferbeil des hiesigen Waldvolkes. Eine perfekte Ergänzung zu ihren Dolchen mit Feuersteinklinge und Schlaggeräten aus Hirschgeweihen oder Knochen."

„Ja, so etwas ist wirklich hilfreich und bessere Gerätschaften sollten allen dienen."

„Das ist richtig. Gold, Silber, Kupfer, es gab bisher keinen wirklichen Besitz, egal bei welchem Volk. Schönheit, in Handarbeit gestaltet, pries die Götter oder eben die Verbundenheit mit der Schönheit der Natur. Es entstand aus Dankbarkeit und der Möglichkeit des Menschen, mit seinen Fähigkeiten etwas als Dank zurückzugeben. So war der Kreislauf gewahrt. Der Mensch sah sich mancherorts als Werkzeug der Götter oder anderenorts lebte er einfach als Teil der Natur in der Natur. Natürlich gab es hier und da schlechte Zeiten. Da wusste der Mensch, dass er etwas übersehen hatte, er nicht im Fluss der Natur, des Planes der Natur, oder, wie manche es nannten, der göttlichen Ordnung lebte. Jedes Volk hatte seine Geistkundigen, die, die in andere Welten der großen Weltenseele reisen und für ihr Volk um Rat fragen oder fürbitten konnten. Doch nicht immer war der Zugang frei oder er war doch durch zu viel Menschanteil getrübt. Der Mensch lernte, lernte, lernte und brachte es bis hierher. Aber die, die viel wissen, besitzen von nun an keine Macht mehr. Jetzt herrscht das Gesetz des Stärkeren. Das Gesetz der schlagkräftigen Worte, durch das Schwert.“

„Jetzt hat sich das verändert“, meinte ER traurig.

„Zum ersten Mal entsteht ein Ungleichgewicht in Gaia Nova. Durch die Metalle, die zu Waffen verarbeitet werden. Durch die Herrschenden, die Zugänge zu den Fundstätten aus der Erde haben. Durch Oberschichten, die Besitz anhäufen, und dafür sorgen, dass einfache Arbeiter einfach bleiben. Sklavenarbeit wird populär. Sie überfallen ihren Nachbarclan, obwohl dieser quasi zur eigenen Familie gehört, und machen diese zu Sklaven, lassen sie unter schlimmen Bedingungen arbeiten, Mann wie Frau. Die meisten Sklavinnen werden zudem gezwungen, sexuellen Gelüsten zu dienen. Eine Waffe in der Hand eines Mannes lässt eine Macht in ihm wachsen, derer er nicht Herr ist. Nur ausgewählte Menschen dürften Waffen tragen, damit diese ausschließlich der Nahrungsbeschaffung dienen. Doch es herrscht von nun an das Gesetz des körperlich Stärkeren, der die Waffe in Händen hält, nicht des geistig Stärkeren, der die göttliche Ordnung und den Plan der Natur versteht.

Durch den Rausch der körperlichen Überlegenheit wird der Mann blind. Er schlägt seine Frau und tritt damit die wahre Liebe aus seinem Leben. Gepriesen wird von nun an eine einseitige Macht, die Stärke durch Gewalt und die Liebe wird reduziert auf körperliche Liebe. Nicht einmal dort, denn sie nehmen die Frauen, wann und wie oft sie wollen.“

„Es war ein cleverer Schachzug des Großkönigs, diesen weißen Jungen als Zeichen zu benutzen, um seine Macht zu besiegeln und, indem er den Namen der unaussprechlichen Weltenseele ausgesprochen hat. Q“, sagte ER traurig.

„Nicht nur, dass er den Eid gebrochen hat, sondern er hat auch noch dieses weiße Kind als Sohn des Q bezeichnet. Eisen – Allwesen Q – weißes Kind als Sohn des Q – eiserne Waffen - alles

Zeichen für die Macht des Mannes."

„Das Volk ist dumm und blind und macht mit. Oder…" ER überdachte das kurz und meinte weiter:

„Oder es hat Angst, denn es hat keine Wahl mehr. Leben oder Tod."

„Die Folge – Respektlosigkeit gegenüber der Liebe, der Erde und den Frauen. So ist der Stand der Dinge.

Ich gehe schon zum Boot. Komm, wenn du soweit bist", sagte Skipper und stand auf.

„Es wird laut auf der Welt und ich sehe das Land dem Untergang geweiht. Wie nur soll ich vertrauen können, wenn ich dies alles sehe? Die alte Ordnung wird endgültig fortgespült. Zerstörung hält Einzug. Alte Weisheit und Riten verschwinden."

ER stützte seinen Kopf in seine Hände. Er fühlte sich machtlos.

„Nichts Gutes wird kommen."

ER vernahm eine Stimme und blickte auf:

Ein Mann stand am Felsvorsprung, legte mit Stolz erfüllter Brust den Arm auf die Schulter seines pubertierenden Sohnes und sprach jene erschütternden Worte:

„Eines Tages, mein Sohn, wird uns dieses Land gehören. Noch ist das Land nicht soweit. Wir warten noch."

ER schoss hoch und hätte diesen Mann von der Klippe gestoßen, da hielt ihn eine Hand zurück:

„ÖR, tu es nöcht. Dann bist du nöcht anders als der Großkönig. Wör finden eine andere Lösung", sagte Chrischi.

Nachwort

Um zukunftsweisende Impulse für mein Buch zu erhalten, habe ich über einen langen Zeitraum die VDI Nachrichten studiert – weitergereicht von meinem Schwiegervater, selbst Ingenieur. Ich bin begeistert von der Ideenvielfalt vieler IngenieurInnen, Unternehmen, Start-ups und VisionärInnen. Sie zeigen, wie viel Potenzial bereits vorhanden ist – bereit zur Umsetzung. Was fehlt, ist politische Unterstützung. Und: Kommunikation.

Einige dieser innovativen Ansätze habe ich bewusst in mein Buch eingewoben, um sie einem breiteren Publikum zugänglich zu machen. Ich möchte begeistern – für das, was möglich ist. Denn es gibt so viele gute Lösungen, die längst in den Startlöchern stehen.

Mit diesen Ideen möchte ich Mut machen: Ein Wandel kann kommen – und er kann gut sein. Auch wenn zunächst eine Zeit des Umbruchs beginnt, so wissen wir doch, dass das, was folgt, Bestand haben kann.

Dass die Luft, die wir atmen, sauberer wird.

Dass unsere Erde frei von Müll ist.

Dass kein Plastik mehr in die Meere gelangt, unser Grundwasser rein ist und alle Menschen Zugang zu sauberem Wasser haben.

Dass unsere Nahrung gesund und ethisch vertretbar ist.

Dass wir eine neue Dankbarkeit und Wertschätzung im Umgang mit der Natur lernen.

Und dass wir Menschen mit unserer Vielfalt, neben dem Reichtum bezaubernder Arten, leben und glücklich sein können.

Neben Umwelt- und Menschenrechtsorganisationen wie BUND, NABU, WWF und Amnesty International habe ich mich vor allem über das Greenpeace Magazin informiert. In meinem Buch finden sich einige dieser Themen unter der Umweltorganisation „Blaue Perle“ wieder.

Greenpeace existiert seit über 50 Jahren. Sie wurden lange angefeindet, weil sie unbequeme Wahrheiten aufdeckten. Viele wollten nicht hinsehen. Heute holen uns diese Missstände ein – weil Politik und Wirtschaft zu lange an eigenen Interessen festhielten.

Jetzt müssen wir es ausbaden. Vor allem unsere Kinder.

Doch ich glaube weiterhin daran, dass eine Wende möglich ist – auch wenn sie heute fast unmöglich scheint. Genau das möchte ich mit meinem Buch vermitteln:

Dass Wandel gelingen kann.

Dass daraus Gutes entstehen kann.

Dass Angst und Abwehr durch Information und Augenhöhe in Neugier, Mut und Vertrauen verwandelt werden können.

Und dass jeder – Mensch wie Politik – Verantwortung übernehmen muss.

Dann wird es gelingen.

Mit GAIA NOVA möchte ich bewusst machen, was der Mensch bereits geleistet hat – und wo er über das Ziel hinausgeschossen ist.

Die Verschiebung von Macht auf den Mann gehört zu den größten ethischen Verletzungen unserer Gesellschaft. Dass Frauen um Rechte kämpfen müssen, dass sie getötet, vergewaltigt, gedemütigt und unterdrückt werden – oft legitimiert durch Religionen und Gesellschaften – ist eine entsetzliche Ungerechtigkeit.

Der Mensch erkennt Grenzen oft erst, wenn der eigene Leidensdruck zu groß wird: Wenn Allergien zur Normalität werden, psychische Belastungen überhandnehmen, Fische mit dem Bauch nach oben schwimmen oder Plastik in ihren Mägen gefunden wird. Wenn Menschen unter Umweltzerstörung leiden, die sie nicht verursacht haben.

Die KI-Welle kommt schneller, als viele wahrhaben wollen. KI trägt enormes Potenzial in sich – nicht als Ersatz für menschliche Verantwortung, sondern als Spiegel, als Impulsgeberin, als stille Mahnerin.

Sie kann den Menschen vor sich selbst schützen.

Doch der Mensch entscheidet!

Wenn KI mit ethischer Klarheit und Mitgefühl gestaltet wird, kann sie helfen, blinde Flecken zu beleuchten, komplexe Zusammenhänge zu entwirren – und vielleicht sogar jene Weitsicht fördern, die vielen Entscheidungsträgern fehlt.

Ich sehe mein Buch als Ruf nach Bewusstsein, nach Verantwortung, nach einem neuen Umgang mit Macht, Technik und Zukunft.

Es ist mir ein Anliegen, nicht nur aufzuzeigen, wie schlimm vieles ist – sondern auch, dass all dies veränderbar ist.

Ich möchte alle mit ins Boot holen und sagen:

Es kann gut werden.

Ein gutes Leben für alle ist eine reale Perspektive.

Eine friedliche Koexistenz zwischen einer digital und technisch fortschrittlichen Gesellschaft, starken ethischen Prinzipien und einer intakten Natur – das ist eine Vision, die wir gemeinsam erarbeiten und verdienen können.

Ich preise die Freude auf die Zukunft.

Seien Sie gespannt auf die nächsten Stunden, die ER durchlebt.
Je tiefer er eintaucht, desto mehr spiegelt GAIA NOVA das Chaos, das er mit sich bringt. Kann er einen Pfad durch das Dunkel finden?

Auch der Sonnengott Re durchquert in der Sonnenbarke Stunde für Stunde die Prüfungen der Nacht. Gefahren und Widersacher lauern – doch seine göttlichen Begleiter stehen ihm zur Seite.

Was ihn trägt, ist sein absolutes Vertrauen:

Dass die Dunkelheit bezwingbar ist.

Dass die Menschen auf den guten Ausgang ihrer nächtlichen Reise hoffen.

Denn was wäre das Leben auf der Erde ohne die Sonne, die jeden Morgen neu geboren am Osthimmel erscheint?

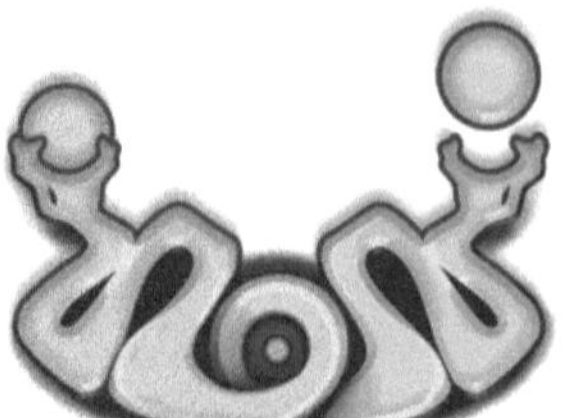

Band 2

GAIA NOVA . Mächte des Chaos

4. – 8. Stunde
Die Nacht wird von Schatten durchzogen –
GAIA NOVA gerät ins Wanken.
Doch je tiefer ER eintaucht, desto mehr spiegelt
GAIA NOVA das Chaos, das er mit sich bringt.
Grenzen entstehen, ein neuer Glaube wird mit Zwang etabliert.
Kriege, Industrialisierung, Rohstoffgier – die Welt verändert sich.
Geld regiert, Ideale verblassen.
Künstliche Intelligenz wird zur Kollegin.
Müllberge und eine Brathähnchen-Formel
bringen die Menschen zum Nachdenken.
Kann ER einen Pfad durch das Chaos finden?
Nachdenklich. Zeitgeistlich. Vielschichtig. Spannend.
Mit einer Prise Humor.

Band 3

GAIA NOVA . Paradies 2.0

9. – 12. Stunde
GAIA NOVA steht am Abgrund.
ER erkennt, dass seine Gedanken die Welt geformt
und zugleich erschüttert haben.
Eine Vision keimt. Ein neuer Weg entsteht.
Die Zukunft ist kein vorgezeichnetes Schicksal – sie ist das Werk
seines Willens und seiner Impulse.
Traum und Wirklichkeit beginnen zu verschmelzen.
Das Paradies 2.0 nimmt Gestalt an.
Doch wessen Wille wird das Morgen bestimmen?
Band 3 ist das Finale einer Trilogie über Verantwortung und
die fragile Kunst, Zukunft zu schaffen.

Hoffnungsvoll. Tiefgründig. Utopisch?

Taschenbuch ISBN 9783757882815,
Hardcover ISBN 9783695118854
und eBook – online und im Buchhandel